DIE ANDERE FRAU

Hier nun endlich
die eingekleidete 'andere Frau'...
sehr herzlich – Deine Renate
10. III. 77

RENATE MÖHRMANN

# Die andere Frau

## Emanzipationsansätze deutscher Schriftstellerinnen im Vorfeld der Achtundvierziger-Revolution

MCMLXXVII
J. B. METZLERSCHE VERLAGSBUCHHANDLUNG
STUTTGART

**CIP-Kurztitelaufnahme der Deutschen Bibliothek**

**Möhrmann, Renate**

Die andere Frau: Emanzipationsansätze dt. Schriftstellerinnen
im Vorfeld d. Achtundvierziger-Revolution. –
1. Aufl. – Stuttgart: Metzler, 1977.
(Metzler-Studienausgabe)
ISBN 3-476-00353-1

ISBN 3 476 00353 1


Satz und Druck: Gulde-Druck, Tübingen
Printed in Germany

# Inhalt

*Vorbemerkungen* . . . . . . . . . . 1

I. *Zu den Anfängen des weiblichen Selbstbewußtseins* . . . . . 10
Pietistische und rationalistische Bildungskonzepte . . . . . 10
Konsequenzen der Aufklärung und frühromantische Impulse . . . . 23
Rahel Varnhagen, Bettina von Arnim und Therese Huber . . . . . 30

II. *Die unmittelbaren Voraussetzungen* . . . . . . . . 40
Zur ideologischen Situation der Metternichschen Restaurationsepoche . 40
Der Saint-Simonismus . . . . . . . . . 45
George Sand . . . . . . . . . . 49

III. *Die Emanzipation des Herzens* . . . . . . . . 60
Luise Mühlbachs kecke Jahre . . . . . . . . 60
Die Gleichheitsideen der Ida Hahn-Hahn . . . . . . 85

IV. *Die Emanzipation zur Arbeit* . . . . . . . . 118
Ein Mädchen wartet. Fanny Lewalds Leidensjahre . . . . . 118
Die Tendenzschriftstellerin Lewald . . . . . . . 129

V. *Groteskes Finale* . . . . . . . . . . 141
Louise Astons Ausweisung . . . . . . . . 141
Zurück zur Reaktion . . . . . . . . . 150

VI. *Anmerkungen* . . . . . . . . . . 158

VII. *Literaturverzeichnis* . . . . . . . . . 182

VIII. *Personenregister* . . . . . . . . . 191

Frauenemanzipatorische Abhandlungen sind mehr als andere wissenschaftliche Arbeiten auf den Zuspruch und die Ermunterung anderer angewiesen. Darum sei an dieser Stelle allen jenen ein aufrichtiger Dank ausgesprochen, die mich hierin besonders unterstützt haben, und das waren in erster Linie Dieter Möhrmann, Glenn L. Kerkovius und Erna Hammond-Norden. Gleichzeitig möchte ich Heike Hoßbach für die Anlegung des Namenregisters sowie Christa Kraschinski und Dagmar Quittkat für das Korrekturlesen danken.

Düsseldorf, im August 1976 *Renate Möhrmann*

## Vorbemerkungen

On ne naît pas femme:
on le devient.
(Simone de Beauvoir)

### I.

In einer Situation, in der »die zweite Welle der Frauenbewegung zur Flut geworden« [1] ist und feministische Themen zur Tagesordnung gehören, wo es in aller Welt organisierte und nichtorganisierte Frauenbefreierinnen, Frauenkongresse und -tagungen gibt, wo Schlachtrufe wie »Weiblichkeitswahn« [2], »Die Tyrannei des Mannes« [3] und »Der weibliche Eunuch« [4] Schlagzeilen machen und die Massenmedien für eine plakative Vermarktung des Ganzen sorgen, ist es aufschlußreich, sich einmal die Anfänge solcher emanzipatorischen Bestrebungen ins Gedächtnis zu rufen. Die Ansichten, die so manche Schriftstellerinnen der Metternichschen Restaurationsepoche vor mehr als 125 Jahren vertreten haben, sind nämlich nicht nur verstaubte Emanzipationsdokumente. Einiges von dem, was heute aktuell ist, findet sich dort schon in nuce vorgebildet. Im Spiegel der Vergangenheit werden vielfache Beziehungen und Querverbindungen durchsichtig, manche Aufgabenfelder als bewältigt, andere weiterhin als unbewältigt erkannt werden. Wenn Germaine Greer, eine der profiliertesten Publizistinnen auf diesem Gebiet, ihr Buch *Der weibliche Eunuch* in der Hoffnung schrieb, »Frauen möchten entdecken, daß sie einen Willen haben« [5], geht es ihr um die gleiche Problematik, die schon einige Autorinnen des Vormärz beschäftigte.

> Hat die Frau einen Willen? darf sie ihn haben, ihn äußern? Von der Wiege an wird er gebrochen, unterdrückt, wird sie geübt in Fügsamkeit und Nachgiebigkeit, werden ihr diese Tugenden als die vorzüglichsten ihres Geschlechts gepriesen, und anmuthige Geschmeidigkeit ... als die höchste Grazie zugerechnet. [6]

So klagte Ida Hahn-Hahn 1846 in ihrer *Clelia Conti* und reflektierte damit bereits die weibliche Rollenfixierung. Ähnliche Bezüge ließen sich für andere Schriftstellerinnen dieser Ära nachweisen.

Im folgenden sollen hauptsächlich vier Autorinnen zu Wort kommen, die damals zu den Emanzipierten gehörten: Luise Mühlbach, Ida Hahn-Hahn, Fanny Lewald und Louise Aston. Ihre Wahl ist nicht zufällig. Sie alle haben, wenn auch durchaus unterschiedlich, seismographisch auf die Probleme und Tendenzen ihrer Epoche reagiert. Was sie verbindet, ist das Faktum, daß sie sich nicht in ein poetisches Dachstubendasein zurückzogen, nicht im esoterischen Niemandsland wirkten, sondern mitten im Spannungsfeld der Zeit standen und Stellung nahmen zu den konkreten Fragen ihrer Gegenwart. Sie alle haben den Status quo Metternichscher Provenienz abgelehnt. Sie waren *die anderen,* die sich mit der traditionellen Fixierung auf die häusliche Sphäre nicht mehr zufrieden gaben und sich ein eigenes literarisches Wirkungsfeld eroberten. Fanny Lewald und Ida Hahn-Hahn, deren Romane in einer damals erstaunlichen Auflagenhöhe von 4000 Exemplaren reißend abgingen und mit 10 Friedrichsdor pro Bogen honoriert wurden, waren die bedeutendsten unter ihnen. Mit rund 100 Rezensionen, die sie in Publikumsorganen wie *Blätter für literarische Unterhaltung, Europa, Zeitung für die elegante Welt* und im *Literatur-Blatt* zu Cottas *Morgenblatt* erhielten, wiesen sie sich als wahre Erfolgsautorinnen aus. Auch Luise Mühlbach, die Frau von Theodor Mundt, war gleichermaßen produktiv und hat vor allem in ihren frühen Romanen immer wieder nach dem Selbstverständnis der Frau gefragt.

Heute sind ihre Werke größtenteils vergessen. Zu Unrecht, wie mir scheint, denn auf dem Wege zu einem größeren Humanitätsbewußtsein ist manches davon beherzigenswerter als die von der traditionellen Ästhetik sanktionierten Mondscheingedichte. Es versteht sich von selbst, daß es in einer Auseinandersetzung mit den ersten emanzipatorischen Artikulationsversuchen nicht auf eine poetische Substantialität à la Droste-Hülshoff ankommt. Was hier den Ausschlag gibt, ist das ideologische Interesse. In den Schriften dieser Autorinnen spiegeln sich jene hochgemuten Hoffnungen, die eine dem Herkömmlichen gegenüber skeptisch gewordene Generation auf eine neue Gesellschaftsform gesetzt hatte. Was sie beflügelte, war der Glaube an die Möglichkeit einer Wende, an eine politische Weichenstellung der seit dreißig Jahren festgelegten monarchistisch-absolutistischen Geleise. Als sich diese Erwartungen durch die gescheiterte März-Revolution als utopisch erwiesen, erlahmte ihre Schwungkraft. Damit sollen ihre »tendenziösen« Versuche nicht herabgewürdigt werden. Sie behalten ihren Wert als Signaturen der Nichtanpassung, als Dokumente progressiven Denkens, die als Leitkonzeptionen für ein humaneres gesellschaftliches Zusammenleben ihre Gültigkeit behalten.

## II.

> Wir sollen nicht glauben, sondern prüfen, denn der Glaube macht blind, der Zweifel sehend, und nicht der Glaube macht selig, sondern der Zweifel.
> (Fanny Lewald)

»Die Frauen sind eine Macht in unserer Literatur geworden; gleich den Juden begegnet man ihnen auf Schritt und Tritt [...] ja auf manchen Gebieten, wie z. B. im Roman, haben sie sogar entschieden die Oberhand.« [7] Mit solchen Bemerkungen leitet Robert Prutz 1858 in *Der deutschen Literatur der Gegenwart* seine Auseinandersetzung mit den Schriftstellerinnen dieser Zeit ein. Er widmet ihnen sogar ein gesondertes Kapitel mit der Überschrift »Die Literatur und die Frauen.« [8] Schon diese wenigen Worte enthüllen die ganze Problematik und Vertracktheit, welche die literarische Bewertung des publizistisch tätigen anderen Geschlechts hervorrief. Bei Prutz' Äußerungen fühlt man sich fast an militärische Lage- und Truppenberichte erinnert. Es scheint sich hier zunächst einmal um Positionsfragen, um Machtabgrenzungen, ja geradezu um zwei Gegner zu handeln, von denen der eine unterliegen und der andere die »Oberhand« gewinnen kann. Wäre der Verfasser ein Vertreter der Reaktion, brauchte man hierüber keine weiteren Worte zu verlieren. Von einem progressiven Streiter für radikal-demokratische Ideen, der auf Grund seiner agitatorischen Satire *Die politische Wochenstube* (1845) sogar wegen Majestätsbeleidigung verklagt worden ist, hätte man allerdings etwas anderes erwartet.

Aber damit befinden wir uns bereits mitten im Dilemma. Prutz bildet keine Ausnahme. Fast überall in der Literaturgeschichtsschreibung des 19. Jahrhunderts muß sich die »Frauenliteratur« mit einer pauschalen Sonderkategorie zufriedengeben. Anstatt daß man nach poetologischen, historischen oder auch nur lokalen Einteilungsprinzipien differenziert, versteift man sich darauf, hier ausschließlich die Kriterien der Geschlechtszugehörigkeit als Sonderungsfaktor ins Feld zu führen. Während man für die männlichen Kollegen ein ganzes Gestrüpp von Epochenbezeichnungen parat hat, begnügt man sich bei den »Frauen der Feder« mit dem schlichten Etikett der Weiblichkeit. Ganz nach diesem Muster gliedert Carl Barthel seine *Deutsche Nationalliteratur der Neuzeit* (1853) in »Romantische Schule« »Das junge Deutschland«, »Dichter neuer Bestrebungen in Stoff und Form« und fügt wie beiläufig, quasi als poetisches Dessert, am Schluß noch ein Kapitel über die »Literarischen Frauen« [9] hinzu. Daß bei einer solchen Pauschalisierung ein Sammelsurium der widerspruchsvollsten Talente herauskommt, kann bei einem Auswahlprinzip, das ausschließlich auf der Gleichheit der Chromosomenstruktur beruht, nicht weiter verwundern.

Wer die Bewertung solcher Gliederungsprinzipien als Marginalie abtut, übersieht etwas sehr Entscheidendes. Das Auftreten der Frauen in der literarischen Öffentlichkeit um 1840 durchbricht eine uralte Tradition. Zwar hat es zu allen Zeiten – angefangen von der Nonne Hroswitha im zehnten Jahrhundert bis zu Catharina Regina von Greiffenberg – vereinzelte Dichterinnen gegeben. Das Neue demgegenüber ist, daß in den vierziger Jahren zum ersten Mal eine repräsentative Anzahl von schreibenden Frauen auf den Plan tritt, die selbständig und selbstbewußt ihre eigenen Interessen verkündet – ein Phänomen, das von Eichendorff mit der Bemerkung »die Poesie ist unter die Weiber gekommen« [10] diffamiert wird. Daß in einer so vielschichtigen und gespaltenen Ära wie der Restaurationsepoche auch unter den Frauen keine Einheitlichkeit herrscht, versteht sich von selbst. Und gerade deshalb hinterlassen Etikettierungen wie »Die Frauen in der Literatur« (Mielke) [11], »Dichtende Frauen« (Prutz) [12], »Heldinnen der Feder« (Alker) [13] oder gar »Der Damenroman« (Sengle) [14] ein Gefühl der Unbefriedigtheit. Derartig nivellierende und verharmlosende Generalnenner tragen nur dazu bei, die zugespitzte Polemik, die unter den Frauen ebenso wie unter den Männern dieser Ära stattfand, zu verschleiern und das Ganze auf die Boudoir- und Nähstubenebene zu reduzieren.

Über solche Titel könnte man notfalls hinwegsehen, wenn die Darstellungen dieser ›Männer‹ etwas objektiver wären. Das trifft jedoch nicht zu. Anerkennenswert ist immerhin, daß sich Carl Barthel zu der Überzeugung durchringt, daß »wohl nicht bezweifelt werden kann, daß das Weib eben so wie der Mann zur Poesie angelegt sei ... da diese ein allgemeinmenschliches Erbtheil ist«. [15] Aber fast bestürzt über seine allzugroße Kühnheit, beeilt er sich hinzuzufügen, daß dem Weib die Schriftstellerei nur in dem Fall gestattet werden solle, wenn es »weiblich bleibt, wenn es die Schranken, die seinem Geschlecht von Natur und Sitte gezogen sind, nicht überschreitet« [16], was nichts anderes besagt, als daß ihm ausschließlich die pietätvolle ›Bedichtung‹ des Status quo zukommt. Sein Widerwille gegen jene »Kategorie der emancipirten, das heißt der von ihrer wahren Natur abgefallenen Weiber« [17] ist derart mächtig, daß er ausdrücklich darauf hinweist, eine so radikale Vertreterin ihres Geschlechts wie Louise Aston nicht in seine Literaturgeschichte aufnehmen zu können. Ähnliches liest man bei Julian Schmidt, selbst wenn es zunächst wohltuend auffällt, daß er sich von den üblichen Einteilungsklischees distanziert und die Schriftstellerinnen dem Gesamtkomplex »Der Roman und die Gesellschaft« [18] zuordnet. Auch er kann sich nicht dazu entschließen, eine literarische Bewertung seines Untersuchungsmaterials vorzunehmen, ohne einige weitschweifige Prolegomena über die Psyche der Frau im allgemeinen aufzutischen. »Die Logik der Frau ist eine andere, als die der Männer« [19], heißt es dort in schöner Bestimmtheit, und weiter erfährt man, daß die Erörterung sozialer und politischer Fragen dem Weib demzufolge nicht anstehe. [20] Aber damit noch nicht genug der Reduktionen. Als literarisches Sujet bleibt selbst der Mann dem Weibe stets ein unbekanntes Wesen, denn, so belehrt uns Schmidt, »die Frau kann einen Mann nie vollständig schildern, denn sie versteht es nicht, was eine concentrirte, auf ein bestimmtes Ziel geleitete und mit unablässiger Ausdauer verfolgte Anstrengung ist«. [21]

Daß die Vertreter des konservativen Standpunkts dem traditionellen Unsinn von der beglückenden Beschränktheit des Weibes huldigen, ist letztlich nicht weiter verwunderlich. Weit bedenklicher stimmt es, daß auch progressiv eingestellte Männer wie Rudolf Gottschall und Robert Prutz die literarische Produktion ihrer Mitstreiterinnen ebenfalls nach den Kategorien des Echt-Weiblichen beurteilen. So tadelt der Vertreter *Der politischen Wochenstube* den allzugroßen Mut, mit dem eine Luise Mühlbach in ihren Romanen die Mißstände der Gesellschaft aufdeckt. »Etwas weniger Muth und dafür mehr weibliche Scham und Zurückhaltung« [22], ruft er ihr zu. Obgleich selber ein Vertreter der Tendenzpoesie, mißbilligt er diese Neigung in den Jugendwerken von Fanny Lewald und lobt das »ächt weibliche Eingehen auf das Kleine und Unscheinbare« [23] in den anspruchslosen Genrebildern ihrer späteren Erzählungen. Reiches Lob dagegen erntet die feinnervige Luise von Gall, schriftstellernde Tochter aus altem freiherrlichen Geschlecht, die »im Leben und auch in ihren Schriften durchaus und vor allem streng weiblich war« [24]. Zum Ärgernis wird diese Haltung, wenn sich Prutz – wie bei der zutiefst reaktionären Ottilie Wildermuth – dazu verleiten läßt, selbst an so läppischen und absolut nichtssagenden Elaboraten wie *Zur Dämmerstunde* oder gar *Sonntagnachmittage daheim* »die Wärme und Zartheit der Empfindung ... sowie ... einen milden ächt weiblichen Sinn« [25] zu rühmen. Solche Bewertungen stimmen verdrießlich. Schließlich ist die Literatur doch kein Weiblichkeitsbasar!

Nicht ganz so rollenbeflissen gebärdet sich Gottschall. Immerhin spricht hier ein Autor, der sich entschieden gegen »feige Schafspelzdemut« wandte und in seiner *Madonna und Magdalena* [26] die Frau sogar als Göttin der Vernunft verherrlicht hatte (wobei uns in diesem Zusammenhang weniger das Göttliche, als vielmehr das Vernünftige interessiert). Zudem ist er der einzige, der in seiner Abhandlung über die Frauenliteratur ein erstes dialektisches Strukturprinzip erkennen läßt. Er subsumiert seine Autorinnen zwar ebenfalls unter der Kategorie des Frauenromans, vernachlässigt aber nicht die oppositionellen Stimmen und unterscheidet deutlich zwischen »Conservativen und Emancipirten« [27]. Die von Prutz so hoch geschätzte Ottilie Wildermuth ist ihm deshalb nichts anderes als eine »schlichte Hohepriesterin des häuslichen Glückes«. [28] Aber damit sind seine emanzipatorischen Impulse auch schon so ziemlich erschöpft. Selbst *er* hält daran fest, daß die eigentliche Sphäre der schreibenden Frau »die Welt des Herzens und das Leben der Gesellschaft« ist [29] und daß »zu einem größeren Kunstwerk von plastischer Vollendung, das *eine* Idee harmonisch beseelt, die Darstellungsgabe der meisten Frauen nicht ausreicht«. [30]

Versucht man nun, diese mystische Vorstellung von dem Echt-Weiblichen etwas genauer zu definieren, stößt man sofort auf Schwierigkeiten. Selbst im eigenen Lager herrscht hier kein Konsensus. Während der konservative Carl Barthel einer Bettina von Arnim jeglichen weiblichen Abstand abspricht und ihre Schriften als emanzipierte Exzentrizitäten verwirft [31], zollt der noch konservativere Heinrich von Treitschke dieser »schönen Mutter schöner Kinder« höchstes Lob. »Bettinas Stärke«, so liest man in seinen Ausführungen zur deutschen Literatur, »lag, wo das Genie der Weiber immer liegt, in der Kraft des Verstehens und Empfangens; sie wußte das und blieb immer der Efeu, der sich am festen Stamme emporrankt. Mannesarbeit zu tun hat sie sich nie erdreistet.« [32] Ebenso »zart, reizend und weiblich liebenswürdig« erscheint ihm die Schriftstellerin Ida Hahn-Hahn [33], wogegen Carl Barthel die »krankhafte Emancipationssucht« derselben verurteilt. [34] Nicht viel anders erging es Henriette Paalzow. Von Ernst Alker mit dem Stempel des Agitatorischen versehen [35], ist es hier der Weiblichkeitsapostel Barthel, der ihr eine »Keuschheit und Innigkeit der Empfindung« nachrühmt, wie sie selbst in der weiblichen Romanliteratur selten zu finden sei. [36]

Ähnlich verschwommene Vorstellungen hatte man bezüglich der Themenbereiche, mit denen sich die Frau befassen sollte. Daß Carl Barthel ihr nichts anderes als die Sphäre der engeren Häuslichkeit zubilligt und von ihrem schriftstellerischen Talent vor allem die Verklärung von Zucht, Ordnung und Sitte erwartet [37], versteht sich nach dem Gesagten von selbst. Weniger einleuchtend ist, daß auch Prutz ihre Stoffe einengt und sie am liebsten nur auf Natur- und Landschaftsbeschreibungen festlegen möchte, wogegen Gottschall ihr zwar soziale, aber keine politischen Themen empfiehlt. Geradezu paradox wird die Situation, wenn dieselben Männer, welche die Befreiung des vierten Standes, der Leibeigenen und der Juden proklamieren, die gegen jede Art der Unterdrückung wettern und als Advokaten der Menschlichkeit auftreten, die sich wie Johannes Scherr Demokraten und Linke nennen, aber das erste öffentliche Hervortreten der *Frauen* mit Hohn und Spott torpedieren. Wie der finsterste Reaktionär poltert Scherr gegen die »Geschmack- und Schamlosigkeit« der neuen Mütter, die ihre traditionellen Befugnisse erweitern wollen. »Ihr könnt darauf schwören«, heißt es in seinen Reflexionen über das Jahr 1848, »daß das Kontingent der Weiber, welche sich unberufenerweise in die Öffentlichkeit drängen, entweder aus häßlichen und hysterischen alten Jungfern – denen es aus physiologischen Gründen verziehen sein mag – oder aus saloppen Hausfrauen und pflichtvergessenen Müttern bestehe, deren Haushaltsbücher – wenn sie überhaupt welche führen – in Unordnung, deren Stuben, Küchen, Speisekammern und Weißzeugschränke im Tohuwabohu-Zustand, deren Modistinnenrechnungen groß, aber unbezahlt und deren Kinder physisch und moralisch ungewaschen sind.« [38]

Es geht hier nicht darum, die politische Fortschrittlichkeit von Leuten wie Scherr, Prutz oder Gottschall in Frage zu stellen. Es geht darum, die prinzipielle Schwierigkeit zu verdeutlichen, welche die Literaturgeschichtsschreibung des 19. Jahrhunderts bei der Bewertung des weiblichen Schrifttums hatte. Schließlich darf nicht vergessen werden, daß die literarische Präsenz von Frauen ein ganz neues Phänomen darstellte und daß sich emanzipatorisches Denken dem anderen Geschlecht gegenüber am schwersten entwickeln ließ. Hier wucherten noch zu viele atavistische und unkontrollierbare Mythen von der ewigen Dichotomie der Geschlechter, die von männlicher Seite meist als die stärksten Potenzgaranten empfunden wurden. Denn darin liegt letztlich die ganze Problematik der Frauenfrage, die sich grundsätzlich von jeder anderen Emanzipationsbestrebung unterscheidet. Während es bei der Befreiung von Arbeitern, Bauern, Leibeigenen und anderen unterprivilegierten Schichten in erster Linie um die Zertrümmerung von Herrschaftsidealen geht, steht der Frauenemanzipation zusätzlich das Geschlechtsideal im Wege. Die Frau, die sich ihren Platz in der Öffentlichkeit erkämpfen will, die ein Recht auf Ausbildung, Arbeit und politische Verantwortung für sich in Anspruch nimmt, muß sich nicht nur gegenüber den bestehenden gesellschaftlichen Strukturen durchsetzen, sondern Eigenschaften entwickeln, die dem geltenden Geschlechtsideal entgegenstehen. Die tiefeingewurzelte Vorstellung von der naturbedingten Polarität der Geschlechter, die dem Mann – mag er nun Bauer, Arbeiter, Jude oder Neger sein – ein ganzes Arsenal von kriegerischen Eigenschaften zuschreibt, die Frau hingegen auf Charakteristika wie Passivität, Weichheit, Rezeptivität und Unselbständigkeit festlegt, macht ihre Situation noch komplizierter. Im Kampf um die Gleichberechtigung sind ihr diese Eigenschaften nur Ballast. Hinzu kommt, daß man ihr Auftreten in der Öffentlichkeit als unweiblich diskriminiert und ihren Geschlechtswert in Frage stellt. Ähnliches gilt nicht für die Emanzipationsbestrebungen des Mannes. Kein Mensch hätte einem auf die Barrikaden steigenden Arbeiter den Vorwurf der Unmännlichkeit gemacht. Er gerät zwar gleichfalls in Konflikt mit der bestehenden Gesellschaftsordnung, verhält sich aber weiterhin geschlechtskonform.

Gerade diese schwer durchschaubare Verflechtung von Emotionalem und Rationalem, von Vergangenheitsgebundenheit und Zukunftswillen, die für die Frauenfrage so symptomatisch war, bewirkte die ambivalente Haltung auch von politisch fortschrittlichen Köpfen wie Scherr, Prutz und anderen. Man gewinnt den Eindruck, als ob ihr Intellekt schon ins 20. Jahrhundert strebt, wogegen ihr Gefühlsleben noch teilweise am Mittelalter klebt.

All das hat zu großen Verwirrungen geführt und sich ungünstig auf die Bewertung der ersten Schriftstellerinnengeneration ausgewirkt. Indem man sie allzu pauschal auf das Weiblichkeitsgleis abschob, versagte man ihnen die Aufmerksamkeit, die ihren männlichen Kollegen zumindest von einem Teil der Forschung gezollt wurde. Nicht selten befleißigte man sich eines doppelten Maßstabs und verurteile als ›weiblich konfus‹, was bei männlichen Autoren als problematische ›Zerrissenheit‹ apostrophiert wurde. Solche Fehlurteile schlichen sich um so leichter ein, als es hier nicht um poetische Gipfelleistungen, sondern – ebenso wie bei den Männern – um übelbeleumdete Tendenzpoesie ging. Dennoch ist es unverständlich, daß man einer Autorin wie Fanny Lewald, die besonders in ihren frühen Werken die gleichen Intentionen wie die Jungdeutschen verfolgte, noch immer den Platz im Jungen Deutschland verweigert. Schon in ihrem dritten Roman *Eine Lebensfrage* entwickelt sie ein Kunstkonzept, das völlig mit dem von Gutzkow, Mundt und Wienbarg übereinstimmt. »Ein Roman«, heißt es da, »der nicht in genauer Beziehung zu der Zeit steht, in der er geschrieben ward, wird selten ein gelungenes Werk sein. [...] Nein! wir haben jetzt nicht Zeit, in poetischen Ergüssen zu feiern; denn unsere Tage sind Tage des Kampfes und der Arbeit. Warfen doch alle Dichter die Leier fort, zu der sie Liebeslieder sangen, um Schlachtgesänge zu jubeln, als es galt, das Vaterland... zu befreien.« [39] Fast das gleiche liest man bei Wienbarg: »Die Poesie ist kein Spiel schöner Geister mehr; sondern der Geist der Zeit, der unsichtbar über allen Köpfen waltet, ergreift des Schriftstellers Hand und schreibt im Buch des Lebens. Die Dichter stehen nicht mehr, wie vormals allein im Dienst der Musen, sondern auch im Dienst des wirklichen, politischen und gewerbefleißigen Lebens.« [40] Man sieht, daß sich Fanny Lewald sogar noch radikaler ausdrückt. Während Wienbarg dem Dichter so etwas wie eine Arbeitsteilung zwischen Musendienst und Dienst am Zeitgeist empfiehlt, soll er bei Lewald den Ballast der Poesie endgültig über Bord werfen und sich nur noch den Forderungen des Tages stellen.

Eines zeichnet sich deutlich ab: in die Ecke des ›Damenromans‹ gehört ein solches Konzept nicht. Und doch hat weder die ältere noch die neuere Jungdeutschland-Forschung Frauen wie Fanny Lewald die rechte Aufmerksamkeit zugewandt. In den ersten Auseinandersetzungen mit den liberalen Strömungen der Restaurationsepoche von Forschern wie Johannes Proelß, Georg Brandes, Ludwig Geiger und Heinrich Hubert Houben kommen progressive Schriftstellerinnen gar nicht vor. [41] Eine rühmliche Ausnahme bildet hier lediglich Richard M. Meyer. In seiner *Literatur des Neunzehnten Jahrhunderts* werden die apodiktische Grenzziehung von Damen- und Herrenliteratur konsequent aufgegeben und die Werke der Frauen ausschließlich nach ihrem ideologischen Bedeutungsgehalt gewertet.

Dadurch ergeben sich ganz neue Perspektiven. Fanny Lewald wird so aus dem Damenreservat befreit und erhält zum ersten Mal den ihr gebührenden Platz im Bereich des Jungen Deutschland. Und zwar ordnet sie Meyer nicht unberechtigt dem Kapitel »Positiver Nebenbetrieb des Jungen Deutschland« zu. [42] Ida Hahn-Hahn dagegen wird im Zusammenhang mit Max Stirner und Ludwig Feuerbach gesehen. [43] In seinem *Kampf um die Tradition* hält sich Hugo Bieber wiederum an den literarischen Schmäh und überplaudert behende eine ideologische Akzentsetzung. [44] An Einzeluntersuchungen wären noch zwei informative Dissertationen zu nennen, die ebenfalls für den jungdeutschen Nenner plädieren. In ihren *Studien zum jungdeutschen Frauenroman* kommt Hildegard Gulde zu dem Ergebnis, daß »die Hauptinteressen im jungdeutschen Frauenroman dieselben sind wie im Männerroman«. [45] Auch Marieluise Steinhauer bestätigt Fanny Lewald – zumindest für das erste Jahrzehnt ihrer Tätigkeit [46] – die Zugehörigkeit zum Jungen Deutschland. Dagegen verabreicht die Untersuchung von Marta Weber in potenzierter Form noch einmal die alten Klischees. Auch hier läuft wieder alles darauf hinaus, durch diskriminierende Schlagworte wie »krasser Egoismus« (S. 36), »Gefühlsarmut« (S. 40), »jüdische Rhetorik« (S. 35) und »kalter Rationalismus« (S. 41) den Mangel an weiblicher Wärme und poetischem Gemüt an den Pranger zu stellen. [47]

Doch wie steht es mit den neueren Arbeiten? Sicherlich ist es ein Zeichen von Progressivität, daß den Herausgebern des Reallexikons mit fortschreitender Zeit Skrupel bezüglich ihrer literarischen Geschlechtertrennung gekommen sind. Während in der ersten Auflage von 1931 ein gesonderter Artikel über die »Frauendichtung« [48] enthalten ist, hat man in der zweiten Auflage von 1958 von einer solchen Separatbehandlung abgesehen und die Schriftstellerinnen den jeweiligen poetologischen oder epochengeschichtlichen Komplexen zugeordnet. Aber bei weitem nicht alle Mitarbeiter sind in dieser Hinsicht gleichermaßen progressiv. So ziehen sich beispielsweise Friedrich Kainz und Werner Kohlschmidt, die beiden Verfasser des sonst so informativen Artikels »Junges Deutschland«, wieder auf die Tradition der Enthaltsamkeit zurück. Für sie hat es in jener Ära Frauen einfach nicht gegeben. [49] Auch Jost Hermand erwähnt in seiner breit angelegten Jungdeutschland-Dokumentation zwar die »Anwälte der Frauen« [50], nicht aber die Frauen selbst. Sogar bei einem bewährten Kenner der Epoche wie Friedrich Sengle findet man über die Romanschriftstellerinnen lediglich folgenden lapidaren Kommentar:

> Neu war es aber, daß die Damen selbst in Massen für den Bedarf ihrer Geschlechtsgenossinnen Sorge trugen. Praktisch, wie Frauen sind, bemächtigten sie sich der von den klassizistisch gebildeten Männern noch nicht ganz ernst genommenen, aber die Leser besonders stark faszinierenden Gattung [Roman], manchmal aus gesellschaftlichem Ehrgeiz, meistens wohl um finanziell unabhängig zu werden. [51]

Solche Phrasen sind einfach lächerlich. Die Unbekümmertheit, mit der hier Frauen einer Horde von Ramscherinnen gleichgesetzt werden, ist eines Carl Barthel würdig. Man mag dem entgegenhalten, daß das Ganze eher wohlwollend und sicherlich nicht abwertend gemeint sei. Aber darin liegt ja gerade das Dilemma. Das Gutgemeinte ist schließlich eine höchst fragwürdige literatische Kategorie, die eher eine repressive Toleranz ausdrückt und ins ästhetische Niemandsland führt als zu einer kritischen Konfrontation herausfordert. Hiermit soll nicht gegen ein so breitangelegtes Werk wie Sengles *Biedermeier-Zeit* polemisiert werden. Worauf es in diesem Zusammenhang ankommt, ist zu zeigen, daß offenbar auch heute noch eine unvoreingenommene Auseinandersetzung mit den Schriftstellerinnen jener tumultuarischen Jahre nicht selbstverständlich ist. Noch immer merkt man die literarischen Topflappen. Noch immer handelt es sich um eine Literatur, die unbequem ist. Zwar haben auch die jungdeutschen Tendenzschriftsteller bei den meisten Forschern keinen einwandfreien Ruf. Doch geht es den ›Tendenzschriftstellerinnen‹ noch schlechter: man schiebt sie aufs Weiblichkeitsgleis ab, oder man schweigt sie tot. Jedenfalls ist dies das Resultat, das die Durchsicht der wichtigsten literarhistorischen Untersuchungen zur Restaurationsepoche ergab.

# I. Zu den Anfängen des weiblichen Selbstbewusstseins

## *Pietistische und rationalistische Bildungskonzepte*

Wie das Beispiel der Benediktinerin Lioba (710–782), der Äbtissin von Tauberbischofsheim, zeigt, lassen sich vereinzelte Zeugnisse gebildeter Frauen bis ins frühe Mittelalter zurückverfolgen. Ebenso datieren die ersten schulischen Institutionen für angehende Nonnen aus dem 8. Jahrhundert. Seit dem 10. Jahrhundert konnten in den Frauenklöstern auch die nicht für den geistlichen Stand bestimmten Töchter hochgestellter Adeliger erzogen werden. Allerdings darf man sich von dieser klösterlichen Frauenbildung kein allzu großartiges Bild machen. So bemerkt Gertrud Bäumer in ihrer Beschreibung über »Das Mädchenbildungswesen im Mittelalter«, daß die in einer solchen Klosterschule erzogene Kaiserin Mahthild es nicht einmal zum Lesen-lernen gebracht« hat. [1] Im Mittelpunkt standen vielmehr das Auswendiglernen und Abschreiben der Psalter und die »Unterweisung in den weiblichen Arbeiten des Spinnens, Gewandschneidens, Nähens, Webens und Stickens«. [2] Wobei Johannes Scherr in seiner *Geschichte der Deutschen Frauen* – indem er sich auf den angelsächsischen Kirchenhistoriker Beda beruft – sarkastisch darauf hinweist, »daß die Nonnen ... ihre Meisterschaft in der Webekunst hauptsächlich dazu benützt hätten, ihre Liebhaber mit prächtigen Kleidern zu beschenken«. [3] Die Klosterschulen pauschal als Pflanzstätten weiblicher Gelehrsamkeit und ihre Insassinnen als eine Liga von Gelehrten hinzustellen, wie das Josef Mörsdorf in seiner Abhandlung über den *Gestaltwandel des Frauenbildes und Frauenberufs in der Neuzeit* für tunlich hält [4], entspricht kaum den realen Gegebenheiten.

Ebensowenig Allgemeingültigkeit besaßen Frauenbildung und Frauenverehrung zur Zeit des Minnedienstes. »Man muß sich ... wohl hüten«, schreibt Scherr, »durch den idealen Schein des Frauendienstes sich täuschen zu lassen.« [5] Denn »erstens« – so argumentiert August Bebel in seiner sozio-historischen Studie über die Situation der Frau – »bildet die Ritterschaft nur einen sehr geringen Prozentsatz der Bevölkerung und dementsprechend auch die Ritterfrauen von den Frauen; zweitens hat nur ein sehr kleiner Teil der Ritterschaft jenen so verherrlichten Minnedienst geübt« und »drittens«, so fährt Bebel in seiner Beschreibung über »Rittertum und Frauenverehrung« fort, »ist die wahre Natur dieses Minnedienstes stark verkannt oder entstellt worden. Das Zeitalter, in dem dieser Minnedienst blühte, war das *Zeitalter des schlimmsten Faustrechtes* in Deutschland, in dem alle Bande der Ordnung gelöst waren und die Ritterschaft sich ungezügelt der Wegelagerei, dem Raub und der Brandschatzung hingab. Eine solche Zeit der

# Mütterlicher Rath.

„Louise, mach' Dich interessant!"

entn. aus: Eduard Fuchs, Sozialgeschichte der Frau (Frankfurt, 1973)

Kopfschmuckbild

entn. aus: Eduard Fuchs, Sozialgeschichte der Frau. Deutsche Karikatur auf die hohen Haarfrisuren aus dem 18. Jh.

Schillers passive Frauengestalten

entn. aus: Chodowiecki's Illustrationen zu deutschen Klassikern

Rahel Varnhagen (1817)

entn. aus: Rahel. Ein Buch des Andenkens für ihre Freunde (Berlin, 1833)

Bettina von Arnim (1809)

Nach einer Radierung von Emil Ludwig Grimm (Historisches Portrait-Archiv, Berlin)

Therese Huber (1794?)

entn. aus: Therese Huber. Hrsg. v. Ludwig Geiger (Stuttgart, 1901)

Fanny Lewald

entn. aus: Meine Lebensgeschichte (Berlin, 1863)

George Sand (1843)

entn. aus: Rudolf Walter Leonhardt, Das Weib, das ich geliebt habe. Heines Frauen und Mädchen (Hamburg, 1975)

Luise Mühlbach

entn. aus: Thea Ebersberger (Hrsg.): Erinnerungsblätter aus dem Leben Luise Mühlbach's (Leipzig, 1902)

Ida Hahn-Hahn (1843)

entn. aus: Ida Hahn-Hahn, Maria Regina (Regensburg, o. J.)

Louise Ashon (1846?)

entn. aus: Anna Blos: Frauen der deutschen Revolution (Dresden, 1928)

Ehestands-Barricade.

*Frau*

*Du Stickstäuperos, bleib mer von der Barricade, ich will dich nit mehr als Haustyrann, kreischt ihr Kinner, mer wählen uns en andern Vatter; es lebe die Republik, es lebe Hecker, fort mit dir Volleul! die ruthe Fahn ist uff-gesteckt, mag dich nit bei mich sunst hast de den Krach. –*

*Mann.*

*Frau sei ruhig, schwei norz, mer wolle uff der Stell a neu Verfassung mache, raum die Barricad aweg, Gottverdamm. mich wanns Parlament su Sache erfährt, habe mer mor-ge a Unnersuchungsdeputation hiwe, bist de nit mit mer zufride, so nämm der lieber stillschweigensen Mittregent. –*

## Ehestandsbarrikaden

entn. aus: Eduard Fuchs, Sozialgeschichte der Frau (Frankfurt, 1973) brutalsten Gewalttätigkeiten ... trug wesentlich dazu bei, die etwa noch vorhandene Achtung vor dem weiblichen Geschlecht zu zerstören.« [6] Auch die mittelalterlichen Quellen sprechen hier eine deutliche Sprache. So macht etwa im *Nibelungenlied* der Recke Siegfried seinem Schwager Gunther unmißverständlich klar, was er von der Zungenfertigkeit der Frauen hält:

›Man sol sô vrouwen ziehen‹ ...
daz si üppeclîche sprüche lâzen under wegen.
verbit ez dînem wîbe, der mînen tuon ich sam.‹ [7]

Daß dies nicht etwa nur leere Phrasen waren, bezeugen die folgenden Klagen Kriemhilds:

›Daz hât mich sît gerouwen‹ ...
ouch hât er sô zerblouwen dar umbe mînen lîp‹. [8]

Nicht viel anders bot sich das Bild in den privaten und städtischen Mädcheninstituten des ausgehenden Mittelalters. Auch die Epoche des Humanismus und der Reformation legten noch nicht den Grundstein zu einer kontinuierlichen weiblichen Bildung. Von der Renaissance gar als »›der Emanzipation‹ der Frauen« zu sprechen [9] – wie Joseph Lortz das empfiehlt –, scheint mir in höchstem Maße irreleitend. Wenige hochgestellte Fürstinnen und Gelehrtentöchter bewirken noch keine Frauenemanzipation. Einzelne Dokumente, welche für die Unterweisung der Frauen plädieren [10], sind interessant und beachtenswert, aber keine hinlänglichen Signifikate für eine tatsächliche Weichenstellung in der allgemeinen weiblichen Bildungslandschaft. Wenn Mörsdorf die gelehrten Schwestern Bettina und Novella d'Andrea im Universitätsbetrieb als Beleg für die weibliche Berufstätigkeit in der Renaissance anführt und im selben Atemzug berichtet, daß Novella, wenn »sie den Vater in den Vorlesungen vertrat, dabei, um die Hörer nicht zu irritieren, hinter einem Vorhang sprach« [11], entlarvt er doch selbst die Singularität einer solchen Berufstätigkeit.

Wer sich ernsthaft mit der weiblichen Emanzipationsgeschichte auseinandersetzt, sollte keine Blütenlese treiben. Einzelne herausragende Gestalten ändern nichts an der Tatsache, »daß der überwiegende Teil des bürgerlichen Frauenzimmers« bis zum 18. Jahrhundert »von höherer Bildung ausgeschlossen war ... und im Wesentlichen auf den engen häuslichen und den religiösen Bereich beschränkt« blieb, so daß »Bibel, Gesang- und Erbauungsbuch, Kalender und praktische Schriften zur Haushaltsführung ... im Allgemeinen die einzige literarische Kost« blieb. [12]

So anerkennenswert die reformatorischen Bemühungen Luthers und seiner Gefolgsleute Franz Lambert und Johannes Agricola um »die Mägdleinschulen« waren, so sehr sich ein Jahrhundert später Georg Philipp Harsdörffer mit seinen *Frauenzimmergesprächsspielen* (1641–1649) um ein weibliches Lesepublikum bemühte – es bleiben singuläre Erscheinungen. Das gleiche gilt für die ersten promovierten Gelehrtentöchter wie Dorothea Christina Leporin (Promotion 1754) und Dorothea Schlözer (Promotion 1787). Ihre »Promotion war auch keineswegs ein Signal zum Beginn des Frauenstudiums in Deutschland oder auch nur zur Propaganda dafür«. [13] Es sei bloß kurz daran erinnert, daß sich Herder noch 1767 ganz entschieden gegen das Frauenstudium aussprach [14] und Schiller bezüglich der Schlözerschen Promotion »von einer ganz erbärmlichen Farce« sprach. [15]

Höchst aufschlußreich diesbezüglich ist ein Blick in das damalige Standardwerk des guten Benehmens, in Adolph Knigges *Ueber den Umgang mit Menschen,* wo in dem Kapitel über »die Frauenzimmer« das Exzeptionelle bzw. das nur als exzeptionell Anerkannte der weiblichen Gelehrsamkeit unmißverständlich zum Ausdruck kommt [16]:

> Ich muß gestehn, daß mich immer eine Art von Fiebersfrost befällt, wenn man mich in Gesellschaft einer Dame gegenüber oder an die Seite setzt, die große Ansprüche auf Schöngeisterey, oder gar auf Gelehrsamkeit macht. Wenn die Frauenzimmer doch nur überlegen wollten, wie viel mehr Interesse Diejenigen unter ihnen erwecken, die sich einfach an die Bestimmung der Natur halten, und sich unter dem Haufen ihrer Mitschwestern durch treue Erfüllung ihres Berufs auszeichnen! Was hilft es ihnen, mit Männern in Fächern wetteifern zu wollen, denen sie nicht gewachsen sind, wozu ihnen mehrentheils die ersten Grundbegriffe, welche den Knaben schon von Kindheit an eingebläuet werden, fehlen? Es giebt Damen, die neben allen häuslichen und geselligen Tugenden, neben der edelsten Einfalt des Charakters und neben der Anmuth weiblicher Schönheit, durch tiefe Kenntnisse, seltne Talente, feiner Kultur, philosophischen Scharfsinn in ihren Urtheilen und Bestimmtheit im Ausdrucke, Gelehrte vom Handwerke beschämen. Dürfe ich es wagen, hier öffentlich ein Paar Namen zu nennen; so könnte ich beweisen, daß ich Originale zu diesem Bilde nicht lange zu suchen brauchte; allein wie geringe ist nicht die Anzahl solcher Frauen!

Angesichts solcher Dokumente erscheint es mir einfach absurd, die Basis zu einer kontinuierlichen weiblichen Gelehrsamkeit bereits in der Renaissance erkennen zu wollen. Als bei weitem zutreffender erweisen sich die Beobachtungen von Herbert Singer, der von einem aus dem Christentum gespeisten »bürgerlichen Antifeminismus« spricht, welcher »die Frau ... noch auf Jahrhunderte hinaus zur Passivität verurteilt« und, auf »alte Vätersitte pochend, ... als töricht und urteilslos abtut, als bösartig und schlampig karikiert oder gar als Fallstrick des Teufels und fleischliche Versuchung denunziert ... (Eine Tradition, die sich von den Kirchenvätern herleitet und bis weit ins 18. Jahrhundert fortsetzt)«. [17] Solche Beobachtungen werden auch in einer der jüngsten Untersuchungen über die Bildung der Frau von Wolfgang Martens unterstützt. [18]

Grob gesprochen gab es für die Frau – wenn sie nicht gerade der Hocharistokratie zugehörte – bis ins frühe 18. Jahrhundert hinein nur zwei Existenzformen: die der Arbeitssklavin oder die der Heim- und Repräsentationspuppe. Im ersten Fall war sie ihrer Herrschaft, im zweiten ihrem Mann gegenüber zu absolutem Gehorsam verpflichtet. Daß die Frauen der unteren Stände zu permanenter Verdummung verurteilt waren, bedarf keiner weiteren Erläuterungen. Daß eine analoge Verdümmlichung – wenn auch meist in gefälligerer Verpackung – in den gehobenen Bürger- und niederen Adelskreisen die Regel war, wird deutlich, wenn man einmal die Hauserziehung vermögender Töchter betrachtet. Wobei es im Grunde genommen fast paradox klingt, hier überhaupt von Erziehung zu sprechen. »Der kategorische Imperativ im Leben jeder Frau«, konstatiert Eduard Fuchs in seiner *Sozialgeschichte der Frau,* lautet noch immer: »Es schickt sich nicht!« [19] An Stelle einer freien Geistesbildung trat für die Frau »einzig und allein, geltend für alle Kategorien des Lebens, die Dressur. Der Zirkusgaul, der keinen einzigen Schritt zu viel, keinen zu lang und keinen zu kurz macht, war und ist das Ideal aller Frauenerziehung«. [20] Und in *Den vernünftigen Tadlerinnen* heißt es lakonisch: »Unser Verstand wird durch keine Wissenschaften geübt, und man bringt uns, außer einigen oft übel genug an einanderhängenden Grundlehren der Religion, nichts bey.« [21] Der herrschenden Auffassung nach galt Wissen bei Mädchen grundsätzlich für gefährlich. »Man hat unsern Eltern die Maxime beygebracht«, liest man in den *Discoursen der Mahlern* (1723), »die Wissenschaften seyen den Leuten unsers Geschlechts schädlich ... denn wir seyen allein gebohren, daß wir unsern künfftigen Männern Geld zehlen, wäschen, flicken, bey ihnen schlaffen, und daß wir von der Gestalt einer Jüppe urtheilen. Einiche verfahren so unbillich, daß sie uns in öffentlichen Schrifften untüchtig zum Heyrathen erklähren, wenn wir durch Lesung guter Bücher suchen verständig zu werden.« [22]

Angeblich führte das Wissen von den weiblichen Tugenden ab, weckte den Widerspruchsgeist und verminderte den Heiratswert. Selbst ein mäßig gebildetes Mädchen mußte damit rechnen, bei der Ehewahl übergangen zu werden. Eltern und Vormünder taten daher alles, die Töchter von einer so despektierlichen Sache fernzuhalten, da deren Verheiratung eine ökonomische Notwendigkeit war. Diese Bildungsaversion richtete sich keineswegs nur gegen schöngeistige oder naturwissenschaftliche Bereiche, sondern ebenso gegen die elementarsten Kenntnisse im Lesen und Schreiben überhaupt. Schulordnungen aus dem 17., 18., ja selbst noch aus dem 19. Jahrhundert dokumentieren, wie schwierig es war, die Eltern davon zu überzeugen, daß die Beherrschung des Schreibens ihre Töchter nicht notwendig zum Bösen verführe. In Zusatzklauseln wurde darauf hingewiesen, wie nützlich eine solche Fertigkeit besonders für die Abschrift von Bibelsprüchen und Predigten sei. [23] Denn der einzige Wissensbereich, der den heranwachsenden Mädchen als geschlechtsadäquat zugestanden wurde, war der religiöse. In seinem *Christlichen Vermächtnis* aus dem Jahre 1643 legte der Moralenzyklopädist Hanß-Michel Moscherosch die folgenden Kernsätze zur Mädchenerziehung fest:

> Eine Jungfraw soll nicht viel wort machen: dann sie soll nicht viel wissen. Diese stuck sind genug einer Jungfrawen: Betten, Schreiben, Singen, vnnd daß Haußwesen verstehen. Ein Jungfraw die mehr weiß, die ist bey Verständigen Ehrliebenden Leuten nicht angenehm, sondern veracht. [24]

Noch eindringlicher mahnt Moscherosch am Schluß des 15. Traktats:

> Ich verwarne euch nur allein, daß jhr ein stilles, eingezogenes vntadeliges Wesen führet, nicht Winckel außlauffet nach Zeittungen vnd newen dingen. Eine Jungfraw soll das Fenster vnd die Haußthür nimmer anrühren noch betretten, Sie werde dann von jhren Elttern geheissen, oder wolle zur Kirche gehen. [25]

Vom kirchlichen Standpunkt her galt die weibliche Bildung als abgeschlossen, wenn die sogenannten »Patenstücke« [26], das heißt das Vaterunser und das Glaubensbekenntnis, beherrscht wurden. Bei der völligen Zurückgezogenheit, in der solche Frauen nach ihren meist sehr früh geschlossenen Ehen lebten, nimmt es nicht wunder, daß selbst die Lesekundigen unter ihnen an Gedrucktem nichts anderes als das Gebetbuch oder den Hauskalender kannten. Ausgeschlossen von den geistigen Bewegungen der Zeit, ja überhaupt von jeder Art von Öffentlichkeit, waren sie darauf angewiesen, sich mit Informationen aus zweiter und dritter Hand zu begnügen. Diese wurden ihnen im günstigsten Fall durch einen mitteilsamen Ehemann, ansonsten durch den Friseur, die Haubenmacherin oder die Festankleiderin ins Haus getragen. Neue Eindrücke waren selten, da das Reisen aus Sicherheitsgründen für sie nicht in Frage kam und selbst die kleinen Ausgänge durch die Anwesenheit der »Nachtreterin« beeinträchtigt waren. »Die einzige Sphäre, in der sich die Frau bewegte, waren das Haus und die Kirche«, berichtet Rolf Engelsing und fügt einschränkend hinzu, daß ihr selbst der kirchliche Wirkungsbereich nur bedingt offenstand, da in einigen Gebieten Deutschlands »noch um 1700 ... Frauen in der Kirche das Singen untersagt war«. [27]

Diesem kirchlich sanktionierten Verdummungskonzept wirkte zu Ende des 17. Jahrhunderts eine neue geistige Richtung entgegen, die zumindest zu einer temporären Aufbesserung der weiblichen Bildungsmisere führte. Und zwar handelt es sich dabei um die religiöse Bewegung des Pietismus. [28] Die vielerorts entstandenen Konventikel und Brüdergemeinden luden nicht nur die Männer, sondern ebenfalls die Frauen zur Teilnahme ein. Das Entscheidende dabei war, daß das für den Pietismus bezeichnende religiöse Unmittelbarkeitserlebnis den Frauen ein erstes Bewußtsein ihrer eigenen Individualität verlieh. Denn trotz aller Gemeinschaftlichkeit des pietistischen Lebens, der gemeinsamen Betübungen und Gesangsveranstaltungen beruhte das unmittelbare Gotteserlebnis des einzelnen ausschließlich auf seiner individuellen Disponibilität. Darin lag ja gerade das Neue dieser Strömung, daß das religiöse Grunderlebnis nicht mehr die kultisch orthodoxe Gottesimmanenz der christlichen Kirche war, sondern das verinnerlichte Gottesgefühl des seiner selbst bewußt gewordenen einzelnen. [29] Hinzu kam, daß Jakob Spener (1635–1705) durch seine ab 1670 gehaltenen »Collegia pietatis« den Frauen zum ersten Mal Gelegenheit bot, sich außerhalb der häuslichen Sphäre weiterzubilden, ohne mit dem Sittengesetz in Konflikt zu geraten. Wie sehr er damit einem latenten Bedürfnis entgegenkam, zeigte die schnelle Bereitwilligkeit, mit der die Frauen ihrem Keller-, Küchen- und Kinderdasein entschlüpften und gierig die neue Botschaft vernahmen. In solchen Erbauungsvorlesungen fanden sie sich mit gleichgesinnten Männern aller Stände zusammen und erlebten eine nie zuvor gekannte Teilnahme am Geistesleben ihrer Zeit. Dieses neue Selbstgefühl fand schon bald seinen literarischen Niederschlag. Durch die Beteiligung der Frau an der religiösen Lyrik entstanden zahlreiche neue Kirchenlieder und Lobgedichte von großer Gefühlsintensität. [30] Hier hatte sie zum ersten Mal die Möglichkeit, sich ohne Bevormundung zu äußern.

Das Bildungsinteresse, das Spener für beide Geschlechter und alle Volksschichten gezeigt hatte, wurde auch von dem Pietisten August Herman Francke (1663–1727) fortgesetzt, ja sogar noch ausgebaut. Unter seinem Einfluß entstanden die ersten Erziehungsanstalten, in denen der Elementarunterricht der Knaben ganz dem der Mädchen entsprach. [31] Von besonderem Interesse in diesem Zusammenhang ist jedoch seine Reform der höheren Mädchenerziehung. In der nach französischem Muster praktizierten Privat- und Familienerziehung lag vieles im argen. Besonders ungünstig wirkte sich das Fehlen jeglicher verbindlicher Normen aus. Gewöhnlich oblag die Erziehung der Töchter einer beliebigen französischen Demoiselle, deren einzige pädagogische Qualifikation meist das Parlieren ihrer Muttersprache war. Und so beschränkte sich die Mädchenerziehung auch weiterhin auf den Erwerb rein äußerlicher Fertigkeiten wie gesellschaftliche Artigkeit und wohlerzogene Nichtssagendheit. Wünschenswert waren in erster Linie der dekorative Schliff und die wohlgefällige Tenue. Im übrigen galt die Maxime, daß es dringlicher sei, die Mädchen vor gesellschaftlichen Faux Pas zu bewahren als zu irgend etwas Vernünftigem anzuleiten. [32]

Dieser Misere wollte Francke entgegenwirken. Angeregt durch Fénelons berühmten *Traité sur l'éducation des filles* (1689) [33], plante er eine systematische Aufbesserung der Bildungssituation und gründete 1695 das sogenannte Gynaeceum, eine »Anstalt für Herren Standes, adeliche und sonst fürnehmer Leute Töchter« [34], das heißt die erste höhere Mädchenschule in Deutschland. Neben den allgemeinen Elementarkenntnissen im Lesen, Schreiben und Rechnen konnten hier erstmals auch »die Grundsprachen des alten Testaments« sowie »allerhand nützliche Künste und Wissenschaften« [35] erlernt werden. Aber trotz anfänglicher Zusprache erfreute sich das Unternehmen keiner nachhaltigen Begeisterung. Schon nach dem ersten Jahrzehnt sank die Zahl der Teilnehmerinnen. Bei Frankkes Tod waren es nur noch acht. Wenn auch dieses Institut für die Gründung späterer Mädcheninternate seinen Modellcharakter behielt, so hatten doch zunächst einmal die besten pädagogischen Intentionen in einer kulturellen Sackgasse geendet. Die Gesellschaft schien noch kein echtes Interesse an solchen Fragen zu haben und die Mädchenbildung weiterhin für etwas höchst Überflüssiges, wenn nicht gar Gefährliches zu halten. Und so konnte dieses erste pietistische Manöver zur Befreiung des eingesperrten Verstandes nur einen recht ephemeren Erfolg aufweisen. Den Markstein zu einer kontinuierlichen Aufwärtsbewegung setzte es nicht. Zu viele fest eingerastete Vorurteile, zu große überlieferte Gleichgültigkeit und gottgefällige Gegenwartsferne erstickten diese ersten Verbesserungsbestrebungen. Aber der Versuch, die brachliegende Intelligenz des anderen Geschlechts überhaupt ins Auge gefaßt zu haben, bleibt dennoch beachtenswert. Von entscheidenderer Bedeutung für die Entwicklung des weiblichen Selbstbewußtseins war die religiöse Revolutionierung des Empfindungslebens. Auch wenn diese Richtung später in phantastische Schwärmerei ausartete und es nicht an makabren Verirrungen der »Erweckten« fehlte, kam dem Pietismus zunächst einmal das Verdienst zu, der Frau ein Gefühl für den eigenen Wert vermittelt zu haben. Eine durchgreifende Besserung ihrer Bildungs- und Lebensverhältnisse vermochte er nicht zu bewirken.

Im frühen 18. Jahrhundert machten sich Einflüsse geltend, welche selbst die rudimentären Bildungsansätze der Pietisten wieder verdrängten. Das plötzlich erwachte Interesse für Frankreich, genauer gesagt für das Frankreich der Libertinage, der »Liaisons dangéreuses« und des »Galant homme« setzte neue Interessensakzente. Mit lüsternem Eifer schwelgte man in höfischen Klatschgeschichten, imitierte den aufwendigen französischen Salonstil und unterwarf sich einer Ästhetik der Oberflächlichkeit, die als importiertes Surrogat ohne jede Verbindlichkeit blieb. Die Frau der gehobenen Stände, auf ihren dekorativen Stellenwert fixiert, wurde dadurch noch ausschließlicher »die lebendige Puppe für Männer«, wie Johann Gleim sie scherzend nannte. Ihr Leben unterlag immer stärker dem Wechsel von Dekoration und Repräsentation. Das Dolcefarniente dieser privilegierten Müßiggängerinnen verlief meist nach folgendem Schema:

> Sie [die Frau] verbringt die Vormittagsstunden ihres Tages am Putztisch und empfängt Besuche, während der Friseur ihr die Locken aufbaut. Dann läßt sie sich in der Sänfte austragen, macht zu Hause neuerdings Toilette, sagt sich bei einer Freundin zum ›Koffe‹ an, verbringt dort einige Stunden auf die sattsam bekannte Weise... und geht abends in Gesellschaft. [36]

Die Höhepunkte dieses ›echt weiblichen‹ Lebensstils bestanden in Großereignissen wie Geburt, Taufe, Heirat und Tod. Die Intervalle dazwischen waren ausgefüllt durch die unerschöpfliche »Medisance«, die nie endenden Klagen über die Unzulänglichkeit der Dienstboten und die gelegentliche Entdeckung eines neuen Kochrezepts. Die Töchter vertieften sich in kalligraphische Übungen, erhielten Grazien- und »Complimentierlehrer« und wurden frühzeitig für ein ähnliches Dasein konditioniert. Die Ausstaffierung der eigenen Person wurde mit schier akribischem Eifer betrieben. »Der Kopffschmuck war eine Kappe«, liest man in den *Discoursen der Mahlern* über die »Verkehrte weibliche Erziehung«, »auf welche so viel Ellen Bande gebauet waren, daß sie wie ein spitziger Thurm nach dem Himmel stiegen; Brocard, Damast, Atlas stritten um die Wette welches [ihnen] am besten stehe ... die Finger voll Demanten, Jaspis und Saphiren; die Ohren mit den größten Perlen beladen.« [37]

Eine frische Brise in diese feminine Drohnenexistenz kam aus einer ganz anderen Richtung. Hatte der Pietismus über den Weg des Gefühls eine erste Bresche in die weibliche Vernebelung geschlagen, so appellierte der Rationalismus der beginnenden Aufklärung an den Verstand der Frauen. Im Zuge dieser ersten großen Emanzipationsbestrebung, die eine generelle Revision aller überlieferten Vorstellungen forderte und »den Ausgang des Menschen aus seiner selbst verschuldeten Unmündigkeit« versprach, war es nur konsequent, ebenfalls die traditionellen Imperative an das weibliche Geschlecht zu revidieren. Die gesellschaftlich sanktionierte Unwissenheit der Frau war eines aufgeklärten Zeitalters unwürdig geworden. Während das Establishment des 17. Jahrhunderts das Wissen der Mädchen als die Hauptquelle für charakterliche Verfehlungen und häusliche Mißstände gehalten hatte, begann man im 18. Jahrhundert zu erkennen, daß die meisten familiären Kalamitäten viel eher aus dieser legitimierten Unwissenheit herrührten.

Und so kommt Dorothea Christina Leporin, die Verfasserin der bahnbrechenden Schrift,

Gründliche Untersuchung
der Ursachen,
die das
Weibliche Geschlecht
vom
Studiren
abhalten,
Darin deren Unerheblichkeit
gezeiget,
und wie möglich, nöthig und nützlich
es sey,
Daß dieses Geschlecht der Gelahrheit
sich befleisse,
umständlich dargeleget wird
von
Dorotheen Christianen
Leporinin.
Nebst
einer Vorrede ihres Vaters
D. Christiani Polycarpi Leporin,
Med. Pract. in Quedlinburg.

BERLIN,
Zu finden bey Johann Andreas Rüdiger,
1742.

zu der folgerichtigen Erkenntnis, daß »alle Ausschweiffungen des weiblichen Geschlechts ... Folgen eines schwachen Verstandes und eines verderbten und unordentlichen Willens« sind. »Sollen die Folgen behoben werden«, fährt die Autorin fort, »so muß man die Quellen verstopfen, und will man gesichert seyn, daß das weibliche Geschlecht dergleichen nicht begehe, so muß der Verstand und Willen desselben gebessert werden; wie aber will man solches bewerckstelligen, wenn man demselben das studiren untersagt?« [38]

Mit optimistischem Vertrauen in die Belehrbarkeit des Menschen und die Fortschrittlichkeit der Kultur hatten sich auch die Frühaufklärer voll Verve für eine Abänderung der weiblichen Bildungslosigkeit eingesetzt. Ein besonderes Verdienst kommt in diesem Zusammenhang den so häufig verspotteten *Moralischen Wochenschriften* zu. Sie bringen dem weiblichen Leser eine nie zuvor gekannte Aufmerksamkeit entgegen. »Ihm gilt lesepädagogischer Eifer. In seinem Interesse wird Literatur beurteilt, empfohlen und verworfen. Das lesende Frauenzimmer, mit der rechten Lektüre versorgt, ist eine Lieblingsvorstellung der Moralischen Wochenschriften.« Unter ihrer Anleitung »wird der weibliche Leser in zuvor nicht gekannter Weise mobilisiert«. [39] Ihr Hauptanliegen sind Erweckung und Vertiefung der weiblichen Bildung. »Daß Frauen und Mädchen zum Umgang mit den nützlichen und schönen Wissenschaften befähigt seien und diese Befähigung anwenden sollten, ist eine von den Wochenschriften einhellig vertretene Meinung.« [40] Entsprechend solcher Maximen liest man im Hamburger *Menschenfreund:*

> Sind wir denn nicht so wohl vernünftige Creaturen, als die Mannspersonen? Und haben wir nicht das Recht, wie sie, unseren Verstand aufzuklären, die Schönheit der Tugend zu erkennen, und dasjenige aus den Wissenschaften zu lernen, was uns vernünftiger, angenehmer und leutseliger machen kann? [41]

Und so läßt sich resümierend feststellen, daß die *Moralischen Wochenschriften* den ersten systematischen Versuch unternahmen, erzieherisch auf das weibliche Lesepublikum einzuwirken und es durch antithetische Argumentationen zumindest in den Vorhof der Wissenschaften zu locken. Im Mittelpunkt standen daher Erörterungen über weibliche Tugenden und Fehler, über vernünftige und unvernünftige Handlungen, über Bildungsmöglichkeiten und -grenzen, kurz über alles, was für die aus ihrer traditionellen Beschränkung herausstrebende Frau Relevanz besaß. Das Ganze war – entsprechend dem Credo der Aufklärung – nicht mit didaktischer Penetranz, sondern auf ›ergötzliche‹ Weise belehrend geschrieben. »Mit derartigen Methoden führen vor allem die frühen Wochenschriften einen kleinen Feldzug für die weibliche Bildung.« [42] Um den direkten Kontakt mit den Leserinnen noch zu intensivieren, entwickelten die Herausgeber einen regelrechten Briefverkehr mit den Abnehmerinnen, wodurch manch eine unversehens selbst zur Journalistin wurde.

> Selten hatte ein geistiges Unternehmen so ungeheuren Erfolg wie dieses. Die Frauen greifen die moralischen Wochenschriften begierig auf, unterhalten sich mit ihnen, bilden und erziehen sich an ihnen. Jede Frau des Mittelstandes und der höheren Stände liest sie; sie bilden den Grundstock ihrer geistigen Nahrung; auf ihnen baut sich fast ein halbes Jahrhundert hindurch die Bildung und die Weltanschauung der deutschen Frau auf. [43]

Ein weiterer bedeutender Lehrmeister der Frauen war Christian Fürchtegott Gellert. Der leicht verständliche Plauderton seiner Erzählungen und die schnell übertragbare Nutzanwendung seiner Fabeln machten ihn zum beliebtesten Hauspoeten breitester Frauenkreise. Alle seine Geschichten spiegeln in unzähligen Variationen die rationalistische Grundauffassung, daß Tugend lehrbar und die Konstituierung moralischer Werte nicht über den Weg des Gehorsams, sondern allein über den der Einsicht erfolgreich ist. Und so erhielten die Frauen durch Gelehrte und Schriftsteller [44], durch die Sprachgesellschaften und vor allem die *Moralischen Wochenschriften* eine nie zuvor gekannte, planmäßige Aufmunterung zur Bildung, und zwar nicht – wie im Pietismus – aus religiösen Impulsen, sondern aus der pragmatischen Überzeugung der Aufklärung, daß für ein vernünftigeres, das heißt humaneres gesellschaftliches Zusammenleben die Verstandeskräfte beider Geschlechter benötigt werden. »Das Ideal der aimable ignorante, des anmutig-unwissenden, empfindsamen Geschöpfs, bestimmt, lediglich dem Manne zu gefallen, das Rousseau für die Mädchenerziehung entwirft, hat sich keine Wochenschrift zu eigen gemacht.« [45] In der Geschichte der weiblichen Attraktivität entstand damit zum ersten Mal ein Frauenbild, das von der dekorativen Salonstatistin sowie der züchtigen Hausfrau und Mutter gleich weit entfernt lag. Man fing an, die ›andere Frau‹ zu schätzen, die als gebildete und rege Gesprächspartnerin nicht mehr nur Affirmation, sondern einen freien Austausch der Meinungen ermöglichte. »Die schöne Literatur« hörte damit auf, lediglich »eine Angelegenheit der Männer« zu sein. [46]

Als besonders günstig hatte sich dazu in der ersten Hälfte des 18. Jahrhunderts für die Frauen die Entwicklung der literarischen Öffentlichkeit ausgewirkt. Das neue Phänomen des Lesepublikums bedingte ein anderes Verhältnis zur Literatur, als es zu Zeiten, in denen die Aristokratie die Literaten wie Bedienstete behandelte, die Regel war. Der Umgang mit Büchern erhielt so die ersten demokratischen Züge. Die Verleger verdrängten das Mäzenatentum der Fürsten, und 1742 wurde die erste öffentliche Bücherei gegründet. [47] In vielen Salons entstand das Bedürfnis, in größerem Rahmen über das Gelesene zu räsonieren und die eigene literarische Erfahrung im Austausch mit anderen zu objektivieren. Das hatte zur Folge, daß die Kunst- und Kulturjournale diese neuen Bedürfnisse aufgriffen und eine erste institutionalisierte Literaturkritik entwickelten. Die Frauen, die von jeder anderen Öffentlichkeitsform »faktisch wie juristisch ausgeschlossen« waren, hatten damit – als beachtliches Kontingent des Lesepublikums – an der literarischen Öffentlichkeit häufig sogar einen größeren Anteil als die gebildeten Männer. [48] Auf diese Weise holten sie ihre vernachlässigte Bildung auf und lernten ihre eigenen Interessen zu formulieren. Die literarische Öffentlichkeit lieferte ihnen den Übungsplatz zu einer ersten geistigen Artikulation und bot ihnen die Möglichkeit, an den kulturellen Strömungen der Zeit teilzunehmen. Ein Symptom dafür, wie verbreitet dieses Bildungs- und Teilnahmebedürfnis für einen Großteil der Frauen war, zeigt auch die Entstehung einer ganz neuen Literaturgattung, nämlich die der populärwissenschaftlichen Standardwerke für Frauen höherer Stände. Als eines der ersten solcher Produkte – sogar von einer Frau geschrieben – erschien 1751 Charlotte Zieglers *Weltweisheit für Frauenzimmer.* »In der zweiten Hälfte des Jahrhunderts bringt fast jedes Jahr ein populäres Buch ›für das Frauenzimmer‹ aus irgend einem wissenschaftlichen Gebiet.« [49]

Hinzu kam aber noch etwas anderes. Die Abkehr »von der orthodoxen Gelehrtenkultur zur belletristischen Bildungskultur«, die sich in der ersten Hälfte des 18. Jahrhunderts bemerkbar machte, konnte von der Frau leichter als vom Mann nachvollzogen werden. [50] »Die Belletristik« als »eine literarische Gattung, die es vermied, zwischen Experten und Banausen zu unterscheiden«, welche »die Grenzen zwischen Berufen, Ständen und Geschlechtern aufhob« und »den Leser schlechthin« [51] forderte, bezog sui generis auch die Frau mit ein. Des weiteren kam hinzu, daß sich um die Mitte des 18. Jahrhunderts in dieser Gattung eine Motivverschiebung vollzog, die sie dem weiblichen Vorstellungsbereich näherbrachte. Damit ist die Umwandlung des heroisch galanten Romans in den rationalistischen Gegenwartsroman gemeint. Das bedeutete rein äußerlich: Verzicht auf die exotische Geographie und die historische Draperie. Die Handlung wurde aus der phantastisch gestaltlosen Ferne Hinterindiens *(Asiatische Banise)*, der Orinocomündung *(Robinson Crusoe)* oder der Südseeinseln *(Insel Felsenburg)* in die alltagsbekannte Umwelt verlegt und der Gegenwart angenähert. Hinzu kam eine Reduzierung der Personenzahl und eine Vereinfachung des labyrinthischen Handlungsgestrüpps. Das Entscheidende aber lag in der neuen realistischen Intention. Die älteren Motive wie Irrfahrten, Schiffbruch, Zweikampf, Entführung, Raub und Verfolgung gerieten vor dem neu erwachten Interesse an der Familie in den Hintergrund. Im Mittelpunkt des rationalistischen Gegenwartsromans standen daher Erziehungs- und Bildungsfragen, Liebes- und Eheprobleme, wobei die didaktische Tendenz einen breiten Raum einnahm. Eine solche Lektüre vermittelte der Frau nicht mehr nur eskapistische Unterhaltung, sondern eine Konfrontation mit ihrem persönlichen Wirkungsbereich. Indem sich der neue Roman ihrer Welt annahm, machte er diese zum Gegenstand der Reflexion und ermöglichte ihnen eine erste dialektische Reaktion. Der Familienroman nach dem Muster von Gellert, Hermes, Thümmel und Nicolai kann deshalb als Emanzipationshilfe gar nicht hoch genug eingeschätzt werden. Dauerhafte Befreiungsergebnisse lassen sich letztlich nicht durch aufgepfropfte Lern- und Verhaltensmodelle erreichen, nicht durch »die Grundsprachen des alten Testaments« oder pietistische Erbauungsübungen, sondern in erster Linie durch das Erkennen der eigenen Situation und der Möglichkeit ihrer Veränderung. Historisch erwähnenswert ist auch der Faktor, daß »die Frau seit der Mitte des 18. Jahrhunderts die freie Zeit gewann, die dem Mann nach wie vor fehlte«. [52]

Aber noch etwas trug dazu bei, den Frauen die Zunge zu lösen. Die um die Mitte des Jahrhunderts ausbrechende Briefleidenschaft bemächtigte sich auch derer, die statt der Feder die Sticknadel zu führen gewohnt waren. Da die Angelegenheiten der Familie eine literarische Legitimierung erfahren hatten, faßten sie Mut, auch selber die Begebenheiten und Konflikte ihrer alltäglichen Häuslichkeit zu Papier zu bringen und den Freunden zu übermitteln. In allen Lebenslagen begannen die Frauen plötzlich, Briefe zu schreiben, ja der Briefwechsel wurde zu einer ihrer wichtigsten Angelegenheiten überhaupt. [53] Hier schien sich ein jahrhundertelang zurückgehaltenes Formulierungsbedürfnis gewaltsam Bahn brechen und austoben zu wollen. Doch diese anfänglich so harmlose Vielschreiberei hatte weitreichende Konsequenzen. Die Intention solcher Briefe zielte nicht nur auf den Intimbereich von Empfänger und Sender, sondern auf einen weit größeren Personenkreis. Briefe wurden vorgelesen, ausgeliehen und abgeschrieben und waren somit gewissermaßen öffentlichkeitsbezogen. Aber gerade die »publikumsbezogene Subjektivität« [54] des Briefes verschaffte den Frauen das Entrée in die literarische Öffentlichkeit. Begabte Schreiberinnen wie Gellerts Korrespondentin Demoiselle Lucius wurden bekannt, und die Wochenschriften brachten immer häufiger Beiträge aus weiblicher Feder. Und so wurde das Briefschreiben für die Frau zum Vorfeld einer literarischen Tätigkeit, auf dem sie sich die ersten schriftstellerischen Techniken aneignete.

Der Erfolg blieb nicht aus. Auf dem Hintergrund all dieser Tendenzen und Impulse entstand im Jahre 1771 mit der *Geschichte des Fräuleins von Sternheim* von Sophie von LaRoche der erste deutsche Frauenroman. Die Verfasserin war eine im rationalistischen Sinne gebildete Frau. Sie hatte die typische Gelehrtentöchtererziehung genossen und von ihrem Vater frühzeitig eine breite Wissensvermittlung erhalten. Ihr Zugang zur Schriftstellerei war symptomatisch für die meisten dieser frühen Autorinnen. Es war kein spontanes Verhältnis, sondern ein durch Lebensbeobachtung und Erfahrung allmählich entwickeltes, quasi auf dem zweiten Bildungsweg erworbenes Interesse, was die Frauen zum Schreiben veranlaßte. Zur eigenen literarischen Produktion gerieten sie meist auf dem Umweg der Leserin oder der Erzieherin. So war Sophie von LaRoche 1771, beim Erscheinen ihres ersten Romans, bereits vierzig Jahre alt, und auch ihre Nachfolgerinnen wie Maria Anna Sagar, Barbara Knabe und Friederike Helene Unger traten erst spät in die literarische Öffentlichkeit. [55] Erst in dem Augenblick, wo die Erziehungs- und Eheprobleme zum Gegenstand ihrer kritischen Reflexion wurden, konnten sie diese schriftstellerisch verarbeiten.

In verschiedener Hinsicht war *Das Fräulein von Sternheim,* der erste deutsche Frauenroman, bereits von einer erstaunlichen Modernität. Manche Überlegungen antizipieren schon Argumente, die siebzig Jahre später auch von den jungdeutschen Schriftstellerinnen ins Feld geführt werden. Trotz spleeniger Melancholie und empfindsamer Seelenumarmung zeichnet sich hier ein ganz neuer Frauentyp ab: Sophie von Sternheim versteht sich nicht mehr als ein schönes Supplement zu einer männlichen Totalität, sondern als selbständige Initiatorin ihres eigenen Wirkungsfeldes. Ihre Neuartigkeit wird schon im Roman selbst reflektiert. »Das Mädchen macht eine ganz neue Gattung von Charakter aus« [56], erkennt ihr scharfsinniger Verführer Lord Derby. Das Interessante dabei ist, daß diese neue Charaktergattung bei den Männern offensichtlich nicht auf Ablehnung stieß, sondern im Gegenteil größte Sympathie- und Liebesgefühle auslöste. Das deutet bereits auf eine veränderte Bewertung des traditionellen Geschlechtsideals hin. Noch schärfer zeigt sich die Abkehr von der üblichen Mann-Frau-Polarisierung in Sophies Beschreibung ihres männlichen Ideals Lord Seymour. Was ihn ihr außer seiner »Menschenliebe«, seinem »Edelmut« und »aufgekärten Geist« so anziehend macht, ist vor allem »der tugendliche Blick seiner Augen«. [57] Damit soll Lord Seymour nicht etwa als Leitbild des neuen Mannes angepriesen werden. Auch die Verfasserin möchte sich nicht unbedingt mit der Vorliebe für männliche Tugendhaftigkeit identifizieren. Was in diesem Zusammenhang interessiert, ist die veränderte Geschlechtsideologie. Sophie entscheidet sich für einen Mann, der ihr *ähnlich* ist. Seine Vorzüge und Ideale entsprechen den ihren. Auch er darf gefühlvoll, empfindsam und zu Tränen gerührt sein. Ihre Glückserwartung richtet sich nicht auf die übliche Verkoppelung der traditionellen Komplementäreigenschaften wie gebend und empfangend, denkend und empfindend oder unabhängig und abhängig. Die Ideale der Tugendhaftigkeit und des aufgeklärten Verstandes gelten für beide. Wie unvoreingenommen hier die herkömmliche Rollenfixierung in Frage gestellt wird, verdeutlichen besonders die folgenden Fragen der Protagonistin: »Woher kömmt es, daß man auch bei der besten Gattung Menschen eine Art von eigensinniger Befolgung eines Vorurteils antrifft? Warum darf ein edeldenkendes, tugendhaftes Mädchen nicht zuerst sagen, diesen würdigen Mann liebe ich? Warum vergibt man ihr nicht, wenn sie ihm zu gefallen sucht und sich auf alle Weise um seine Hochachtung bemühet?« [58] Es ist die gleiche Frage, die zwei Generationen später auch Fanny Lewald stellt. [59]

Welche entscheidenden emanzipatorischen Impulse auf diesem Gebiet von der Aufklärung ausgingen, wird deutlich, wenn man die pedantische Geschlechtertrennung der Weimarer Klassiker mit ihrer schulmeisterlichen Aufgabenzuweisung wie »Der Mann muß hinaus ins feindliche Leben ... und drinnen waltet die züchtige Hausfrau« einmal daneben sieht. Sophie von Sternheim beschränkt sich nach dem Schicksalsschlag mit Derby durchaus nicht auf das gesicherte »Drinnen«. Ganze sieben Tage verkriecht sie sich zur Wiederherstellung ihrer Kräfte im Familienkreise der Freundin. Dann treibt sie das Wissen, daß die Welt voller Aufgaben für die Vernünftigen ist, wieder »hinaus ins feindliche Leben«. Bis nach England hin entstehen unter ihrem Einfluß Gesindehäuser, Armenschulen und Mägdeheime. Und wenn sie am Ende, trotz ihrer Selbständigkeit, mit Seymour im Ehehafen anlegt, so nicht, um dort zu ›verinnerlichen‹, sondern um sich mit ihm gemeinsam »dem Dienste der Menschenliebe zu weihen« und weiterhin für die Unbemittelten Schulhäuser und Hospitäler nach sternheimscher Einrichtung [60] erbauen zu lassen. So zeigt sich in diesem ersten deutschen Frauenroman bereits ein ausgeprägtes soziales Engagement und eine Liebes- und Eheauffassung, die nicht nur auf ein abgezirkeltes Privatidyll hinzielt, sondern durchaus schon die Tendenz zur »dritten Sache« impliziert.

Wie sehr sich die Frage nach dem weiblichen Selbstverständnis von Anfang an im Spannungsfeld zwischen Provokation und Reaktion bewegte, verdeutlicht die Tatsache, daß der nächste Frauenroman, der allgemeines Aufsehen erregte, geradezu wie ein Pamphlet zur Anerkennung der absoluten Unterwürfigkeit der Frau aussah. Mit ihrem Roman *Elisa oder das Weib wie es seyn sollte* (1795) brachte Wilhelmine von Wobeser (1769–1807) mit *einem* Schlag die Gleichheitsbestrebungen der Sophie von LaRoche ins Stocken. Das vorbildliche Eheweib ist hier nicht mehr wie das Fräulein von Sternheim die ebenbürtige Gefährtin, sondern die unterwürfige Hausmutter. Nur durch die absolute Willfährigkeit der Frau sieht die Autorin »die wahre Zufriedenheit« in der Ehe gewährleistet. Und so entsagt Elisa ohne jedes Murren ihrem edlen Jugendgeliebten, fügt sich willig in die Wahl des für sie bestimmten Ehemanns, erträgt sanftmütig dessen mürrische Gleichgültigkeit und verletzende Grobheit und begleicht noch obendrein mit zuvorkommendem Takt die Schulden seiner Mätresse. »Nie verrieht ein Wort, eine Miene, ihr inneres Mißvergnügen«, rühmt Frau von Wobeser ihre Heldin. »Wallenheim [ihr Mann] wollte es, und dieses war genug, um jede Unzufriedenheit in ihr zu unterdrücken.« [61] Und eine solche ›echt-weibliche‹ Tugendhaftigkeit bleibt schließlich nicht ohne Wirkung. Mit den Jahren wird ihr Gatte zugänglicher und »das Vergnügen, Wallenheim weniger mürrisch, weniger unzufrieden zu sehen, war ihr Lohn«. [52]

Mit diesem Roman, in dem von weiblicher Seite in einer nie zuvor gekannten

Unverblümtheit die Herrschaft des Mannes über die Frau gerechtfertigt wird [63], hatte die Reaktion ihre Anti-Sophie gefunden. Wie breit die Wirkung war, läßt sich nicht nur an der sechsmaligen Auflage [64] und den zahlreichen Übersetzungen und Nachdrucken, sondern auch an der großen Zahl der Nachahmungen ablesen. Titel wie *Die Familie wie sie seyn sollte, Louise, ein Weib wie ich es wünsche, Robert, der Mann, wie er seyn soll* oder auch das Gegentraktat *Elisa, kein Weib wie es seyn soll* sind ein weiterer Beleg für die Berühmtheit des Romans. [65] Man dachte sogar eine Zeitlang daran, das Werk in den weiblichen Erziehungsanstalten als Lesebuch einzuführen. [66] Was ein solcher Erfolg veranschaulicht, sind die Zählebigkeit etablierter Geschlechtsideale und die fast unüberwindlichen Schwierigkeiten, mit denen ›der andere Frauenroman‹ zu rechnen hatte.

Doch wenn in diesem Zusammenhang von den Schriftstellerinnen des 18. Jahrhunderts die Rede ist, muß deutlich hervorgehoben werden, daß es sich bei ihnen noch nicht um eine professionell ausgeübte literarische Tätigkeit handelt. »Die Gesellschaft, die der Frau die literarische Emanzipation gestattet und auch abgefordert hatte, gestand ihr noch nicht die Freiheit zu, den familiären Kreis zu verlassen, um sich im Berufsleben auf eigene Füße zu stellen.« [67] Gelehrsamkeit und Schriftstellerei entbanden daher »nicht von den täglichen Geschäften«. [68] Anna Luise Karsch, Sophie von LaRoche, Maria Anna Sagar etc. »setzten fort, was die Gottsched vorgemacht hatte. Sie waren in der Domäne, in der die Frauen sonst rezeptiv waren, produktiv, blieben aber in ihrem freien Beruf in der häuslichen Welt und griffen nicht in die Regeln der bürgerlichen Berufswelt und in diese selbst über«. [69] Deutlich läßt sich diese scharfe Grenzziehung zwischen gesellschaftlich sanktionierter literarischer Betätigung und vorenthaltener beruflicher Ausübung auch in Knigges *Ueber den Umgang mit Menschen* erkennen. So liest man einerseits, »ich tadle nicht, daß ein Frauenzimmer ihre Schreibart und ihre mündliche Unterredung durch einiges Studium und durch keusch gewählte Lectür zu verfeinern suche«, und andererseits das apodiktische Postulat, »aber sie soll kein Handwerk aus der Literatur machen«. [70] Solche Verdikte spiegeln die Grenzen der aufklärerischen Befreiungsbemühungen um die Frau. Man förderte wohl »das schöngeistige und gefühlvolle Bildungsinteresse« des weiblichen Geschlechts, suchte aber gleichzeitig »zu verhüten«, daß sie »sich außerfamiliären Interessen verschrieb«. [71]

### *Konsequenzen der Aufklärung und frühromantische Impulse*

Weitere entscheidende Konsequenzen für die Situation der Frau ergaben sich aus den neuen Freiheitsidealen der französischen Revolution. Die Erklärung der Menschenrechte, die sich auf das Naturrecht des einzelnen berief und die kreatürliche Gleichheit aller betonte, die grundlegend mit der überlieferten Rechtshierarchie brach und den dritten Stand, die Neger und die Andersgläubigen als gleichberechtigte Mitglieder einer großen Völkerfamilie verstand, öffnete den Frauen die Augen für die kontinuierliche Benachteiligung ihres Geschlechts. Bei der Verkündigung gleicher Rechte für alle konnte nicht einfach die Hälfte der Menschheit davon ausgeschlossen bleiben. In unzähligen Broschüren und Petitionen an die Nationalversammlung verlangten sie, daß die neue Zeit der bürgerlichen Freiheit auch die Frau aus ihrer Sklavenexistenz befreien müsse. Die bekannteste dieser engagierten Frauen – Olympe de Gouges –, Gründerin der ersten politischen Frauenvereine, stellte darum der Erklärung der Menschenrechte ein eigenes Manifest gegenüber. In dieser *Verkündigung der Frauen- und Bürgerinnenrechte* (1789) heißt es unter anderem:

> Die Frau ist frei geboren und von Rechts wegen dem Manne gleich. Das Ziel jeder gesetzgebenden Gemeinschaft ist der Schutz der unveräußerlichen Rechte beider Geschlechter: der Freiheit, des Fortschritts, der Sicherheit und des Widerstands gegen die Unterdrückung... Alle Bürgerinnen müssen ebenso wie alle Bürger persönlich oder durch ihre gewählten Vertreter an ihrer Gestaltung teilnehmen... Die Frau hat das Recht, das Schafott zu besteigen, die Tribüne zu besteigen sollte sie dasselbe Recht besitzen... Erwacht ihr Frauen! Die Fackel der Wahrheit hat die Wolken der Torheit und der Tyrannei zerstreut; Wann werdet ihr sehend werden? Vereint euch. Setzt der Kraft der rohen Gewalt die Kraft der Vernunft und der Gerechtigkeit entgegen. Und bald werdet ihr sehen, wie die Männer nicht mehr als schmachtende Anbeter zu euren Füßen liegen, sondern, stolz darauf, die ewigen Rechte der Menschheit mit euch zu teilen, Hand in Hand mit euch gehen. [72]

Es gehört zu den grausamen Paradoxien der Geschichte, daß diese leidenschaftliche Vorkämpferin der Frauenemanzipation von den geforderten gleichen Rechten selber nur die Gleichheit vor dem Schafott erfuhr. Als sie sich 1793 die Feindschaft von Robespierre zuzog, wurde ihr Leben durch das Fallbeil beendet.

In England trat zu gleicher Zeit Mary Wollstonecraft für die juristische Anerkennung der Frauen ein. In ihrer Abhandlung über die *Verteidigung der Frauenrechte* (1792) sah sie in der mangelhaften Ausbildung des weiblichen Geschlechts die Hauptursache für dessen Diskriminierung.

> Ich hatte eine Menge von Schriften über Erziehung nachgelesen, das Verhalten der Eltern und die Behandlung in den Schulen beobachtet, mit dem Resultat der festen Überzeugung, daß eine *vernachlässigte Erziehung* meiner Mitgeschöpfe die Hauptquelle des Elendes sei, das ich so beklage... Ihre Verfasser dachten sich unter dem Begriff unseres Geschlechts mehr *weibliche* als *menschliche* Geschöpfe. Daher war es ihnen weit mehr darum zu tun, sie zu *reizenden Gebieterinnen,* als zu *vernünftigen* Gattinnen zu machen. Durch diese falsche Huldigung hat der weibliche Verstand sich so betören lassen, daß jetzt die gebildeten Weiber unseres Jahrhunderts, mit wenigen Ausnahmen, fast bloß darauf ausgehen, *Liebe* einzuflößen, statt einen edleren Stolz in sich zu nähren und durch Vorzüge des Geistes und des Herzens *Achtung* zu gebieten. [73]

Mary Wollstonecraft war die erste Frauenrechtlerin, welche die materielle Unabhängigkeit der Frau als die Grundvoraussetzung für ihre Gleichberechtigung ansah und energisch für die Schaffung weiblicher Berufsmöglichkeiten stritt. Die praktischen Erfolge blieben zwar zunächst noch aus. Dieselben Männer, welche die Frauen zur aktiven Teilnahme im Kampf gegen das Ancien Régime angestachelt hatten, reduzierten sie wieder auf die weibliche Gattungsfunktion, sobald ihre politische Macht gefestigt war und sie ihre Mitstreiterinnen entbehren konnten. »Unter Berufung auf die ›öffentliche Sicherheit‹ und Ehrbarkeit und die ›Natur‹ des Weibes, schloß der Konvent 1793 nicht nur alle politischen Frauenvereine, sondern er verbot auch die Teilnahme der Frauen an allen politischen Versammlungen.« [74] Solche Beispiele veranschaulichen den unendlich mühsamen und schwierigen Weg, den der Befreiungsprozeß der Frau zu durchlaufen hatte. Immer wieder begegnete man den engagiertesten und mutigsten Unternehmungen mit Verboten von seiten der institutionalisierten Gewalt. Doch gerade deshalb sind solche Bemühungen erwähnenswert als Zeugnisse eines ersten weiblichen Solidaritätsgefühls, ohne welches es niemals zu einer entscheidenden Änderung in der sozialen Stellung der Frau gekommen wäre.

Auch in Deutschland wurden plötzlich solche emanzipatorischen Gleichheitspostulate aufgestellt. Hier waren es zunächst die Männer, die den westlichen Freiheitsruf ernst nahmen und eine allgemeine Gleichheit ohne die Gleichberechtigung der Frau für unzureichend hielten. So kritisierte etwa der Königsberger Staatsmann und Schriftsteller Theodor Gottlieb von Hippel in seiner Abhandlung *Über die bürgerliche Verbesserung der Weiber* (1792) an der französischen Verfassung gerade die ungleiche Behandlung der Geschlechter, wonach zwar die bürgerlichen Männer in das neue Haus der Gleichberechtigung eingelassen wurden, die Frauen aber weiterhin draußen vor der Tür blieben. Als ein wahrer Anwalt der Benachteiligten bestand er darauf, »den Weibern« nicht »bloß Privilegien«, sondern auch »Rechte« zu geben und vor allem an der Verbesserung ihrer Erziehung zu arbeiten. Energisch wandte er sich gegen die übliche Hervorhebung der Geschlechtsunterschiede, die nur dazu geführt habe, das eine Geschlecht zu privilegieren und das andere zu benachteiligen. »Woher jetzt der Unterschied in der Erziehung beider Geschlechter, der sich bei der Wiege anhebt und beim Leichenbett endiget?« liest man in seiner Emanzipationsschrift für die Frauen, »warum ein so wesentlicher Unterschied, als wären beide Geschlechter nicht Eines Herkommens, nicht Eines Stoffs, und nicht zu einerlei Bestimmung geboren? – Die Scheidewand höre auf! man erziehe Bürger für den Staat, ohne Rücksicht auf den Geschlechtsunterschied.« [75] Damit legte Hippel den Finger mitten auf die Wunde. Solange man weiterhin die Gegensätzlichkeit der Geschlechter als naturgegebene Dichotomie hochspielte und der Frau dabei wie üblich den passiven Part zuschob, blieb eine durchgreifende »Verbesserung der Weiber« etwas Illusorisches. Wie fortschrittlich Hippel war, wird deutlich, wenn man sein Gleichheitskonzept einmal mit der archaischen Geschlechterfixierung des Großaufklärers Kant vergleicht. [76] Dessen Mahnruf, die selbstverschuldete Unmündigkeit zu überwinden, schien sich lediglich an die Männer zu richten, da Kant die Frau nicht in ihrer Individualität, sondern ausschließlich in ihrer Funktionalität sah. Persönliche Eigenschaften, Wünsche, Ziele oder auch Bildungsabsichten wurden ihr gar nicht erst zugestanden, da sich der Zweck ihres Daseins allein »in der Erhaltung der

Art und der Verfeinerung der Gesellschaft« [77] erfülle. Erst vor einem solchen Hintergrund enthüllt sich die ganze Kühnheit der Hippelschen Gedanken.

Aber noch in anderer Hinsicht waren die Grundsätze der Aufklärung von Einfluß auf die Stellung der Frau. Und zwar ist in diesem Zusammenhang besonders die Liberalisierung des Eherechts von Wichtigkeit. Indem sich die Ansichten von der Vorrangigkeit des Naturrechts immer stärkere Resonanz verschafften, begann die kirchliche Sanktionierung der Eheschließung entbehrlich zu werden. Damit verlor die Ehe ihren Charakter als Sakrament und wurde ausschließlich zu einem Rechtsvertrag zwischen zwei Individuen. [78] Daß diese Verlagerung in den Zivilbereich gleichzeitig eine veränderte Einstellung bezüglich der Unauflösbarkeit der Ehe bewirkte, war nur eine logische Konsequenz. Ein Vertrag, der auf der Freiwilligkeit zweier Einzelmenschen beruhte und lediglich im *bürgerlichen* Recht verankert war, konnte aufgehoben werden, wenn beide Vertragspartner dies für notwendig hielten. Interessanterweise war es nicht der französische, sondern der preußische Staat, in dem die naturrechtlichen Ehevertragstheorien ihre erste Wirkung hatten. Dafür sprechen die im Vergleich mit dem übrigen Europa besonders liberalen Ehescheidungsgesetze. Das 1794 in Kraft getretene preußische *Allgemeine Landrecht,* das der Frau wesentlich größeren Handlungsspielraum zugestand als der *Code civil,* sah im besonderen für den Scheidungsfall eine annähernd gleiche Regelung für Mann und Frau vor. So war zum Beispiel »die Untreue des einen für beide Gatten ein Scheidungsgrund« [79], während das französische Eherecht eine eindeutige Privilegierung des Mannes verrät. Ihm wurde jedes Maß an Untreue gestattet – sofern sie sich nicht in der ehelichen Wohnung abspielte –, während der Ehebruch der Frau nicht nur zur Scheidung und sogar zu einer Gefängnisstrafe bis zu zwei Jahren führen konnte, sondern in manchen Fällen die straffreie Tötung von seiten des betrogenen Ehemanns erlaubte. *Im Code pénal* wird der Mord an einer beim Ehebruch ertappten Ehefrau zu den entschuldbaren Vergehen gezählt.

> ... dans le cas d'adultère ... le meurtre commis par l'epoux sur son épouse, ainsi que sur le complice, à l'instant où il les surprend en flagrant délit dans la maison conjugale, est excusable. [80]

Wie fortschrittlich Preußen in dieser Hinsicht – verglichen mit Frankreich – war, läßt sich auch an dem Erstaunen ermessen, das die durch Deutschland reisende Mme de Staël bezüglich der reibungslosen Scheidungsprozeduren an den Tag legte: »La facilité du divorce ... porte atteinte à la sainteté du mariage. On y change aussi paisiblement d'époux que s'il s'agissait d'arranger les incidents d'un drame.« [81] Diese eherechtlichen Errungenschaften waren ideologisch von großem Wert für die Frau. Indem die neue Vertragsform ausschließlich auf der Übereinstimmung zweier einzelner beruhte, wurde der von der Kirche proklamierte Er-soll-dein-Herr-sein-Standpunkt zumindest theoretisch relativiert. Die Frau befand sich damit nicht mehr in der gleichen Besitzrelation zum Mann wie Haus, Hof und Hund und hörte auf, sein absolutes Eigentum zu sein. Solche Strukturveränderungen sowie die theoretische Möglichkeit einer Neuwahl des Partners waren Zeichen einer beginnenden Demokratisierung der Ehe. [82] Die erste Frauengeneration, die davon Gebrauch machte und die Scheidungsrechte für sich in Anspruch nahm, war die romantische.

Allerdings hatte dieser allgemeine Liberalisierungsprozeß keinen geradlinigen Verlauf gehabt. Schon der Ausgangspunkt der Bewegung, die Aufklärung, war vielschichtig und ambivalent gewesen. Es gab Voltaire und Rousseau, die Tugenden des Verstandes und die Tugenden des Herzens, die avantgardistischen und die returnistischen Freiheitskonzepte. Aber gerade der rousseauistische Gefühlskult hat sich nachteilig auf die weiblichen Emanzipationsversuche ausgewirkt. Er erweiterte einerseits das Selbstbewußtsein der Frau, indem er ihr die gesamten Belange des Emotionalen zuschrieb und sogar das Recht auf Leidenschaft zugestand, legte sie aber andererseits so sehr darauf fest, daß ihr dadurch der Zutritt zu anderen Bereichen versagt blieb. Und so war nach der Ansicht Rousseaus für die Frau – als ›Hohepriesterin der Liebe‹, die die Geheimnisse des Herzens verstand – die Ausbildung ihrer intellektuellen Anlagen etwas höchst Überflüssiges. Er befreite zwar die Frau aus dem sündhaften Dunkel der christlichen Vorstellungswelt und führte sie auf die lichten Wiesen harmonischer Ursprünglichkeit zurück, hielt aber weiterhin an dem traditionellen Geschlechtsunterschied fest und reduzierte den Mann auf die Repräsentanz des Geistes und die Frau auf die des Gefühls. Die Folge solcher einseitigen Fixierungen war, daß der Genfer Erziehungsapostel, dessen *Emil* (1762) eine revolutionäre Wirkung gehabt hatte, mit seinen Ansichten über die Frauenbildung weit hinter der Aufklärung zurückblieb. Hauptaufgabe der Mädchen sei, dem Mann zu gefallen, liest man im *Emil,* und ihre gänzliche Unwissenheit daher durchaus nicht tadelnswert. [83] Die Herzensqualifikation der Frau konnte schließlich alles ausgleichen. Sie empfand, ahnte, spürte mit der Seele, was sich der Mann erst mühsam durch Verstandeskräfte anzueignen hatte. Sie war die große Empfinderin, die den Wissensballast gar nicht nötig hatte. Insofern herrschte ein gewisser Ausgleich zwischen den Geschlechtern. Aber darin lag andererseits auch das Gefährliche. Indem man der Frau mit solchen Herzenshappen buchstäblich das Gehirn verstopfte, begann sie selbst, an ihre hohe Bestimmung als Gefühlspflegerin zu glauben und eine Geistesausbildung für entbehrlich zu halten. Damit wurde die Mann-Frau-Polarisierung ins Archetypische stilisiert und die rousseauistische Gefühlsemanzipation zur eigentlichen Geburtsstunde des Weiblichkeitswahns.

Wie nachhaltig eine solche mythologisch überhöhte Geschlechtsfixierung gewirkt hat, zeigt nicht nur der Titaniden- und Bacchantinnenkult eines Heinse oder Klinger, sondern ebenso die Vielzahl der ›tief-weiblichen‹ Frauengestalten der Weimarer Klassiker, jener »schönen Seelen« und harmonischen Herzen, die auf lange Zeit den Blick für die echte Emanzipation verdunkelten und die Bildungsbemühungen der Aufklärung wieder in Vergessenheit brachten. »Trotz Schillers leidenschaftlicher Forderung nach Uneingeschränktheit des Ichs«, bemerkt Henri R. Paucker völlig zu Recht, bleiben »die zentralen Frauengestalten von überraschender Passivität [...] Die junge bürgerliche Frau, welche die Liebe des werbenden Mannes passiv erfährt und von ihr erweckt und vernichtet wird, gelangt in der Literatur der Zeit zu einer so häufigen und im wesentlichen unveränderten Darstellung, daß sie als Topos erkenntlich wird. Goethes Klärchen im ›Egmont‹ und Gretchen im ›Faust‹ entsprechen dem Typus in genauer und auch für die spätere Entwicklung vorbildlicher Weise.« [84] Die Existenz einiger aktiver, exzessiver, ja geradezu mänadenhafter Frauengestalten wie die der Orsina, Milford, Penthesilea oder Judith bestätigen das eben Behauptete eher, als daß sie es beeinträchtigen, denn ihre Liebe wird als furchtbar, Verderben bringend und tödlich gebrandmarkt. Sie löst nicht Bewunderung, sondern »Scheu und Grauen« aus. [85]

Eine solche Umfunktionierung der Frau zum Ewig-Passiven läßt sich auch in Goethes theoretischen Reflexionen nachweisen. So liest man in seinen Bemühungen um die Definition des Epischen: »Epische, halbepische Dichtung verlangt eine Hauptfigur, die, bey vorwaltender Thätigkeit, durch den Mann, bey überwiegendem Leiden durch die Frau vorgestellt wird.« [86] Und so hat die Klassik besonders durch ihre Stilisierung des Weiblichen ins Passive, Stillwirkende, und Nicht-über-sich-Hinausstrebende ›die andere Frau‹ mit erhabener Geste von der Bühne gedrängt. Goethes Unterscheidung zwischen dem freiheitsdurstigen und dem sittsamen Geschlecht und Schillers Differenzierung von weiblicher Anmut und männlicher Würde sowie seine Diffamierung der politisch begeisterten Frau als »Hyäne« haben ein Frauenbild entstehen lassen, dessen Nachwirkungen noch heute zu spüren sind.

Erst die frühromantische Generation wandte sich wieder dem Gleichheitsideal zu und suchte in der Frau weder die rührige Hausmutter noch das entfesselte Naturweib, sondern die ebenbürtige Gefährtin. Aus der Überzeugung heraus, daß sich die Geschlechter *gleich* sind an Geistesgaben und daher nicht mehr die Schweigsamkeit der schönste Schmuck der Frau sein kann, erklang Schleiermachers programmatischer Mahnruf von 1798: »Laß Dich gelüsten nach der Männer Bildung, Kunst, Weisheit und Ehre.« [87] Vor allem aber wandten sich die jungen Romantiker gegen die Unhaltbarkeit der bestehenden Eheverhältnisse, welche die Frau nur allzuoft zur Seelengefangenen erniedrigten.

Als Manifest dieser neuen Liebesauffassung gilt allgemein Friedrich Schlegels romantisches Ehebuch *Lucinde* (1799). Sein Julius verkörpert den ersten bewußt emanzipatorischen Mann, der in den »Lehrjahren der Männlichkeit« eine Entwicklung vom ›Nur-Mann‹ zum ›Mann-Menschen‹ durchmacht. Schon diese ›éducation érotique‹ verläuft nicht nach dem üblichen Muster. Nachdem der hitzige Jüngling so manche Leidenschaft durchstürmt und von verschiedenerlei Fleisch gekostet hat, verläßt er den Irrgarten der Liebe, nicht etwa, um die traditionelle Heirat mit dem ›unbescholtenen‹ jungen Mädchen einzugehen, sondern um sich mit einer geschiedenen Frau zu verbinden. Darin äußert sich das Ungenügen an dem gängigen Ehemodell, dessen wesentlichster Reiz in der Verbindung des wissenden Mannes mit dem unwissenden Mädchen lag. Lucinde dagegen ist ihm ›gleichwissend‹. Sie ist »zärtliche Geliebte« und »vollkommene Freundin«, Partnerin in der Liebe wie auch im Geiste. Weder die Seelenfreundschaft à la Sophie La-Roche noch die Liebesgemeinschaft eines Heinse ist Schlegels Ideal, sondern eine

Liebesverbindung, die beide Bereiche befriedigt. Gleichzeitig wird der Reiz dieser Beziehung nicht mehr in der herkömmlichen Polarität der Geschlechter, sondern in einer neuen »androgynen« Verhaltensweise gesehen. In der »Dithyrambischen Fantasie über die schönste Situation der Welt« lobt Julius an Lucinde, daß sie von dem, »was Gewohnheit oder Eigensinn weiblich nennen«, nichts weiß. [88] Die Fixierung auf jede Geschlechtskonformität wird als verarmend empfunden, da der potentielle Empfindungsreichtum des Menschen dabei unausgefüllt bleibt. Erst durch den Austausch von männlicher und weiblicher Rolle, von Heftigkeit und Hingabe kann die ganze Fülle der menschlichen Wollust genossen werden. Weder das männliche noch das weibliche Prinzip allein kann deshalb Idealbild sein, sondern erst die Verbindung beider »zur vollen ganzen Menschheit«. [89] Gerade weil die Frau hier nicht mehr aus der Perspektive der Weiblichkeit gesehen wurde, sondern in erster Linie als ein Teil der »Menschheit, die da war, ehe sie die Hülle der Männlichkeit und der Weiblichkeit annahm« [90], konnte Schlegel ihr eine nie zuvor gekannte erotische Freiheit zugestehen, die voller Humanitätspathos war und nicht den geringsten Zynismus aufwies. Wenn Wollust eine menschliche Tugend konstituierte, durfte auch die tugendhafteste Frau um ihrer selbst willen wollüstig sein.

Daß die *Lucinde* bei ihrem Erscheinen auf das heftigste kritisiert wurde und eine Flut von Schmähschriften hervorrief, konnte nicht ausbleiben. Ein solches Zugeständnis an weiblicher Freizügigkeit war für eine Gesellschaft, die gerade die vierte Auflage von *Elisa, ein Weib wie es seyn sollte* verschlang, absolut undenkbar. Aber diese allgemeine Verdammung der *Lucinde* als unzüchtig, in die später selbst ein so liebes-liberaler Mann wie Heine einstimmte, bezeugt nur ihre tatsächliche Progressivität. Daß man die Titaniden und Bacchantinnen eines Heinse und Klinger als weniger sittenwidrig empfand, beweist, wie sehr Schlegel mit seinem neuen Liebeskonzept an den Grundpfeilern des herrschenden Moralgebäudes rüttelte Denn letztlich verkörperten auch die entfesselten Sturm-und-Drang-Weiber nichts weiter als Projektionen männlicher Sexualwünsche. Sie waren keine selbständigen Frauen, geschweige denn weibliche Menschen, sondern »Gesellinnen« der Leidenschaft, Bettgenossen mit weiblichen Genitalien, die man unbekümmert verließ, wenn die Lust verrauscht war. Auch hier behielt die doppelte Moral weiterhin ihre Gültigkeit. Lucinde dagegen verstand sich nicht mehr als eine Frau von Mannes Gnaden. Was dabei besonders verschreckte, war die Tatsache, daß sich ihre Selbständigkeit auch aufs Erotische ausdehnte. Daß sich Gottsched und Gellert um den Verstand der Frauen bemühten, Rousseau sich ihrer Herzen annahm und Hippel gar Bürgerinnenrechte für sie proklamierte, mochte gerade noch hingehen. Schlegel dagegen wurde abgelehnt, weil er mit seinem neuen Ehebekenntnis die doppelte Moral bloßstellte und an der männlichen Sexualherrschaft rüttelte. Hier bangte ›der Mann, wie er nicht sein sollte‹, um den besten Platz im Bett. Die romantische Frau aber fand in der *Lucinde* die erste männliche Ermunterung zu einer Gleichberechtigung, die nicht nur den geistigen, sondern ebenso den sinnlichen Bereich betraf.

### *Rahel Varnhagen, Bettina von Arnim und Therese Huber*

Kann ein Frauenzimmer dafür, wenn es *auch* ein Mensch ist? Wenn meine Mutter gutmütig und hart genug gewesen wäre, und sie hätte nur ahnden können, wie ich würde, so hätte sie mich bei meinem ersten Schrei in hiesigen Staub ersticken sollen. Ein *ohnmächtiges* Wesen, dem es *für nichts* gerechnet wird, nun *so* zu Haus zu sitzen, und das Himmel und Erde, Menschen und Vieh wider sich hätte, wenn es weg wollte. [91]

Mit diesen bitteren Worten reflektierte bereits 1793 Rahel Varnhagen (1772–1833), die von Georg Brandes als »das erste große, moderne Weib der deutschen Kultur« [92] bezeichnet wurde, ihre eigene Situation als Frau. Und tatsächlich handelt es sich bei dieser Aussage um eines der frühesten Dokumente überhaupt, in denen eine Frau die Unhaltbarkeit ihrer gesellschaftlichen Beengung selbst artikuliert. Aus eben dem Grunde wird auf eine Auseinandersetzung mit Schriftstellerinnen wie Wilhelmine Eberhard (1757–1817), Sophie Brentano-Mereau (1761–1806), Karoline von Wolzogen (1763–1847), Johanna Schopenhauer (1770–1838) und Fanny Tarnow (1783–1862) bewußt verzichtet, weil in ihren Romanen an keiner Stelle die Rolle des traditionellen Frauenbildes in Frage gestellt wird. Zwar versuchte Wilhelmine Eberhard in ihrer *Biographischen Skizze für Mütter und Töchter* (1802) [93], auf die Pervertiertheit der herrschenden Heiratsusancen hinzuweisen und die Mädchen vor solchen kurzschlüssigen Konvenienzehen zu warnen, doch finden sich nirgendwo Fingerzeige, welche die herkömmliche Geschlechterdichotomie in Zweifel zogen. »Ich erwieß, vor wie nach«, so schreibt die Autorin in ihrer Lebensgeschichte, »dem Manne, als superioren Theil der Schöpfung, die Achtung, in die ihn der Schöpfer selbst gesetzt hat.« [94]

Sophie Brentano-Mereau bewegte sich vornehmlich in den klassizistischen Bahnen von Weimar und »›schillerte‹ noch ganz und gar«, wie Heinrich Spiero es ausdrückte. [95] In ihrem *»Blüthenalter der Empfindung«* (1794) ergänzen sich sanftes Frauentum und würdige Männlichkeit zu schönster Harmonie. Karoline von Wolzogen dagegen stand ganz in der Nacheiferung Goethes, und zwar so sehr, daß »ein bedeutender Kritiker wie Friedrich Schlegel den Roman [Agnes von Lilien, 1797] für eine Schöpfung Goethes hielt«. [96] Irgendwelche emanzipatorischen Ansätze sind hier nirgends zu entdecken. Das Hohe Paar, flankiert von einer Assemblée erhabener Seelen, schreitet, unbeirrt durch alle Intrigen, »dem reinsten Genusse« der »holdesten Zukunft entgegen«. Und so kann Robert Boxberger in seiner Einleitung beruhigt feststellen, »daß die Verfasserin ... nicht aus der Sphäre ihrer Weiblichkeit herausgetreten« ist. [97] In dem Roman *Gabriele* (1819), den Johanna Schopenhauer »zur Bewunderung und Nacheiferung der deutschen Frauen hinstelle« [98], herrscht hingegen das hohe Pathos der Entsagung. Das Leben ihrer Heldin stellt sich als »ein ununterbrochenes Opferfest« dar und mündet in seraphischer Resignation. Etwas differenzierter verfährt Fanny Tarnow. Ihre *Natalie* (1811) hat zumindest Schwierigkeiten, sich dem herrschenden Frauenideal anzupassen. »Sie war nicht einfach, nicht häuslich, nicht arbeitsam ...« [99] und verkörperte im Keim bereits ›die andere Frau‹. Allerdings bemüht sich die Autorin beflissentlich, diese Keime nicht zur Entwicklung zu bringen und läßt ihre Heldin »während der zweijährigen Abwesenheit« ihres Verlobten »die Kraft zur Pflichterfüllung« finden. [100]

Es ist ganz offensichtlich, daß das emanzipatorische Gedankengut nicht von den Schriftstellerinnen dieses Zeitraums ausging. Die erste entscheidende Skepsis gegenüber dem überlieferten Frauenbild zeigte Rahel Varnhagen. Ihre scharfe Intelligenz und genaue Beobachtungsgabe ließen sie frühzeitig die Reduzierung des weiblichen Geschlechts auf die übliche Komplementärexistenz einer Familienpflegerin erkennen. »Es ist Menschenkunde, wenn sich die Leute einbilden, unser Geist sei anders und zu andern Bedürfnissen konstituiert, und wir könnten zum Exempel ganz von des Mannes oder Sohns Existenz mitzehren«, empört sie sich in einem Brief an ihre Freundin Rose. »Man liebt, hegt, pflegt wohl die Wünsche der Seinigen, füge sich ihnen; macht sie sich zur höchsten Sorge, und dringendsten Beschäftigung: aber erfüllen ... können die uns nicht.« [101] Es ist ihrer vielgerühmten Wahrheitsliebe zu verdanken, daß sie auch mit ihren ›unweiblichen‹, desillusionierenden und zersetzenden Einsichten nicht zurückhielt und dadurch so mancher Frau überhaupt erst einmal die Augen für den gängigen Gefühlsschwindel öffnete. Obgleich Rahel selbst nicht schriftstellerisch tätig war, hat sie durch ihren unabhängigen Lebensstil und ihre eigenwillige Persönlichkeit eine starke emanzipatorische Wirkung ausgeübt. Ihre eigene geistige »Erfüllung« fand sie in der Pflege ihres Berliner Salons. Hier verkehrte sie mit den bedeutendsten Gelehrten der Zeit, mit Hegel und Humboldt, Savigny und Raumer, Schlegel und Schleiermacher, mit Persönlichkeiten aus Politik und Kultur und faszinierte durch ihren beweglichen Geist. »Alle die zu ihr kamen«, liest man bei Hannah Arendt, wurden »nur durch sie selbst, ihre Originalität, ihren Witz und ihre lebendige Ursprünglichkeit zusammengehalten.« [102] Und Brandes hebt hervor, daß sie »von ihrem 30. Jahre bis zu ihrem Tod ... nicht nur der Mittelpunkt für das geistige Leben Berlins« gewesen ist, »sondern auch einer der Mittelpunkte für dasjenige von ganz Deutschland«. [103] Voraussetzung für Rahels geistige Aktivität war die Institution des Salons und ihre Herkunft aus einem wohlhabenden jüdischen Hause. Basierend auf der Überzeugung, daß die Emanzipation ihrer Rasse nur durch gebildete Vertreter vorangetrieben werden könne, begannen diese Kreise bereits in der Aufklärungsperiode – vor allem angeregt durch das Vorbild von Moses Mendelssohn –, ihren Söhnen und Töchtern die sorgfältigste Erziehung zu geben. Dadurch kamen die jüdischen Mädchen in den Genuß einer Bildung, die den Frauen des übrigen Bürgerstandes gewöhnlich vorenthalten wurde. Hinzu kam, daß in den Salons die üblichen Standesbarrieren fortfielen und ein erstes Zusammentreffen von Bürgertum und Adel, von Intelligenz und Künstlertum möglich wurde und ein vorurteilsloser Meinungsaustausch stattfand. [104] Während kein ›anständiges‹ Bürgerhaus sich dazu überwinden konnte, Damen vom Theater oder gar Ballett zu empfangen, waren sie in den Salons stets willkommene Gäste. Hier herrschte ein neuer, fortschrittlicher Geist, der sich aus seinen gesellschaftlichen und wirtschaftlichen Abhängigkeiten zu befreien begann. Selbst in manchen der anspruchsloseren Plaudersalons lassen sich solche Tendenzen ins Liberale erkennen, da durch die zunehmende Vermischung der gesellschaftlichen Schichten auch dort ein erweiterter Öffentlichkeitsraum geschaffen wurde.

Der bedeutendste und wirkungsvollste aller dieser Zirkel war der Salon Rahels. Er unterschied sich schon rein äußerlich von den mehr literarischen Tee- und Flirtsalons einer Henriette Herz, Elise von Hohenhausen, Helmina von Chézy oder Caroline von Fouqué. Rahel vermied alle Aufwendigkeit bei ihren Reunionen und beschränkte sich in der Bewirtung bewußt auf Butterbrote und Tee. Bei ihr repräsentierte man keinen kulinarischen Schick, sondern nur seinen eigenen Geist. Man verzichtete auf »die erlaubte Koketterie« und wechselte weder »Ringe noch Silhouetten«, gründete keine »Tugendbunde« à la Henriette Herz [105] und enthielt sich jeder empfindelnden Selbstbetrachtung. Im Mittelpunkt stand nicht das literarische Salongespräch, sondern ein ausgeprägtes Interesse für Politik, Philosophie und Geschichte. Schon in dieser Akzentsetzung auf das Politisch-Historische zeigte sich Rahels Abweichung von dem, was herkömmlicherweise als weibliches Interessenfeld galt. Man erinnere sich an die apodiktische Unterscheidung von männlichen und weiblichen Themen, welche noch von der Literaturgeschichtsschreibung des späten 19. Jahrhunderts gefördert wird. Um solche Vorurteile hat sich Rahel nie gekümmert. Herkömmliche Normen mußten zurücktreten vor dem, was ihr als wichtig erschien. Aber sie kannte auch den Preis, den sie für eine solche Wahrheitsliebe zu zahlen hatte: die innere Vereinsamung. »Wir sind *neben* der menschlichen Gesellschaft«, schreibt sie 1810 an Pauline Wiesel, die sich durch ihr unbekümmertes Liebesleben das Wohlwollen der Gesellschaft verscherzt hatte.

Für uns ist kein Platz, kein Amt, kein eitler Titel da! *Alle* Lügen haben einen: die ewige Wahrheit, das richtige Leben und Fühlen, das sich unabgebrochen auf einfach tiefe Menschenanlagen, auf die für uns zu fassende Natur zurückführen läßt, *hat* keinen! Und somit sind wir ausgeschlossen aus der Gesellschaft, Sie, weil Sie sie beleidigten... Ich, weil ich nicht mir ihr sündigen und lügen kann. Ich weiß ganz Ihre innere Geschichte... Gerne wären Sie ›ein häusliches Weib, herzten und küßten den Mann‹ wie Goethe im Distichon sagt; aber es ging nicht. [106]

Hier läßt sich die Frustrierung der ersten ›anderen Frau‹ nicht länger überhören. Nur die Angepaßten, die Masse der Frauen, das Vieh der Weiber – wie sie einmal an Pauline schreibt [107] – hat in der bestehenden menschlichen Gesellschaft einen Platz. Die anderen aber, die mit jenem »entsetzlichen Vorrat« an Herz und Verstand ausgerüstet sind, die nicht so denken und nicht so lieben, wie es die Vertreter der korrekten Moralorthodoxie verlangen, müssen umgemodelt oder ausgemerzt werden. ›Das Weib, wie es sein soll‹, hat sich daher sowohl vor einem Übermaß an Verstand als auch einem Übermaß an Gefühl zu hüten und sich beizeiten mit einem Spatzenhirn und einem Mückenherzen zu begnügen, wenn ihr der Platz in der Gesellschaft nicht strittig gemacht werden soll.

Rahel hat dieses weibliche Versteckspiel nicht mitspielen wollen. Sie verzichtete auf die übliche Konvenienzehe und löste ihre beiden Verlobungen, als sie sah, daß sie nur durch die Unterdrückung ihrer Persönlichkeit aufrechtzuhalten waren. »Ich kann nicht heiraten, denn ich kann nicht lügen«, schreibt sie an ihren Freund, Karl Gustav von Brinckmann. [108] Da sie alle Gefühlskompromisse verschmähte, zog sie es vor, dasjenige Los auf sich zu nehmen, was in der damaligen Gesellschaft als das erniedrigendste für eine Frau galt, nämlich das der alten Jungfer. Nach dem herrschenden Moralkodex war selbst das kümmerlichste männliche Individuum als potentieller Ehemann noch akzeptabel, da die unumstößliche Maxime aller Hausväter und Hausmütter, Onkel und Tanten oder sonstiger wohlmeinender Besserwisser lautete: ein Mädchen muß heiraten. Daß Rahel dennoch die gesellschaftliche Boykottierung überwand und einen Kreis von Gelehrten und Künstlern um sich zu scharen verstand, zeugt von ihrer überragenden geistigen Aktivität. Als sie sich – nach einem zehnjährigen Briefwechsel – in ihrem 42. Lebensjahr mit Karl August Varnhagen von Ense verheiratete, wußte sie, daß sie endlich den Partner gefunden hatte, zu dem sie in einer gleichrangigen Beziehung stand und den sie lieben konnte, ohne sich zu verstellen. »Er denkt über Ehe wie ich. Ich bin *ganz* wahr mit ihm: in *allem.* Und davon liebt er mich, also *mich*« [109], berichtete sie Pauline. Ihre Ehe konnte als die Verwirklichung des romantischen Liebeskonzepts gelten. Rahel und Karl August waren sich »zärtliche Geliebte« und zugleich »vollkommene Freunde«. Gemeinsam haben sie sich mit großem Elan ihren geistreichen Geselligkeiten gewidmet. Der Salon wurde ihre »dritte Sache« und die Basis ihres Zusammenlebens. Wie bereits Brandes sagt: Rahel setzte rein durch ihre Person ein nicht mehr zu übersehendes Exempel. Scharfsinnig erkannte sie die Diskrepanz, die zwischen den weiblichen Fähigkeiten und den Möglichkeiten ihrer gesellschaftlichen Verwirklichung lagen. Durch ihre konsequente Ablehnung der traditionellen Gattinnen- und Mutterrolle und ihre Forderung nach einem eigenen Wirkungskreis für die talentvolle Frau erwies sie sich als die erste emanzipierte Vertreterin ihres Geschlechts. [110]

Die zweite Frau, die nach Rahel über den Status quo der Feminität hinausging, war Bettina von Arnim (1785–1859). Rahel selbst hatte sie als gleichrangig empfunden und sie gegenüber Pauline Wiesel besonders gelobt:

> Eine einzige Frau, unter Männern und Weibern ist zum Beispiel *hier,* die ich für meinen Pair halte; von der ich etwas höre, die das Altgesagte und Altgekannte ... mir aus *menschlicher Brust* neu, und echt bearbeitet, von regsamen Geist frisch befruchtet, wieder herausgibt. Es ist ... Baronin Arnim, geborene Bettina Brentano aus Frankfurt am Main. [111]

Bettina hat auf doppelte Weise emanzipatorisch gewirkt. Zunächst einmal – ähnlich wie Rahel – durch ihre Originalität und ihren unabhängigen Lebensstil. Auch ihr ging es vor allem darum, sich nicht einengen zu lassen und ihr Naturell gegenüber der herrschenden Konventionalität zu behaupten. Um die übliche Rollenfixierung hat sie sich nie gekümmert. »Sie besaß von klein auf jene jugendliche Dreistigkeit, die sonst bei Knaben häufiger als bei Mädchen vorkommt« [112], und übersprang mit koboldartigem Übermut beständig die Schranken ihres Geschlechts. Wenn sie sich für einen Menschen begeisterte, stürzte sie auf ihn zu und mißachtete jede Förmlichkeit – gleichgültig, ob es sich dabei um Goethe, Beethoven, Pückler-Muskau oder auch Friedrich Wilhelm IV. handelte. Weibliche Zurückhaltung und abwartende Hingabe waren ihr fremde Vokabeln. Bezeichnend für Bettinas initiatorisches Betragen ist der folgende, Goethe in den Mund gelegte Ausspruch: »Eigentlich kann man Dir nichts geben, weil Du Dir alles entweder schaffst oder nimmst.« [113] Der Welt- und Damenmann Pückler-Muskau zog seinen Genuß aus dieser Rollenvertauschung und schrieb ihr mit erotischer Ironie:

Ich habe keinen schaffenden Geist, sondern nur einen empfänglichen. Sie sind das männliche Prinzip in unserem Verhältnis, ich das weibliche... Ich mache es mir bequem, denn ich habe als Weib mehr Verstand als Sie, wenngleich weniger Geist, ich darf Launen haben und inkonsequent sein, Sie vernachlässigen, wieder zu Ihnen zurückkommen, ganz wie es mir beliebt, – Sie aber haben den Beruf etwas aus mir zu machen. [114]

Aber die dominatorische Eigenwilligkeit Bettinas war nicht nur vorübergehender jugendlicher Sturm und Drang. Auch das Eheleben auf Gut Wiepersdorf, inmitten der sechsköpfigen Kinderschar, modelte sie nicht zu einem Heimchen am Herde, das zufrieden ist, von »des Mannes oder Sohns Existenz mitzuzehren«, wie es Rahel ausdrückte. Sie mühte sich zwar anfangs redlich darum, Arnim bei seiner landwirtschaftlichen Arbeit zu unterstützen, konnte aber trotz alledem keine Gutsfrau aus sich machen. Die Sehnsucht nach dem geistig anregenden Leben in Berlin war stärker als der eintönige Reiz ihres ländlichen Eheidylls. Es zeugte von der emanzipatorischen Eheauffassung der Arnims, daß sie ihre gegenseitige Andersartigkeit respektierten und jegliche Geschmacksdiktatur vermieden. Und so siedelte Bettina, die sich in Wiepersdorf ihrer geistigen Freiheit beraubt sah, 1819 mit den Kindern nach Berlin über, während Arnim, den Geselligkeit nur beengte, allein auf dem Gut blieb. Man traf sich in den Ferien und führte sonst einen ausgedehnten Briefwechsel. Was Rahel gefordert hatte, verwirklichte Bettina. Da die fürsorgliche Beschäftigung mit den Ihren ihr Leben nicht ausfüllen konnte und sie auch nicht über das symbiotische Talent verfügte, die Vorlieben ihres Mannes als die ihren zu empfinden, schuf sie sich das Wirkungsfeld, dessen sie bedurfte.

Aber nicht nur im Bruch mit der herkömmlichen Ehevorstellung manifestiert sich Bettinas fortschrittliches Selbstbewußtsein. Ebenso bahnbrechend für die Ausweitung weiblicher Betätigungsfelder war ihr lebhaftes Interesse an politischen Fragen. Dabei beschränkte sich ihre Teilnahme keineswegs nur auf das politisierende Salongespräch. Als Friedrich Wilhelm IV. immer wieder die Einberufung der Ständeversammlung hinauszögerte und die erwartete Verfassung weiterhin ausblieb, wandte sie sich mit dringenden Mahnbriefen an den König, sich an die schon in den Befreiungskriegen von seinem Vater versprochene Konstitution zu erinnern und nicht auf »heuchlerische Ratgeber« zu hören. [115] Es war das Mitgefühl für die Benachteiligten und Rechtlosen wie auch ihr Vertrauen in den König, dem man die Augen für die herrschende Misere öffnen müsse, die sie zu solchen Appellen veranlaßten. Aus derselben Überzeugung heraus entstand 1843 ihr Werk: »Dies Buch gehört DEM KÖNIG«. Schon »die Erscheinung als solche ist einzigartig. Eine aktive Frau, die sich über alle Gebiete der Kultur und Politik Gedanken macht, widmet ihrem König ein Buch der schärfsten Kritik an den Zuständen, die er nicht nur duldet, sondern vielfach fördert«. [116]

Es geht in diesem Zusammenhang nicht darum, das ganze Gestrüpp von reaktionär-romantischen Königsvorstellungen, von idealistisch-utopischen Verbesserungskonzepten und vagen demokratischen Gleichheitspostulaten auf ihre tatsächliche Konkretisierbarkeit hin zu überprüfen. [117] Was wirklich zählt, ist das Phänomen, daß mit diesem Buch eine Frau die ihr zugestandene Domäne der Herzensangelegenheiten überschritt und mit einem politischen Anliegen von größter Relevanz in die Öffentlichkeit trat.

Ein weiterer wichtiger emanzipatorischer Faktor dieses Buches besteht in seiner neuen politischen Rollenverteilung. Eine Frau und zwei Männer finden sich zu detaillierten Gesprächen über die Zustände in Preußen zusammen. Dabei bedient sich Bettina der Gestalt von Goethes Mutter, um ihre eigenen Anklagen gegen den preußischen Staat vorzubringen. Das Neue äußert sich darin, daß es in diesem Fall nicht der Mann ist, der die politische Initiative übernimmt, sondern die Frau. Hier versucht die alte Frau Rat, einen Pfarrer und einen Bürgermeister aus ihrem staatlich sanktionierten Dornröschenschlaf wachzurütteln, um ihnen herrschende Mißstände wie »Zensuredikte«, »Judenerlasse« und soziale Verelendung vor Augen zu führen.

> Lebt der Staat in gesunder Ehe mit dem Volk, hat er das wahre Vertrauen, die reine Treue, die Aufopferung, die Aufrichtigkeit für es, da er nur Sklavengeist von ihm verlangt? – Ist der Staat dem Volk ein treuer Vater, entwickelt er seine Kräfte, respektiert er seine natürlichen Anlagen, bestätigt er seine Energie, sichert er ihm sein Recht der Freiheit und freut sich seiner Stärke, oder rügt er vielmehr an ihm seine Entwicklung ins Freie, Große, Göttliche? [118]

Mit solch couragierten Vorhaltungen treibt Frau Goethe die Repräsentanten von Staat und Kirche in die Defensive und schließlich sogar aus dem Hause. Ein derartiges Engagement für die Freiheit des Volkes erschüttert das ideologische Gleichgewicht dieser beiden Status-quo-Muffel. Der Pfarrer muß sich daraufhin erst einmal ins Bett legen und der Bürgermeister zur Flasche greifen. Hier haben sich die Rollen ganz offensichtlich verkehrt. Nicht mehr der Mann drängt hinaus ins feindliche Leben und begeistert sich für freiheitliche Ideen, sondern die Frau. Man könnte dem zwar entgegenhalten, daß bei der Wahl der Frau Rat als Sprachrohr der Freiheit weniger feministische Gesichtspunkte als die lebenslange Goethe-Schwärmerei Bettinas den Ausschlag gaben. Aber die allein hätte nicht ausgereicht, wenn nicht Bettina in Goethes Mutter tatsächlich eine höchst originelle, entschiedene und noch im Alter resolute Person getroffen hätte und selbst als Frau voller Teilnahme für ihren Staat gewesen wäre. Bettina zeichnet sich ja gerade dadurch aus, daß ihr politisches Interesse nicht mit biologistischen Kategorien zu fassen ist, nicht nur jugendliche Aufwallung bedeutet, die mit den Jahren verebbt und schließlich ganz der Philisterbehaglichkeit weicht. In ihrem Fall war es eher umgekehrt: Bettinas Engagement verstärkte sich noch mit zunehmendem Alter. Während ihre Kinder und Geschwister der Radikalisierung der politischen Situation mit wachsender Besorgnis entgegensahen, erwartete sie selber einen gewaltigen Fortschritt von der Achtundvierziger-Revolution. Hier waren es die Kinder, vor allem die älteste Tochter Maxe, welche die Mutter in ihrem revolutionären Elan zu mäßigen suchten. Daß sich dies bei ihrem Temperament schwerlich bewerkstelligen ließ, liegt auf der Hand. Daher einigte man sich auf den Kompromiß, zwei Salons einzurichten: einen demokratischen und einen aristokratischen. Links empfing Bettina ihre Freunde, rechts betreuten die Töchter die ihrigen. [119]

Und so ist für diese Untersuchung nicht die berühmte Verfasserin von *Goethes Briefwechsel mit einem Kinde* (1835) von Bedeutung, sondern ›die andere‹, die weniger bekannte Bettina, die mit ihrem Königsbuch bewiesen hat, daß die Domäne der Politik nicht nur das Reservat der Männer ist.

Als eine weitere Vorläuferin ist an dieser Stelle auch Therese Huber (1764–1829) zu nennen. Sie gehörte nicht zu den genialen und originellen Frauen wie Bettina und Rahel, sondern zeichnete sich im Gegenteil durch einen vorromantischen Pragmatismus aus. Aber gerade das verbindet sie mit den Tendenzschriftstellerinnen der vierziger Jahre. Therese Huber wollte in erster Linie erzieherisch wirken, da ihre geistigen Wurzeln wie die von Fanny Lewald, Louise Otto-Peters und Louise Aston im Rationalismus der Aufklärung lagen. In ihr begegnen wir außerdem einer der ersten qualifizierten berufstätigen Frauen, und zwar auf einem damals so ausschließlich männlichen Gebiet wie dem Journalismus. Nachdem sie seit 1807, dem Gründungsjahr des Cottaschen »Morgenblatts für gebildete Stände«, regelmäßige Mitarbeiterin dieser Zeitung war, wurde ihr von 1817 bis 1827 die Redaktion des Feuilletons anvertraut. In den rund 2000 Nummern, die sie herausgab, bemühte sie sich, diesen Teil des »Morgenblatts« zu profilieren und niveaumäßig anzuheben. Sie plädierte für eine zeitbezogene Aneignung des literarischen Erbes und versuchte durch neue Rezensionen von älteren Büchern, vergessene Autoren wieder zugänglich zu machen. Für Gegenwartsromane setzte sie sich nur ein, wenn sie wirklich aktuell waren und nicht in romantische Weitschweifigkeit ausarteten. Sie ging dabei von dem Leitprinzip aus, Unterhaltung und Belehrung miteinander abwechseln zu lassen und das allzu »Blumige« und Geschwätzige auf das unumgängliche Minimum zu reduzieren. [120]

Gleichzeitig war sie auch schriftstellerisch tätig und hat in der Zeit von 1795 bis 1829 etwa 60 Erzählungen und Romane geschrieben. Wenn in diesem Zusammenhang auf ihren letzten Roman *Die Ehelosen* (1829) eingegangen werden soll, so deshalb, weil darin zum ersten Mal in aller Deutlichkeit gegen die Institution der Ehe zu Felde gezogen wird. Wir kennen zwar die scharfen Attacken Rahels gegen die matrimoniale »Werkeltagslast« wie auch Bettinas offenkundige Unlust, den herkömmlichen Eheerwartungen zu entsprechen. Auf fiktionaler Ebene hingegen ist ein solches Motiv neu. Von den Nachfolgerinnen der LaRoche haben weder Maria Sagar und Friederike Helene Unger noch Christiane Benedikte Naubert und Karoline von Wolzogen in ihren Erziehungs- und Familienromanen das überlieferte Eheideal in Frage gestellt. Sie alle sahen die höchste Würde der Frau in der Erfüllung ihrer Mutterschaftspflichten und verstanden daher die Ehe als ihre natürlichste Bestimmung. So verteidigte beispielsweise Christiane Naubert in der *Amtmännin von Hohenweiler* (1786) [121] – ihrem gelungensten Roman – den Ehestand, trotz aller Leiden, die er in der Regel verursacht, dennoch als den einzig natürlichen Zustand menschlichen Zusammenlebens. Da sich die freier denkende romantische Frauengeneration nicht in Romanen geäußert hat [122], besitzen wir von ihr kein fiktionales Gegenbild. Autorinnen wie Karoline Pichler, Johanna Schopenhauer, Henriette Hanke und Fanny Tarnow, die in den zwanziger Jahren des 19. Jahrhunderts die weibliche Romanproduktion dominierten, bewegten sich in dieser Hinsicht ebenfalls im Rahmen des Herkömmlichen. Therese Huber dagegen zieht zum ersten Mal diese ›natürlichste‹ Bestimmung des Menschen in Zweifel. »Daß die Ehe in dem Zustande der Gesellschaft, wie er sich jetzt gestaltet hat, nicht mehr Naturgebot sei, wage ich in meinen ›Ehelosen‹ darzustellen« [123], bekennt sie freimütig im Vorwort. Durch ihre eigene ausgedehnte Berufstätigkeit war sie besonders prädestiniert dafür, die Frage nach der eigentlichen Aufgabe der Frau neu zu durchdenken:

> Ich sehe, daß wir einerseits fortfahren, bei der Erziehung unserer Töchter mehr oder weniger auf das Verheirathen als ihre Bestimmung hinzudeuten, und sehe, daß andererseits das Heirathen durch die Umstände immer mehr erschwert und immer weniger beglückend wird. [124]

Noch deutlicher wird sie, wenn sie fortfährt: »Ich beschuldige die Mütter, den Töchtern das Heirathen als Deren nächste Bestimmung anzudeuten.« [125] Im ersten Teil des Romans werden daher eine Reihe von Frauengestalten vorgeführt, die alle in ihrer Ehe resignieren. Und zwar beschränkt sich die Autorin nicht nur darauf, die verständliche Frustration innerhalb der Konvenienzehe zu schildern, sondern veranschaulicht am Schicksal der Heldin, wie selbst eine Liebesheirat nicht das erwartete Glück bringt. Für eine solche Diskrepanz zwischen Glückserwartung und Glückserfüllung nennt Therese Huber verschiedene Gründe. Als besonders nachteilig beurteilt sie die ambivalente Haltung, die man damals bei der Erziehung der Töchter obwalten ließ. Man hielt zwar einerseits die Ehe für die einzige und höchste Bestimmung der Frau, stellte sie als das Endziel und die Krönung jeglicher Ausbildung dar, tat aber andererseits fast nichts dafür, um das Mädchen auf ihre tatsächlichen Anforderungen vorzubereiten. Ausgerüstet mit ein bißchen Französisch, ein wenig Klavierspiel und recht viel Stickereikunst, zog die Tochter ihrem prädeterminierten Ehehimmel entegen und mußte sich dann wundern, daß der nicht nur voller Geigen hing. Es ist nicht allein die weibliche Bildungsmisere, sondern ebenso der von den Eltern kultivierte Illusionismus der Mädchen, den Huber für das Mißlingen selbst freiwillig geschlossener Ehe verantwortlich macht. Aber auch die traditionelle Aufgabenteilung, die dem Mann die dynamischen Belange zuweist und die Frau auf eine statische Existenz festlegt, ist ihrer Ansicht nach höchst ungünstig für eine eheliche Gemeinschaft, da sie die durch die Erziehung geschaffene Kluft der Geschlechter nur noch vertieft und die Gatten einander entfremdet.

Im zweiten Teil ihres Romans stellt sie den unzufriedenen Verehelichten die zufriedenen ›Ehelosen‹ gegenüber. Es sind Frauen, die in Jungfrauenvereinen zusammenleben, oder solche, die sich – à la Sophie von Sternheim – vorwiegend im Wohltätigkeitsbereich ein eigenes Wirkungsfeld geschaffen haben und in dieser Tätigkeit ihre volle Befriedigung finden. »Warum sollte ich heirathen«, entgegnet Sarah, die weiser gewordene Tochter der Heldin des ersten Teils, ihrem ehepropagierenden Vater. »Fehlt es mir an Liebe? an Beruf...? Ich sehe in jeder Ehe eine Mangelhaftigkeit, ein Hinderniß, der Vollendung zuzureifen.« [126] Es ist die gleiche Wahrheits- und Freiheitsliebe wie bei Rahel, die auch die Stiftsdame Elisabeth vor der endgültigen Bindung zurückschrecken läßt:

> Ich bedarf der Freiheit in der Liebe, weil diese Empfindung bei mir nur auf Achtung beruht; kein Mann wird 365 Tage im Jahr meine Achtung unverletzt besitzen, und da er, meiner Überzeugung nach, dennoch mein Oberhaupt bliebe, wäre meine Freiheit dahin. [127]

Die schärfste Absage an die herkömmliche Eheform enthalten die folgenden Äußerungen einer weiteren ›Ehelosen‹:

> Der Entschluß zu einer Heirath erschrickt mich immer; dieses Bündniß, wie es heutzutage besteht, giebt dem Weibe so wenig, legt ihm so viel auf, daß mir bedünkt, ein Mädchen wage, wie die Schrift es nennt, Gott zu versuchen, wenn sie es eingeht. [128]

Hinzuzufügen wäre noch, daß alle diese Anti-Ehe-Argumente nicht etwa als kompensatorische Rechtfertigungsversuche von Blaustrümpfen, Mauerblümchen oder sonstigen gezwungenen Abstinenzlerinnen der Liebe zu verstehen sind. Hubers ›Ehelose‹ sind ausnahmslos »blühende Jungfrauen« oder »ansehnliche Matronen«, von Jünglingen umschwärmt oder von reiferen Männern wohl gelitten, die ohne Schwierigkeit unter die sogenannte Haube kämen. Als aufgeklärte Geschöpfe einer aufgeklärten Autorin haben sie jedoch die Fallstricke, welche die Ehe für das weibliche Geschlecht versteckt hält, klar erkannt und klüglichst gemieden.

Welche Lehre ist nun aus einem solchen Roman zu ziehen? Was bedeutet diese programmatische Ehelosigkeit? Bietet Therese Huber damit wirklich eine emanzipatorische Alternative? Sicherlich sind ihre Beobachtungsergebnisse über die bestehenden Eheverhältnisse richtig und wertvoll sowie ihre Ermahnungen, den Mädchen die Heirat nicht als das alleinige Lebensziel hinzustellen, beherzigenswert. Aber so einleuchtend ihr kritischer Ansatz auch ist, so suspekt sind ihre Schlüsse. Hier verkehrt sich ein progressiver Elan ganz unvermittelt in eine regressive Schmollhaltung. Denn die Quintessenz ihrer Ansichten führt letztlich zu emphatischer Resignation und daher zu falschen Alternativen. Ein humaneres gesellschaftliches Zusammenleben zwischen Mann und Frau läßt sich nicht dadurch erreichen, daß die Hälfte der Menschheit erhobenen Hauptes das Aktionsfeld verläßt und sich hinter Jungfrauenvereinen, Altersheimen oder Stiftsgemäuern verschanzt. [129] Schließlich soll der Mann zwar ein bißchen entthront, aber doch nicht ganz abgeschafft werden. Hubers Fehler liegt darin, daß sie mit ihren Änderungskonzepten an der falschen Stelle beginnt. Sie setzt nicht an der Basis an, nämlich den ökonomischen und gesellschaftlichen Bedingtheiten, sondern faßt lediglich den Überbau ins Auge. Aus der Äußerung der Stiftsdame (»da der Mann meiner Überzeugung nach dennoch mein Oberhaupt bliebe«) geht klar hervor, daß die Herrschaftsfunktion des Mannes nicht in Frage gestellt wird und die alten Geschlechtsideale ihre absolute Gültigkeit behalten. Damit erweist sich die Entscheidung zur Ehelosigkeit als Flucht vor dem als legitim anerkannten Herrschaftsanspruch des Mannes und verliert ihre progressive Bedeutung. Hier verflacht ein emanzipatorischer Ansatz zur resignativen Status-quo-Ideologie.

# II. Die unmittelbaren Voraussetzungen

## *Zur ideologischen Situation der Metternichschen Restaurationsepoche*

Bei einer Fragestellung, bei der nicht das formalästhetische, sondern das literatursoziologische Interesse im Vordergrund steht, ist es unvermeidlich, auch den konkreten politisch-sozialen Hintergrund des Untersuchungsgegenstandes zu beleuchten. Jede Beurteilung der Schriftstellerinnen der späten dreißiger und vierziger Jahre, die den historischen Zusammenhang unberücksichtigt ließe, wäre daher von vornherein etwas kurzschlüssig. Tendenzpoesie – und um eine solche handelt es sich hier vornehmlich – steht immer in einem wechselseitigen Verhältnis zu ihrer realen Situation, und ihre Intentionalität entspringt weitgehend einem Ungenügen an den herrschenden Zuständen. Nur weil sich manche Literaturhistoriker bisher wenig um die soziologischen Prämissen und die sich daraus ergebenden Zielvorstellungen der schreibenden Frauen gekümmert haben, war es möglich, daß so unterschiedliche Autorinnen wie Luise Mühlbach, Ida Hahn-Hahn, Fanny Lewald und Louise Aston pauschal mit dem gleichen Epitheton der »deutschen George Sand« versehen wurden. [1]

Um sich den Stellenwert der einzelnen Schriftstellerinnen neu zu verdeutlichen, muß besonders hervorgehoben werden, daß die Metternichsche Restaurationsepoche eine höchst gespaltene und in sich zerrissene Ära darstellt, »die sowohl ›rechts‹ als auch ›links‹ dachte« [2] und nicht mit einem einheitlichen Etikett zu versehen ist. Es gab konservative und liberale Strömungen, Menzel und das Junge Deutschland, Tugendwächter und Lotterbuben, ›das Weib, wie es sein soll‹ und ›die andere Frau‹. Neben »den Almanachen mit ihren goldrändigen Entsagungsnovellen« [3] existierten die ›politischen Briefe‹ und ›ästhetischen Feldzüge‹, neben »den Stunden der Andacht mit ihrem in Zucker kandierten, nachsichtigen Christentume« [4] gab es die Stunden der Rebellion gegen die Ansprüche des Theologen- und Kirchentums. Trotz »der Ritter vom ›patriarchalischen Frieden‹«, daß heißt der erneuerungsfeindlichen Verkehrsminister der Einzelstaaten, gab es das deutsche Bürgertum, das sich über Börnes *Monographie der deutschen Postschnecke* amüsierte. [5] Auf *Wally, die Zweiflerin* folgte *Betty, die Gläubige.* [6] Marx entwarf das *Kommunistische Manifest*, und Friedrich Wilhelm IV. gründete einen »Schwanenorden zur ritterlichen Bekämpfung von Not und Armut«. [7] Alles geriet in das Spannungsfeld zwischen Revolution und Reaktion.

In Deutschland hat die Julirevolution eine Meinungsrevolution zu Wege gebracht. Es bildeten sich seitdem zwei Gegensätze in einer unter den Deutschen noch nicht gekannten Weise zu förmlichen Parteirichtungen aus, die auch das Privatleben heftig berührten, und in die Literatur ganz neue Zündstoffe schleuderten. Diese eine Nachgeburt der Julirevolution war der *Liberalismus* [...] Die andere Nachgeburt ... der *Reactionarismus.* [8]

Dies schrieb Theodor Mundt in seiner *Geschichte der Literatur der Gegenwart* und wies damit auf die beiden ideologischen Grundkonzepte dieser Epoche hin, der man mit einem einseitig konservativen Biedermeierverständnis nicht gerecht wird. Es war der durch die Metternichsche Kultur- und Sozialpolitik bedingte Dualismus von biedermeierlich-restaurativen und liberal-avantgardistischen Tendenzen, der dieser Ära ihr Gepräge gab.

Eine solche Dialektik blieb natürlich nicht ohne Konsequenzen für die Stellung der Frau. Auch hier kam es zu den widerspruchsvollsten Ansichten über das, was ihre eigentliche Aufgabe sei. »Die einen«, schrieb Eichendorff, »wollen sie nur mit der Spindel und dem rasselnden Schlüsselbund, nur im Wochenbett und in der Kinderstube dulden, während die Andern, auch hier dem planirenden Principe unbedingter Freiheit und Gleichheit huldigend, ihnen Tribünen, Katheder, ja Schlachtfelder öffnen und die ganze Fluth der Zeitbildung gegen sie loslassen möchten, um den mittelalterlichen Rost, wie sie es nennen, von ihnen abzuwaschen«. [9] Es ist nur allzu offensichtlich, daß der pietätvolle Familienkult ins Wanken geriet und zugleich das Ideal der Hausmutter ernstzunehmende Kratzer bekam. Mit Befremden beobachtete Karl Lebrecht Immermann, wie die ›geheiligte‹ Familie, dieser Hort der deutschen Innerlichkeit, aufhörte, ein ›Himmelreich‹ auf Erden zu sein. Das Aufkommen der zahlreichen Vereine, denen die Frauen bereitwilligst ihre Dienste antrugen, wertete er als ein Zeichen dafür, daß auch sie ihre Zufriedenheit nicht mehr ausschließlich im Rahmen ihrer Häuslichkeit fanden. [10] Derartige Symptome lassen sich nur vor dem Hintergrund einer veränderten Sozialstruktur verstehen. Das schon seit Mitte des 18. Jahrhunderts kontinuierlich aufstrebende Bürgertum hatte in der ersten Hälfte des 19. Jahrhunderts seine Herrschaft im wesentlichen gefestigt. [11] Aus einer Vielzahl kleinerer Handwerksbetriebe hatte sich im Zuge der beginnenden Kapitalisierung die maßgebliche Schicht der Unternehmer und Handelsherren entwickelt, die die ökonomische Führung übernahm. Aber diese wachsende Industrialisierung Mitteleuropas läßt sich nicht nur als isolierter ökonomischer Faktor betrachten, sondern als ein Phänomen, das fast alle Lebensbereiche grundlegend veränderte. Die neuen Produktions- und Organisationsverfahren erforderten eine ganz neue Arbeitseinteilung, die auch das Privatleben entscheidend beeinflußte. Das industrielle Zeitalter »führte zu einer Trennung von Arbeitsbereich und Wohnbereich ... wie sie weder im bäuerlichen, noch im handwerklichen, noch im kaufmännischen Haushalt älterer Prägung je existiert hat«. [12] Und zwar betraf diese Trennung fast alle Gruppen der Beschäftigten:

Die Unternehmer, die Verwaltungsfunktionäre, die technischen und kaufmännischen Angestellten, aber auch die Staatsbeamten, die Angestellten des öffentlichen Dienstes und der Dienstleistungsberufe. Die Auflösung des ›ganzen Hauses‹ als Wohn- und Arbeitseinheit, als Produktionsstätte einer gemeinsam wirtschaftenden und -hausenden Familie war damit besiegelt. [13]

Aus dieser veränderten Familienstruktur ergab sich auch eine veränderte Situation der Frau. Die Verlegung des männlichen Arbeitsbereichs ins Außerhäusliche bedeutete für sie eine Reduzierung ihrer relativ vielseitigen Funktion als Hausmutter auf die sehr viel einseitigeren Pflichten der Nur-Hausfrau. Genau betrachtet begannen erst im Verlaufe des 19. Jahrhunderts die drei großen K, nämlich Kinder – Küche – Kirche, als Lebensabbreviatur der Bürgersfrau ihre volle Bedeutung zu gewinnen. Die zunehmende ›Außerhäusigkeit‹ des Mannes hatte für die Frau einen verstärkten Ausschluß von allen öffentlichen Angelegenheiten zur Folge und verschärfte ihre Isolierung von der Umwelt. Während der Mann, als Ausgleich für den Verzicht auf den ständigen Gesprächsaustausch mit der Ehepartnerin, durch neue Kollegen entschädigt wurde, beschränkte sich der Umgang der Frau fast ausschließlich auf den Kontakt mit den Kindern, dem Dienstmädchen und den Haustieren. Gerade weil die Frau inzwischen in den Genuß einer größeren Bildung gekommen war, mußte sie diese Reduzierung auf die engste Häuslichkeit um so empfindlicher treffen. Damit verkehrten sich die eherechtlichen Errungenschaften der Französischen Revolution unversehens in ihr Gegenteil. Die auf dem Naturrecht basierende Gleichheitsvorstellung des einzelnen wurde irrelevant angesichts der neuen ökonomischen Notwendigkeit einer Aufgabenteilung, welche die Trennung von Arbeits- und Wohnbereich forderte. Mit der Konstituierung der bürgerlichen Gesellschaftsform entstand daher gleichzeitig der Typus der wirtschaftlich und gesellschaftlich abhängigen Bürgersfrau. Während sich im 18. Jahrhundert die Frauen der aristokratischen Kreise – wie das Sophie LaRoche mit ihrem Fräulein von Sternheim veranschaulichte – gemeinsam mit ihren ›aufgeklärten‹ Männern ihren jeweiligen Interessenschwerpunkten zuwenden konnten, wurde im 19. Jahrhundert schon von der veränderten ökonomischen Grundstruktur her eine ähnliche Gemeinsamkeit für die bürgerliche Frau etwas Illusorisches.

In ihrer Sozialgeschichte der deutschen Familie führt Ingeborg Weber-Kellermann die Biedermeierfamilie als das Paradebeispiel der verinnerlichten zwischenmenschlichen Gemeinschaft an. Gerade weil die Frauen von der beruflichen und politischen Lebenswelt des Mannes ausgeschlossen blieben, konnten sie – so meint die Autorin – »ihre ganzen Kräfte auf die Ausgestaltung der familiären Innenwelt« [14] konzentrieren. Dadurch erhielten »die Werte des Gefühls und der Liebe« eine Aufwertung für das »Familienleben, wie sie ihnen vorher nie beschieden gewesen war«. [15] Hier erliegt die Verfasserin ganz offensichtlich der Fiktion von der unproblematisch heilen Biedermeierzeit. Sie sieht nur die *eine* Frau, die innerlichkeitsbeflissene Familienhüterin und gefühlig-gefügige Hausfrau, die ihre wachsende Entmündigung bereitwilligst durch einen hehren Herzenskult kompensiert. Dem Dualismus dieser Ära trägt sie damit keine Rechnung. In dieser Hinsicht argumentierte selbst Eichendorff dialektischer, wenn er bezüglich der Frauenfrage in Alternativen wie »Wochenbetten« und »Schlachtfelder« dachte.

Und auch Immermann beobachtete genauer, wenn er die Bereitwilligkeit der Frauen kritisierte, mit der sie sich in der Öffentlichkeit betätigten. Die Metternichsche Restaurationsepoche produzierte eben nicht nur die unbedarfte Herzenskonsumentin, sondern gleichzeitig die kritische Verweigerin, der die Pflege des innerfamiliären Bereichs einfach nicht mehr genügte. Neben der Verklärung der ›Nur-Hausfrau‹, wurden in dieser Ära zugleich die ersten beruflichen Möglichkeiten für die ›Außer-Haus-Frau‹ geschaffen. Und nicht nur in karitativen Verbänden und in der Krankenpflege gab es für die Frauen neue Betätigungsfelder. Auch auf literarischem Gebiet wurden sie zu einem Faktor, der nicht mehr länger ignoriert werden konnte. Ihre schriftstellerische Produktion verlor mehr und mehr den Charakter der Freizeitbeschäftigung und des Nebenerwerbs und weitete sich zur regelmäßigen Berufsarbeit aus.

Das war ein entscheidendes Novum. Die Schreibfreudigkeit der Schriftstellerinnen der zweiten Hälfte des 18. Jahrhunderts hatte – wie schon eingangs erwähnt – noch nicht zu einer berufsmäßigen Ausübung geführt. In ihrer soziologischen Analyse über die Frauenintelligenz im 18. Jahrhundert weist Natalie Halperin ausdrücklich darauf hin, daß »die schriftstellerische Tätigkeit für sie [die Frauen] kein Sprengen der engen Berufsgrenzen, sondern vielmehr eine Flucht aus dem Alltag in eine Phantasiewelt« bedeutete. [16] Sie weist nach, daß mehr als 80% der 127 schreibenden Frauen, deren Familienhintergrund ermittelt werden konnte, ökonomisch gesicherten Gesellschaftsschichten angehörten. Die Berufszugehörigkeit der Väter ließ sich in die folgende Tabelle gliedern [17]:

| | | | |
|---|---|---|---|
| Beamte | 79–62,2 % | Kaufleute | 6– 4,7 % |
| Offiziere | 30–23,6 % | Schauspieler | 2– 1,6 % |
| Gutsbesitzer | 8– 6,3 % | Tuchmacher | 1– 0,8 % |
| | Weber | 1– 0,8 % | |
| | 127 = 100 % | | |

80% der Schriftstellerinnen waren verheiratet, und die Berufstätigkeit der Ehemänner ähnelte in auffälliger Weise derjenigen der Väter:

| | |
|---|---|
| Beamte | 94–62,7 % |
| Offiziere | 27–18,0 % |
| Gutsbesitzer | 6– 4,0 % |
| Kaufleute | 6– 4,0 % |
| Dichter | 5– 3,3 % |
| Lehrer | 3– 2,0 % |
| Ärzte | 3– 2,0 % |
| Buchhändler | 3– 2,0 % |
| Weber | 1– 0,67 % |
| Schauspieler | 1– 0,67 % |
| Diener | 1– 0,67 % |
| | 150 = 100 % |

Schon diese Tabellen verdeutlichen, daß die weibliche Schriftstellerei des 18. Jahrhunderts im allgemeinen auf der Basis einer gesicherten Familienexistenz gedieh und nicht – wie im Fall von Luise Mühlbach, Fanny Lewald, Ida Hahn-

Hahn oder Louise Aston – den eigenen Lebensunterhalt garantierte. Damit brachte die Epoche der Metternichschen Restauration der Frau das, was das 18. Jahrhundert dem Mann verschafft hatte: die Schriftstellerei als Profession. [18]

Nicht mehr auf dem Boden einer Salon- und Briefkultur übermittelten die Schriftstellerinnen der Vormärzära ihre Ansichten über das, was sie bewegte, sondern in der Form des Romans. Darin unterschieden sie sich von den geistreichen Frauen der Romantik wie Caroline Schlegel, Henriette Herz, Rahel und Bettina. Was jene an kritischer Reflexion in ihre Gespräche einfließen ließen, verwandelten diese in literarische Produktion. Mit Luise Mühlbach, Ida Hahn-Hahn, Fanny Lewald und Louise Aston stellten die deutschen Schriftstellerinnen des 19. Jahrhunderts zum ersten Mal die herkömmliche Geschlechterdichotomie in Frage. Es war nicht so sehr der Unmut über die individuelle Beengung der hier ausschlaggebend war – auch von Rahel kennen wir in dieser Hinsicht schon höchst progressive Töne –, es war das neue weibliche Solidaritätsgefühl, das hier wirksam wurde. Im Grunde genommen ging es den Frauen der Berliner Salons weniger um die weibliche Emanzipation im allgemeinen als vielmehr um den erweiterten Freiheitsraum einiger geistig hochstehender und origineller Frauen. Stark dem Subjektivismus der Romantik verhaftet, bangten sie in erster Linie um die Behauptung ihres Ich [19], das heißt um die Verkürzung ihres ureigensten Wirkungsraums. Ähnlich wie in der *Lucinde* war ihre Gleichheitsbegeisterung eher im emanzipatorischen Niemandsland als auf dem Boden der bestehenden gesellschaftlichen Verhältnisse angesiedelt. So wie die »Dithyrambische Fantasie« den Müßiggang zur Basis hatte, haftete auch den Vorstellungen der romantischen Frauen zum Teil etwas Elitäres an. »Es fehlt all diesen begabten Frauen etwas: es fehlt ihnen – Arbeit«, schreibt Minna Cauer in ihrer Analyse über die Frau im 19. Jahrhundert und trifft damit genau die Problematik. »Das Wort ›Arbeit‹ kommt bei ihnen nicht vor; niemals tritt ein Moment der Verantwortlichkeit hervor, in dem diese Frauen sich als zusammengehörig mit dem Ganzen fühlen.« [20]

Eine solche Haltung reflektiert den starken Subjektivismus dieser Kreise. Nur die privilegierten Frauen der gehobenen Schichten, deren Männer nicht unter der ständigen Diktatur des Erwerbszwangs standen, konnten sich einen derartigen Emanzipationsluxus leisten. Als Leitbild für die ökonomisch abhängige Bürgersfrau war er unbrauchbar. Damit soll das Verdienst dieser »ersten modernen Weiber« nicht etwa geschmälert werden. Es behält seine Bedeutung innerhalb jenes Entwicklungsprozesses, den das weibliche Selbstbewußtsein durchlaufen mußte. Schließlich darf nicht vergessen werden, daß die gleichen privilegierten Frauen vor dem Beginn der Aufklärungsperiode überhaupt noch nicht als Individuen betrachtet wurden und ihre einzigen Bildungsrequisiten der Hauskalender und das Betbuch waren. Ohne einen übersteigerten Subjektivismus hätte sich das Individualbewußtsein der Frau vielleicht gar nicht artikulieren können. Ohne die Kenntnis ihres ›Ich‹ hätte ihr auch das Verständnis für das ›Wir‹ gefehlt. Und so behalten diese frühromantischen Gleichheitsvorstellungen wohl ihren Wert als potentielle Emanzipationsansätze, sind aber als realisierbare Verbesserungskonzepte nicht ausreichend. Dazu waren andere, konkretere und vor allem sozialere Impulse vonnöten. Hier wirksam gewesen zu sein, ist das besondere Verdienst der Schriftstellerinnen des Jungen Deutschland und des Vormärz.

Dabei ist es wichtig, darauf hinzuweisen, daß die Befreiungsbestrebungen dieser Ära nicht nur aus *einer* Quelle gespeist wurden. Es läßt sich kein geradliniger Entwicklungsprozeß von den ersten weiblichen Artikulationsversuchen der romantischen Frau bis zur Romanproduktion der Jungdeutschen nachweisen. Wie sich gezeigt hat, haben die Autorinnen der zwanziger und frühen dreißiger Jahre das emanzipatorische Gedankengut der Salons nicht in ihre Romane aufgenommen. Henriette von Paalzow bewegte sich noch 1835, in ihrem Roman *Godwie Castle,* in höchst traditionellen Vorstellungsmustern und sprach in erster Linie ein adeliges Publikum an, das Vertreter des Status quo war. Sie wurde »in der preußischen Hofgesellschaft mit größtem Interesse gelesen«. [21] Das eigentliche Durchbruchsjahr für ›den anderen Frauenroman‹, der sich gezielt an ein weibliches Lesepublikum wandte und auf die ungleiche gesellschaftliche Rollenverteilung hinwies, war erst das Jahr 1838, in dem Luise Mühlbach *Erste und letzte Liebe* und Ida Hahn-Hahn *Aus der Gesellschaft* veröffentlichten. »Der sehr wesentliche Unterschied zwischen jetzt und früher« besteht darin, schreibt Robert Prutz über diese Autorinnen, »daß die Frauen sich auch in der Literatur nicht mehr begnügen, bloß in den Bahnen fortzuwandeln, welche die Männer ihnen vorgezeichnet haben, sondern daß sie ebenfalls selbständig aufzutreten und ihre eigenen Interessen in ihrer eigenen Weise auszusprechen und zu vertheidigen suchen.« [22]

Daß es daneben weiterhin die Hohepriesterin des »häuslichen Herdes« gab, die – wie Henriette Hanke (1783–1862) – »die begründetesten Ansprüche darauf erheben kann ... die Lesewuth deutscher Jungfrauen in einige unschädliche und erbauliche Abzugsgräben geleitet zu haben« [23] nimmt bei der besonderen Zwiespältigkeit der Metternichschen Restaurationsepoche nicht wunder. In Hankes voluminösem Romanwerk [24] wird noch einmal ein fleckenloses Familienglück entfaltet, das durch die behutsam waltenden Hände von Müttern und Schwiegermüttern, Schwestern und Schwägerinnen, Tanten und Nichten vor jeglichem ›emanzipatorischen Unrat‹ bewahrt bleibt.

## *Der Saint-Simonismus*

Die andere emanzipatorische Quelle, die hier wirksam wurde, lag wieder einmal in Frankreich. »Der reelle, eclatante Kampf der geistigen Richtungen, die hervorgetretene, öffentliche, die politische Arbeit des Geistes, das ist ein Vorzug der jetzigen französischen Welt«, schrieb Arnold Ruge über dieses »Volk«, das heute »so politisch ist ... wie früher die Griechen«. [25] Gleichzeitig mit den politischen Anregungen der Julirevolution strömten auch neue soziale Ideen aus dem westlichen Nachbarland, in deren Mittelpunkt die Propagierung der absoluten Gleichstellung von Frau und Mann stand. Damit ist der Einfluß der Bewegung des Saint-Simonismus gemeint. Der Begründer dieser Schule, der Sozialphilosoph Claude-Henri de Saint-Simon (1760–1825), war der Überzeugung, daß es nicht der Sinn des »wahren« Christentums sein könne, die zahlreichste Gruppe der Menschheit, nämlich die Armen und Rechtlosen, beständig auf das paradiesische Jenseits zu vertrösten und auf Erden unbekümmert darben zu lassen. Er entwarf in seinem *Nouveau Christianisme* ein erstes sozialutopisches Konzept, das eine gerechtere Güterverteilung zum Ziel hatte:

> Le véritable Christianisme doit rende les hommes heureux, non-seulement dans le ciel, mais sur la terre. [...] Il ne faut plus vous borner à prêcher aux fidèles de toutes les classes que les pauvres sont les enfants chéris de Dieu; il faut que vous usiez franchement et énergiquement de tous les pouvoirs et de tous les moyens acquis par l'église militante, pour améliorer promptement l'existence morale et physique de la classe la plus nombreuse. [26]

Unzufrieden mit dem kaum verhüllten Desinteresse der Kirche an der zunehmenden Verelendung breiter Bevölkerungsschichten, spricht er sowohl der katholischen wie auch der protestantischen Religion den wahren Charakter der Christlichkeit ab:

> Ni l'une ni l'autre n'était la religion chrétienne; j'ai entrepris de démontrer que depuis le quinzième siècle le Christianisme avait été abandonné; j'ai entrepris de rétablir le Christianisme en le rajeunissant [...]
> Le Nouveau Christianisme est appelé [...] à classer comme impie toute doctrine ayant pour objet d'enseigner aux hommes d'autres moyens pour obtenir la vie éternelle que celui de travailler de tout leur pouvoir à l'amélioration de l'existence de leurs semblables. [27]

Sein Ziel war – wie er in *Du Système industriel* nachweist [28] – eine grundsätzliche Umorganisierung der Gesellschaft, bei der nicht mehr die bisher Mächtigen die tonangebende Schicht sein sollten, sondern die Tätigen (les industriels), das heißt diejenigen, die durch ihren individuellen Leistungsbeitrag dem Allgemeinwohl den größten Nutzen einbrächten. Auch wenn diese neuen Kriterien der Tätigkeit bereits ein allgemeines Gleichheitsprinzip erkennen lassen, indem sie auf die Abschaffung der überlieferten Standes- und Geschlechtsbarrieren hinzielten, ging es Saint-Simon ursprünglich nicht speziell um die Befreiung der Frau. Erst seine Anhänger, Männer wie Armand Bazard und vor allem Prosper Enfantin, schränkten die neue Lehre auf die Frage der Geschlechterbeziehungen ein. Und zwar ging es ihnen in erster Linie um das, was man unter dem Schlagwort »der Emanzipation des Fleisches« zusammenfaßte. Ausgehend von der Vorstellung einer völligen Gleichrangigkeit von Materie und Geist, von Sinnlichkeit und Intellektualität, von Bauch und Kopf, kam Enfantin zu der Überzeugung, daß es keinen Grund gäbe, »die fleischlichen Gelüste zurückzuhalten, oder sie in die engen Grenzen der Ehe einzuschließen, da man ja ebensowenig die geistigen Gelüste zügele«. [29] Aus einer solchen Perspektive mußte die herkömmliche Mann-Frau-Polarisierung irrelevant werden. Nicht mehr der erobernde Mann und das zurückhaltende Mädchen bilden bei Enfantin das entscheidende Gegensatzpaar, sondern die »Beweglichen« und die »Unbeweglichen« (les mobiles et les immobiles), das heißt die erotisch dynamischen und die statischen Vertreter beiderlei Geschlechts. Es war infolgedessen nur konsequent, wenn sein neuer Eheentwurf dem bürgerlichen Eheverständnis diametral zuwiderlief. Nicht mehr die ausschließliche, bis zum Tode unlösbare Einehe galt ihm als die einzig legitimierte Beziehung zwischen Mann und Frau, sondern auch ein gleichermaßen sanktioniertes Bündnis auf Zeit. Nur die ›erotischen Statiker‹ sollten nach Enfantin die alte »definitive« Eheform wählen, während er den anderen »le mariage successif« empfahl. [30]

Trotz des augenfälligen Illusionismus eines solchen Konzepts handelte es sich hier um den entscheidenden Versuch, die tief in der bürgerlichen Tradition verwurzelten Sexualvorstellungen zu revidieren. Enfantin und seine Anhänger kämpften nicht nur für die seelische Emanzipation der Frau, gestanden ihr nicht nur – wie Rousseau – ein Recht auf die Angelegenheiten des Herzens zu, sondern gleichzeitig auch ein Recht in Sachen Lust. Damit konnten sie für sich in Anspruch nehmen, die ersten gewesen zu sein, welche »die absolute Gleichstellung von Mann und Frau« [31] gefordert hatten. Daß eine solche Lehre, die einen Frontalangriff auf das herrschende Moralsystem darstellte, weit über die Grenzen Frankreichs hinauswirkte, liegt nahe. Für Deutschland waren die Vermittler dieser Ideen vor allem Ludwig Börne und Heinrich Heine. »Sie waren es, die in den deutschen Zeitungen zum ersten Mal vom Saint-Simonismus sprachen.« [32] Als Heine im Frühjahr 1831 nach Paris übersiedelte, erlebte diese Bewegung – als Folge der Julirevolution – gerade ihren Höhepunkt. Er machte die persönliche Bekanntschaft von Prosper Enfantin und wurde stark von ihm beeinflußt. Voller Begeisterung schrieb er: »Eine neue Kunst, eine neue Religion, ein neues Leben wird hier geschaffen, und lustig tummeln sich hier die Schöpfer einer neuen Welt.« [33] Was für Heine diese Lehre so anziehend machte, war weniger ihre sozial-revolutionäre Tendenz, als vielmehr ihre betonte Diesseitigkeit, ihre ›lustige Sinnentummelei‹. Da sich für ihn die gesamte abendländische Kulturgeschichte in einem Spannungsverhältnis von christlichem Spiritualismus und pantheistischem Sensualismus befand, wobei der erstere seit dem Mittelalter kontinuierlich für die Abtötung der Fleischesfreuden gesorgt hatte, faszinierte ihn der saint-simonistische Kernsatz von »der Rehabilitation der Materie«, das heißt das offenkundige Bekenntnis zur Sinnenlust. Und so liest man in seiner *Geschichte der Religion und Philosophie in Deutschland,* die stark von Enfantinschen Gedanken beeinflußt ist:

> Das Christentum ... hat die edelsten Genüsse herabgewürdigt, und die Sinne mußten heucheln, und es entstand Lüge und Sünde. Wir müssen unseren Weibern neue Hemden und neue Gedanken anziehen, und alle unsere Gefühle müssen wir durchräuchern, wie nach einer überstandenen Pest. Der nächste Zweck aller unserer neuen Institutionen ist solchermaßen die Rehabilitation der Materie, die Wiedereinsetzung derselben in ihre Würde, ihre moralische Anerkennung, ihre religiöse Heiligung, ihre Versöhnung mit dem Geiste. [34]

Daß der Saint-Simonismus, der in Frankreich schon 1836 nahezu vergessen war, in jungdeutschen Kreisen eine so nachhaltige Wirkung ausüben konnte, lag zum großen Teil in der Heineschen Akzentsetzung begründet. Wenn sich Heine besonders durch das sensualistische Element dieser Lehre angezogen fühlte und »die Emanzipation des Fleisches« als deren eigentlichen Kernsatz aufgriff, entsprach das nicht nur seinem höchst persönlichen Interesse, sondern gleichzeitig dem Bedürfnis der meisten liberalen Schriftsteller dieser Ära. [35] Abgestoßen von der Bigotterie der Moralgesetze, dem philiströsen Familienbehagen, den ›Wassersuppenhochzeiten‹ und dem ganzen erotischen Sparprogramm, meinte die tumultuarische Generation, in der freien Liebe Enfantinscher Provenienz die Alternative zu der herrschenden Sexualverkrüppelung gefunden zu haben. Heine fühlte sich als Initiator ›der freien Wahlumarmung‹, Laube als neuer Liebespoet [36] und Gutzkow gar als Reformator der Liebe schlechthin. [37] Es lag an dem Dualismus der Restaurationsepoche, daß sich die Alternativvorstellungen in erster Linie als antithetische Reaktionen gegen die Status-quo-Ideologie manifestierten und weniger von den konkret-gesellschaftlichen Erfordernissen ausgingen. So meinten die Jungdeutschen, schon allein durch ihren »Überdruß an dem geregelten Civilisationszustande« [39] und die Ablehnung der herrschenden Familienmoral im Besitze des besseren, freieren, ungehemmteren Sexualkonzepts zu sein. Die Folge davon war, daß ihr neues Liebes-Mekka zum Teil auf eine parasitäre Paschamoral hinauslief. Denn schließlich wird jede Emanzipation der Sinne ohne gesellschaftliche Rückkoppelung zu einer schillernden Seifenblase. Die Zertrümmerung eingefahrener Moralideale ist noch kein Garant dafür, daß die neuen Konzepte notwendig die besseren sind. Den Traum von den »Verschiedenen« und dem unbegrenzten Weiberverschleiß hat schon so mancher Biedermann geträumt. Es ist daher nicht verwunderlich, wenn die jungdeutschen Schriftstellerinnen den saint-simonistischen Befreiungsideen viel skeptischer gegenüberstanden als ihre Kollegen. Nicht zu Unrecht fürchteten sie, daß eine so plakative Fleischeswerbung die Ernsthaftigkeit ihres Anliegens unterminiere und das Ziel ihrer Bestrebungen verunklare.

Damit hatten sie das Dilemma des ›Enfantilismus‹ klar erkannt: er fing an, seinen Realitätswert einzubüßen. Und zwar hauptsächlich deshalb, weil er sich im Laufe der Jahre immer weiter von seinem ursprünglichen Sozialkonzept entfernte und zunehmend auf die Proklamierung einer neuen Sittenlehre konzentrierte, ohne die gesellschaftlichen Konsequenzen zu berücksichtigen. Die Selbstmordmotive der 33jährigen Saint-Simonistin Claire Démar, die durch eine kürzlich erschienene Dokumentation von Valentin Pelosse [39] bekannt geworden sind, spiegeln die ganze »Misère de la femme dans la famille saint-simonienne«, die man mit paradiesischen Sexualutopien abspeiste, ohne für eine konkrete Wegzehrung zu sorgen. Gerade die anfängliche Ausrichtung auf die allgemeine und gleiche »soziale Glückseligkeit« hätte die beste Voraussetzung für eine freiere Geschlechterbeziehung bilden können. Durch die Koppelung der sozialen und erotischen Zielsetzungen war ein erster Ansatz geschaffen, um der gesellschaftlichen Ungleichheit von Mann und Frau entgegenzuwirken. Indem jedoch seine Anhänger den sozialen Gedanken fallenließen, manövrierten sie sich aus der Realität heraus und landeten in einem unverbindlichen Sexualutopismus. Denn einmal ganz konkret gefragt: Wie stellte man sich die »femme libre« eigentlich vor? Wovon sollte sie leben? Womit sich und die möglichen Früchte der ›freien Wahlumarmung‹ ernähren? Was konnte sie anfangen, wenn »le marriage successif« sich nicht einstellte? Dafür finden sich nirgends konkrete Hinweise bei den Aposteln der entfesselten Lenden. Man begeisterte sich für die freie Partnerin an sich und vergaß dabei, an die notwendigen Voraussetzungen zu denken. Weder die gänzlich vom Vater abhängige Tochter noch die finanziell auf den Gatten angewiesene Ehefrau konnte unvermittelt das Ideal der »femme libre« verkörpern. Moralische Freiheit läßt sich nur auf der Grundlage ökonomischer Unabhängigkeit verwirklichen. Um eine solche zu ermöglichen, hätte man in erster Linie die Berufstätigkeit der Frau propagieren müssen.

Und so mündete der hochgemute Versuch, die gesamte Gesellschaft zu sozialisieren, trotz aller Progressivität doch nur in sektiererische Sexualgemeinden, die keiner mehr ernst nahm. Eine grundlegende Änderung in der Situation der Frau hat der Saint-Simonismus nicht bewirkt. Aber es bleibt sein Verdienst, die Erörterung der Frauenbefreiung aus der Peripherie der Salons in das Bewußtsein einer größeren Öffentlichkeit gerückt und damit zu einem publikumsbezogenen Reflexionsgegenstand gemacht zu haben.

## *George Sand*

Zur selben Zeit kamen aus Frankreich noch von einer anderen Seite schwerwiegende Angriffe gegen die herrschenden Sitten- und Ehegesetze. Es waren das die Romane sowie die Persönlichkeit der unter dem Pseudonym *George Sand* auftretenden Amandine Aurore-Lucie Baronin Dudevant (1804–1876), Ururenkelin Augusts des Starken und »der schönsten Frau der Welt« (wie dessen Geliebte Aurora von Königsmarck genannt worden ist), welche die jungdeutschen Gemüter zutiefst bewegte. In seinen *Literarischen Elfenschicksalen* bezeichnete Gutzkow ihre Schriften »als das Genialste der neuern Poesie«, in denen die Liebeskonflikte in kühnster, »alle hergebrachten Formen verletzender Neuerung gelöst wurden«. [40] Ähnlich beeindruckt zeigte sich Heinrich Laube. »Für ihn ist seit Rousseau und Chateaubriand in französischer Sprache nichts geschrieben worden von solcher echten Wahrheit wie die Romansammlung von G. Sand.« [41] Um die Autorin einem größeren deutschen Lesepublikum vorzustellen und die Aufmerksamkeit von ihrem exzentrischen Privatleben auf ihre schriftstellerische Produktion zu lenken, gab er selbst eine Anthologie ihrer Frauengestalten heraus. [42] Und der den ›deutschen George Sands‹ gegenüber höchst kritisch eingestellte Robert Prutz rühmte die Französin nicht nur als »die größte Dichterin«, sondern auch als »den größten Dichter unserer Tage«. [43] Entsprechend der dualistischen Struktur der Epoche nimmt es nicht wunder, wenn sich die Gegenseite, unter Anführung von Wolfgang Menzel, in höchstem Maße empört zeigt:

Wir theilen diese Bewunderung nicht ... wir finden in den Unaussprechlichen und in der Tabakspfeife wie in den Romanen der Madame Dudevant nichts als die tiefste, verachtungswürdigste Gemeinheit... Deshalb bezeichnet die Bewunderung, die man ihr zollt, nur die tiefste Stufe, auf die das sittliche und ästhetische Urtheil in unserer Zeit herabgesunken ist. [44]

Eine noch entschiedenere Ablehnung findet man im *Literatur-Blatt* von 1839:

Wir haben noch nicht einen einzigen ihrer Romane gelesen, aus dem nicht die Gemeinheit herausgesehen hätte... Ihre Phantasie erschafft nur niedrige, lasterhafte, bizarre Charaktere, und schmutzige Situationen, unter denen gewaltsame Entehrung und niedrige Verführung besonders häufig vorkommen. [45]

Ganz ohne Frage leitete sich dieser zweideutige Ruhm nicht nur aus ihrer Romanproduktion her. Sie fiel auch durch ihren jede Konvention mißachtenden Lebensstil aus dem Rahmen. Schon ihre ›Vorgeschichte‹ entsprach nicht dem, was das repräsentative Familienalbum verlangte. Als Tochter einer Grisette und eines subalternen Offiziers, der seine Freundin einen Monat vor Auroras Geburt geehelicht hatte, stand sie von Anfang an unter dem Signum des Zwielichtigen. Da ihre Mutter meist anderweitig beschäftigt war und wenig Neigung zur Aufzucht von Kindern verspürte, wurde sie frühzeitig der Großmutter in der Provinz vermacht. Dort verlief zunächst einmal alles nach altbekanntem Muster. Die Großmutter führte ein strenges Regiment, und die Enkelin entzog sich dem nach Art der meisten höheren Töchter: Sie akzeptierte das erstbeste Eheangebot und wurde mit achtzehn Jahren die Frau eines Landedelmanns. Obgleich sie bald erkannte, daß sie dadurch die alten Zwänge nur gegen neue eingetauscht hatte, bemühte sie sich redlich, der Konvention zu entsprechen. Sie war durchaus keine révoltée à tout prix. Immerhin versuchte sie neun Jahre lang, sich anzupassen und ihrem beschränkten, jähzornigen und tyrannischen Eheherrn eine gefügige Gutsbesitzersfrau zu sein. Erst als dieser sich angewöhnte, sie häufiger zu schlagen, und sie einsah, daß sich ihre eheliche Situation nie zum Guten ändern würde, lief sie ihm 1831 davon und begann im Alter von 27 Jahren in Paris ein neues, eigenes Leben.

Dort geriet sie mitten in die gesellschaftliche Gärung. Die Julirevolution hatte stattgefunden, der absolutistische und das *Ancien Régime* verkörpernde Charles X war abgesetzt worden, das Bündnis zwischen Clergé und Noblesse zunichte gemacht und die Bekämpfung der reaktionären Bestrebungen im vollen Gang. All das verkündete Aufbruch, Neubeginn, Wende. Die saint-simonistische Bewegung stand gerade auf dem Höhepunkt ihrer Aktualität. Die Pressezensur, die in der Zeit verschärfter Reaktion von 1825–1830 geherrscht hatte, wurde aufgehoben, und die Zeitungen gewannen einen nie zuvor gekannten Freiraum. Das Feuilleton setzte sich durch, und überall entwickelte sich eine angespannte literarische Aktivität. Es nimmt daher nicht wunder, daß eine Frau, welche die Auswirkungen der Status-quo-Moral buchstäblich am eigenen Leibe verspürt hatte und gerade aus der gesellschaftlichen Konventionalität ausgebrochen war, sich schnell für die neuen Liberalisierungstendenzen begeisterte. Aber es blieb in ihrem Fall nicht nur bei einer passiven Begeisterung. George Sand griff aktiv ein. Gemeinsam mit ihrem Jugendfreund Jules Sandeau (von dessen Namen sie ihr Pseudonym ableitete) wandte sie sich dem Journalismus zu und gab in der Folgezeit selber Zeitungen wie *L'éclaireur de l'Indre, Revue indépendante und La Cause du peuple* heraus. Um breiteste Bevölkerungskreise von der Notwendigkeit einer grundsätzlichen gesellschaftlichen Umstrukturierung zu überzeugen, schrieb sie zehn Jahre lang ihre *Lettres au peuple* (1840–1850) und erklärte unverblümt, daß sie Sozialistin sei. Und so kam Werner Suhge bezüglich der literarischen Verbreitung der sozialen Aspekte des Saint-Simonismus zu dem Ergebnis: »Der erste Platz sowohl in Hinsicht der Originalität der Ideen wie der Nachdrücklichkeit, mit der sie vertreten werden, gebührt – George Sand.« [46]

Aber so ungewöhnlich die Aktivität einer Frau im Bereich des Journalismus damals auch war, sie allein hätte nicht ausgereicht, um Madame Sand in den Mittelpunkt gespanntesten Interesses zu rücken. Das Aufregendste und die Gemüter aufs äußerste Verwirrende waren ihre geradezu unübersehbaren Liebesaventüren. Zu ihren Liebhabern zählten unter anderen Jules Sandeau, Prosper Mérimé, Alfred de Musset samt dessen italienischem Arzt Pietro Pagello, Franz Liszt und Frédéric Chopin. Was noch zusätzlich irritierte, war ihr Faible, sich einen ausgesprochenen ›male appeal‹ zuzulegen. So bevorzugte sie Männerkleidung, rauchte Zigarillos und schritt mit eisenbeschlagenen Stiefeln einher. Sie fühlte sich niemandem gegenüber zur Rechenschaft verpflichtet und hatte den Mut und die Kraft, *das* Leben zu führen, welches ihrem Temperamet und ihren Überzeugungen entsprach. Damit spielte sich in der französischen Öffentlichkeit zum ersten Mal ein Frauenleben ab, in dem das postulative ›comme il faut‹ keine Daseinsberechtigung hatte. Und »Paris, Frankreich, ja das ganze geistige Europa schaute diesem ungewöhnlichen Leben zu«. [47] Man kannte die Schriftstellerin, auch wenn man ihre Romane nicht gelesen hatte. Selbst Kenner interessierten sich häufig stärker für die exzentrische Persönlichkeit der Autorin als für ihre literarische Produktion. So ist es bezeichnend, wenn Gutzkow in seinen *Literarischen Elfenschicksalen* die Begegnung mit George Sand in den nächtlichen Börsenbesuch kulminieren läßt. Der Leser erfährt hier nur beiläufig Literarisches, dafür aber um so Detaillierteres über ihr Äußeres und ihr Auftreten beim Hasardspiel:

> George Sand stand ... umringt von Frankreichs Tagesliteratur, in männlicher Kleidung, wenige Schritte von der Balustrade entfernt. Die kleine Amazone bot einen reizenden Anblick. Der Hut verbarg das hochaufgekämmte schwarze Haar; dem samtnen Oberrock wurde es schwer, die Formen des Wuchses zusammenzuhalten; um den Hals lag ein seidnes Tuch geschlungen ... George Sand unterhielt sich mit den Courtiers mehr als mit der Literatur, die sie umgab ... Die Spielerin gab Käufe und Verkäufe an, und kaum hatten die Courtiers ihre Anweisungen ausgeführt, so wurde eine telegraphische Depesche angeheftet, ein Bankier kam aus dem Ministerium, eine Taube kam aus Brüssel geflogen, und die Baronin gewann außerordentliche Summen. [48]

Es ist ganz offensichtlich, daß hier das anekdotische Interesse überwiegt.

Was aber war nun die ideologische Botschaft der französischen Schriftstellerin? Worin lag das Provokative ihrer Romane? Was wurde von ihrem Publikum als so emanzipatorisch empfunden? Einschränkend sei zunächst einmal festgestellt, daß eine solche Wirkung in erster Linie von den Romanen ihrer frühen Periode, von den sogenannten Tendenzromanen, ausging, von *Rose et Blanche* [49] (1831), *Indiana* (1832), *Valentine* (1832), *Lélia* (1833), *Le Secrétaire intime* (1834), *Jacques* (1834) und *Leone-Leoni* (84). Alle diese Romane verlaufen etwa nach dem folgenden, meist nur wenig variierten Grundschema: Im Mittelpunkt des Geschehens steht eine Frau aus gehobenen Kreisen, deren Liebesansprüche den herrschenden Moral- und Ehegesetzen diametral zuwiderlaufen. Das Neue und die Gemüter Irritierende lag darin, daß sich die Problemkonstellation nicht mehr auf das klassische Konfliktmuster von Pflicht und Neigung reduzieren ließ, daß das emotionale Aufbegehren nicht nur als ein temporärer Schlenker von der Heerstraße der Pflichten verstanden wurde, sondern im Gegenteil eine moralische Legitimierung erfuhr. George Sand stellte den kategorischen Imperativ kurzerhand auf den Kopf, weil er ihrer Ansicht nach seine ethische Motivierung verloren hatte. In einer Gesellschaft, deren moralische Substanz von Grund auf korrumpiert war, konnte die Befolgung der Pflichten nichts weiter als eine Farce bedeuten. Nach ihrer Meinung liegt daher das sittliche Recht niemals bei den Funktionären der Buchstabentreue, sondern immer auf der Seite jener, die sich hauptsächlich auf die Stimme ihres eigenen Gefühls verlassen. Die Problemstellung der Sandschen Romane leitet sich deshalb weniger aus dem Dualismus von ›Mögen‹ und ›Müssen‹ her, als vielmehr aus der unterschiedlichen Bereitschaft der Geschlechter, einen gleichen Herzenseinsatz zu erbringen.

Und hier nun zeigt sich die Autorin als eine unerbittliche Streiterin gegen die doppelte Moral: Eine gleiche Liebe erfordert ein gleiches Engagement und unterscheidet nicht zwischen weiblicher und männlicher Hingabe. Das Dilemma aber liegt darin – so glaubt die Autorin –, daß der Mann in den meisten Fällen eine solche Liebe nicht aufbringen kann. Er genießt und fordert zwar die völlige Hingabe der Frau, behält sich aber seinerseits Gefühlsreserven vor. In fast ekstatischer Verzweiflung läßt sie deshalb ihre Heldin Indiana in dem gleichnamigen Roman ausrufen:

> Il faut m'aimer sans partage, sans retour, sans réserve; il faut être prêt à me sacrifier tout fortune, réputation, devoir, affaires, principes, famille; tout, Monsieur, parce que je mettrai le même dévoument dans la balance et que je la veux égale. Vous voyez bien que vous ne pouvez pas m'aimer ainsi! [50]

Die Frau gibt sich nicht mehr damit zufrieden, lediglich Brosamen der Liebe zu empfangen, sondern verlangt vom Mann eine Gefühlsäquivalenz. Sie ist nicht mehr die demütige Geliebte à la Gretchen oder Käthchen von Heilbronn, die sich willenlos lieben oder verstoßen läßt, sondern tritt als eine Fordernde auf. Darin liegt die Modernität der Sandschen Frauengestalten. Das herkömmliche Klischee von der ›echten‹, unvergänglichen und alles verzeihenden Frauenliebe, die dem herumstreifenden, von Wissensdurst und Karrierelust absorbierten Mann als nimmerversiegender Erquickungsborn bereitsteht, paßt nicht mehr auf sie. Indiana und Quintilia, Valentine und Lucrezia, sie alle sind keine entsagenden Frauengestalten. Sie wollen glücklich machen und glücklich werden, sehen jedoch ihr Glück nicht mehr in der einseitigen Hingabe nur des weiblichen Menschen. Menzel erkannte genau diese ›gefährliche‹ Modernität, die in der mangelnden Entsagungsbereitschaft der französischen Heroinen lag. Er empfahl daher seinen Lesern, sich nicht mit solcher wenig erhebenden, herzensvergiftenden Lektüre zu befassen, sondern sich lieber an die höherstehenden und edleren Entsagungsromane der deutschen Schriftstellerinnen zu halten. [51]

Sand verzichtete bewußt auf solche ›erhebende‹ und ›edle‹ Harmonisierung. Ihr ging es darum, neben der gesellschaftlichen und moralischen Abhängigkeit der Frau auch ihre emotionale Unterdrückung zu veranschaulichen. Sie enthüllte die Korruptheit einer Gesellschaftsform, die nur durch eine allgemeine Übereinkunft zur Heuchelei existieren konnte. Denn trotz Julirevolution, Saint-Simonismus und Pressefreiheit hatte sich die rechtliche Situation der Frau in keiner Weise geändert. Es herrschte weiterhin das Eherecht des *Code civil,* das von allen »geltenden Gesetzen die Züge des mittelalterlichen Patriarchalismus am reinsten und längsten bewahrt« hatte [52] und die Frau zu absoluter Unmündigkeit verdammte. [53] Im Gegensatz zu anderen Teilen des *Code,* erschien »das Eherecht inhaltlich nicht sowohl als Kind der Revolution und ihrer Ideale, wie vielmehr als Kind der militärisch-despotischen Reaction«. [54] Da die Gesetzgebung in die Konsulats- und Kaiserzeit Napoleons fiel, waren es weniger naturrechtliche, als vielmehr zutiefst patriarchalische Ideen, die den Ausschlag gegeben hatten. Was Napoleon »als Prinzip zur gesetzlichen Regulierung des Verhältnisses der Gatten vorschwebte, veranschaulichte er in der Forderung: ›Ein Ehemann soll die absolute Herrschaft über die Handlungen seiner Frau ausüben; er hat das Recht ihr zu sagen: Madame, Sie werden nicht ausgehen; Sie werden nicht das Theater besuchen; Sie werden mit der oder jener Person nicht verkehren.‹ Mitbestimmt durch den Einfluß dieser Anschauungen, wurde das neue Ehegesetz im wesentlichen eine Systematisierung der Rechtsgewohnheiten des französischen Mittelalters«. [55] Die Scheidungsmöglichkeit, die trotz einseitiger Privilegierung des Mannes noch das modernste am Napoleonischen Ehegesetz war, wurde schon 1816 von der Reaktion rückgängig gemacht und trat erst 1884 durch die Gesetzgebung der dritten Republik wieder in Kraft. Bis dahin herrschten die reaktionären Bestimmungen des *Code civil.* [56]

Das bedeutete also, daß zu der Zeit, in der George Sand ihre Romane schrieb, die Frau rechtlich unter der absoluten Herrschaft des Mannes stand. Er bestimmte ihren Ausgang und Umgang, durfte sie nach Gutdünken körperlich züchtigen und ihr nach Belieben untreu sein, wohingegen er ihren Ehebruch, wenn er sie in flagranti ertappte, sogar durch Tötung rächen konnte. Mit Recht empörte sich George Sand, daß solche Gesetze jede Humanität verleugneten und zurück zur Barbarei führten. Die Scheidung war abgeschafft. Die einzige Möglichkeit für die Frau, einer unerträglichen Ehe zu entgehen, war die *Separation,* das heißt die kanonische Trennung von Tisch und Bett – eine Möglichkeit, bei der sie meist noch die wenigen ihr gebliebenen Rechte verlor. George Sand hatte solche Ehezustände nicht nur beobachtet, sondern selbst erlebt. Sie hatte auch die möglichen Folgen der unsicheren Rechtslage der *Separation*, zu deren enervierendsten für sie die zeitweilige Entführung ihres Kindes gehörte, an sich selber erfahren müssen.

All das ist wichtig, einmal gebührend in den Vordergrund gerückt zu werden. Die frankreichbegeisterten Berichte der Jungdeutschen tönten lediglich von Liberalisierungsprozessen, erweiterten Freiheitskonzepten und erotischer Mobilität. Sie schrieben die femme libre auf ihr Brevier und machten George Sand zur emanzipatorischen Gallionsfigur. Aber von der realen Situation der französischen Frau hatten sie nur höchst illusionäre Vorstellungen. Dabei sollen keineswegs die entscheidenden demokratischen Errungenschaften der Julirevolution geleugnet werden. Man darf jedoch nicht übersehen, daß auch dieser politischen Umwälzung die gleiche Ambivalenz zugrunde liegt, die schon 1789 zu beobachten war und die sich auch 1848 wiederholte. Die großen Verkünder der neuen Prinzipien, die Freiheit und Gleichheit für alle Menschen proklamierten, reduzierten den Begriff des Menschen offensichtlich nur auf den des Mannes. Wenn sie von Bürgerrechten sprachen, meinten sie lediglich die Rechte ihrer eigenen Geschlechtsgenossen. Die Egalité civile, die Olympe de Gouges schon vierzig Jahre früher in ihrem Manifest gefordert hatte, war auch von der Julirevolution nicht eingelöst worden; die Frauen bekamen keine Bürgerinnenrechte. Ihre juristische Situation in den dreißiger Jahren war sogar noch schlechter als die zu Ende des 18. Jahrhunderts. Während man auf die Barrikaden stieg, um dem Arbeiter zu einem menschenwürdigeren Dasein zu verhelfen, konnte der Eheherr seiner Frau noch immer die Stiefel ins Gesicht schleudern (vgl. Indiana S. 197). Hier sprach man nicht von Menschenwürde.

Nur vor dem Hintergrund solcher Zustände wird man Sands Ehekritik in der richtigen Beleuchtung sehen. Nur von daher erklärt sich die Vielzahl ihrer zynischen, ausbeuterischen und selbstherrlichen Männergestalten. Diese Einseitigkeit war die Folge eines stark ausgeprägten Solidaritätsgefühls. Sie sympathisierte nicht nur – wie etwa Rahel Varnhagen oder Caroline Schlegel – mit der originellen und geistreichen Überdurchschnittsfrau, sondern mit der Frau schlechthin. Mit Ausnahme der Lélia sind deshalb sämtliche Protagonistinnen ihrer frühen Tendenzromane keine irgendwie auffallenden oder gar ungewöhnlichen Frauen. Von Valentine heißt es, daß sie ein gutes, sanftes und heiteres Geschöpf sei, das sich am liebsten mit Hauswirtschaft abgäbe. An Indiana werden kindliche Naivität und Zurückhaltung hervorgehoben und bei Lucrezia die ständige Bereitschaft zur Liebe. George Sands Sympathie für die Frau rührte vor allem aus ihrem Mitgefühl für die soziale und ökonomische Benachteiligung ihrer Geschlechtsgenossinnen her. In zahlreichen Schriften bemühte sie sich, ihnen ihren Anspruch auf Gleichheit zu verkünden. »L'égalité civile, l'égalité dans le mariage, l'égalité dans la famille, voilà ce que vous pouvez, ce que vous devez demander, réclamer.« [58] In diesem weiblichen Solidaritätsgefühl lag ihre größere Progressivität gegenüber den romantischen Frauen Deutschlands. Die Gleichheitsvorstellungen der französischen Schriftstellerin hatten nichts Elitäres mehr. Sie erstreckten sich nicht nur auf die privilegierten Frauen der oberen Kreise, sondern bezogen sich ebenso auf die unteren Klassen. [59] Hier kamen zweifellos die Pariser Erfahrungen der Autorin zum Tragen. Durch die Nachwirkungen der Julirevolution und die Bewegung des Saint-Simonismus war sie selber in das Klima einer politischen Solidarisierung geraten. Hier hatte sie erlebt, was soziales Engagement überhaupt heißt. »La source la plus vivante et la plus religieuse du progrès de l'esprit humain, c'est, pour parler la langue de mon temps, la notion de solidarité.« [60] Eine solche Erfahrung konnten die Schriftstellerinnen der Metternichschen Restauration nicht aufweisen. In dieser Hinsicht hat sich die Julirevolution – ebenso wie die von 1789 – auch für die *Frauen* von Vorteil erwiesen: Sie schärfte ihren Blick für die eigene Situation und entwickelte ein erstes solidarisches Denken.

Was in bezug auf die deutsche literarische Situation besonders auffällt, ist die Tatsache, daß Sand trotz aller weiblichen Solidarität weniger auf die jungdeutschen Schriftstellerinnen als auf die jungdeutschen Schriftsteller gewirkt hat. Bei ihnen finden sich wesentlich zahlreichere Äußerungen, Bezugnahmen und Lobeshymnen. So schreibt Gutzkow in fast schwärmerischer Begeisterung aus Paris: »Ich sah schon Manches, werde noch Vieles sehen, aber ich gestehe, daß mich vom ersten Schritt, den ich auf diese Strassen setzte, die Sehnsucht verfolgt, George Sand zu besuchen.« [61] Und vor ihrem Pavillon schwärmt er: »Ich rief mir die Nacht mit ihren Sternen, den Frühling mit seinen Blüthen auf diese Abgeschiedenheit herab und begriff den Geist, der in den Schriften dieser merkwürdigen Frau lebt, den Muth, es mit dem Urtheil der Welt zu wagen. Ich begriff, daß es eine Gottesnähe giebt, die uns die Entfernung der Menschen vergessen lehrt.« [62] Auch aus seinen *Pariser Eindrücken* von 1846 klingt dieselbe Begeisterung durch. »George Sand ist denn doch in der ganzen gegenwärtigen Literatur das einzige einsam dastehende Beispiel einer reinen und edlen poetischen Inspiration. Zu widerlegen ist da nichts. Es ist eine Tathsache.« [63] Aber nicht nur in den Briefen, Aufsätzen und Zeitschriften der Jungdeutschen findet man in den dreißiger und vierziger Jahren den Namen der französischen Schriftstellerin. Auch in ihren Romanen läßt sich dieser Einfluß feststellen. So weist Gutzkow in der Vorrede zur zweiten Auflage der *Wally* ausdrücklich auf sein französisches Vorbild hin:

> Es ist diese Walpurgis die französische Hexe Lelia in deutschem Gewande. Lelia hat freilich den Voltaire und Boccaz, unsre Walpurgis nur Tieck'sche Novellen und die Leipziger Modezeitung gelesen... Lelia ist ein schönes Ideal, das sich, von Tizian gemalt, prächtig an der Wand ausnehmen würde. Die arme Walpurgis ist nur so ein Aschenbrödel der Realität. [64]

Auch seine beiden folgenden Romane sind in der Nähe der Sandschen Vorstellungswelt angesiedelt. Auf die Abhängigkeit von der Figurenkonstellation der *Lélia* in Gutzkows *Seraphine* hat bereits Charlotte Keim verwiesen. [65] In seiner *Phantasieliebe* bezieht sich der Autor wieder selbst auf sein Vorbild. Die Heldin, Imagina von Unruh, wird stark durch die Lektüre von Sands *Jacques* beeinflußt. [66] Bei Theodor Mundt läßt sich der Einfluß der französischen Autorin besonders in seiner *Madonna* erkennen, deren böhmischer Mägdekrieg nicht ohne den Ehestreik in *Lélia* zu denken ist. Auf Laube wurde bereits eingegangen. [67]

Eine ähnliche Beeinflussung kann man bei den jungdeutschen Schriftstellerinnen nicht erkennen. Obgleich man Luise Mühlbach, Ida Hahn-Hahn, Fanny Lewald und Louise Aston die Verwandtschaft mit der französischen Autorin geradezu oktroyiert hat, finden sich in ihren Schriften höchst spärliche Äußerungen zu Werk oder Persönlichkeit der Sand. Luise Mühlbach und Ida Hahn-Hahn enthalten sich überhaupt jeder Stellungnahme – ein Phänomen, was besonders bei Hahn-Hahn erstaunen dürfte, von der immerhin fast 600 Seiten Reiseerinnerungen aus Frankreich vorliegen. [68] Vereinzelte Verweise finden sich in Louise Astons Roman *Aus dem Leben einer Frau,* in dem die Heldin die Sandsche *Indiana* liest. Etwas anders verhält es sich mit Fanny Lewald und Louise Otto-Peters. Bei ihnen stößt man gelegentlich auf den Namen von George Sand. Es waren jedoch in erster Linie die sozialen Aktivitäten und besonders das Eintreten für die Frauenrechte, was sie an der Französin faszinierte, während sie den Frauengestalten und Liebeskonflikten der frühen Romane wesentlich kühler gegenüberstanden. »Jene idealischen Weiber«, liest man in Lewalds *Lebensgeschichte,* »jene weiblichen, sogenannten unverstandenen Seelen« kamen ihr »eben so unwahr als langweilig« vor. [69] Man sieht also, daß selbst in dem Fall, wo sich weibliche Stellungnahmen finden lassen, das Urteil durchaus nicht mit dem ihrer männlichen Kollegen identisch ist. Wo Gutzkow »kühnste Neuerung in der Behandlung der Liebeskonflikte« hervorhob, empfand Lewald nur Langeweile und Unwahrheit. Was hingegen die beiden Frauen als das wirklich Progressive verstanden, nämlich das soziale Engagement der Autorin, wurde weder von Gutzkow und Mundt noch von Laube und Prutz erwähnt.

Wie kam es zu einer solchen Divergenz in der Meinung der beiden Geschlechter? Worauf beruhte diese geradezu antinomische Reaktion? Mußte nicht jeder weibliche Vorbehalt gegenüber einer Autorin, die den Mut hatte, den herrschenden Sittenkodex anzugreifen, und »zum ersten Mal in Europa ... einen neuen Frauentypus« [70] gefordert hatte, als ein Verrat an der eigenen Sache erscheinen? So naheliegend eine solche Vermutung auch sein mag, so wenig läßt sie sich bei genauerer Betrachtung aufrechterhalten. Denn was sich durch diese Zurückhaltung und diesen Meinungsdualismus in Wirklichkeit ausdrückt, ist gerade die Ambivalenz von Sands emanzipatorischem Ansatz. Es kann nicht bestritten werden, daß ihr unermüdliches Eintreten für die juristische Gleichheit der Frau, ihre scharfen Polemiken gegen das Eherecht des *Code civil* und ihre konsequente Verdammung jeder doppelten Moral wesentlich dazu beigetragen haben, die Notwendigkeit der Gleichrangigkeit von Frau und Mann einem größeren Publikum zugänglich zu machen. Damit hat sich die Theoretikerin Sand zweifellos als eine engagierte und reale Verteidigerin der anderen Frau erwiesen.

Doch wie sieht es mit der Romanciére aus? Spricht nicht auch ihre Vielzahl der emotional unangepaßten, über die gesellschaftlichen Barrieren hinwegliebenden Frauengestalten für die Abkehr vom traditionellen Weiblichkeitswahn? Liegt nicht gerade in der Aufgabe des Entsagungsmythos und der Forderung nach Gegenliebe unverkennbares weibliches Selbstbewußtsein? Ja und nein. Nicht der emotionale Gleichheitsanspruch entbehrt der Progressivität, sondern die Unmöglichkeit, ihn in der Regel verwirklichen zu können. Denn das Dilemma der Sandschen Heroinen liegt darin, daß sie in den seltensten Fällen an Männer geraten, die eine der ihren gleich starke, gleich ausdauernde und gleich ausschließliche Liebe aufbringen können. So ist beispielsweise die neunzehnjährige Indiana Delmare nicht nur mit einem jähzornigen, tyrannischen und sie ständig verletzenden Ehemann versehen, sondern darüber hinaus mit einem fast noch widerwärtigeren Liebhaber. Raymon de Ramière ist der Prototyp eines zynischen, egoistischen und absolut gefühllosen Opportunisten, dessen Vorzug gegenüber dem Gatten in seiner oberflächlichen Brillanz und seiner kalten Schönheit besteht. Und so mündet der Ausbruchsversuch Indianas nicht in die erhoffte Befreiung, sondern bloß in eine neue Sklaverei. Das Ehegefängnis wird durch ein Liebesgefängnis ersetzt, denn trotz angestrengtester Herzensbemühungen gelingt es ihr nicht, den Geliebten zu gleichen Empfindungen zu rühren. Raymon bleibt kühl räsonierend und ist bereits mit neuen Liebesstrategien beschäftigt. [71]

Das Problematische liegt darin, daß Sand diese emotionalen Diskrepanzen nicht als gesellschaftlich bedingte Unterschiedlichkeiten, sondern als geschlechtsspezifische Konstanten hinstellt. Die Botschaft ihrer frühen Romane ist daher fast ausschließlich die von der überlegenen Liebesfähigkeit der Frau. Während der Großteil der Männer nur gelegentlich und aus Zeitvertreib, sportlichem Ehrgeiz oder Eitelkeit liebt, konzentriert sich das Gefühl der Frau ausschließlich auf den einen, einzigen Geliebten. Sie hat ein qualitatives Liebesbedürfnis, er hingegen ein quantitatives. [72] Ihr Glücksanspruch scheitert an seiner wohltemperierten Gelassenheit. Lélia, die einsichtiger gewordene Heldin des vierten Romans, hat diese männliche Gefühlsinsuffizienz durchschaut und ihre Konsequenzen daraus gezogen. Mit einem elegischen Adieu-Amour wendet sie sich von allen Männern ab, um fürderhin nur noch dem himmlischen Herrn zu willfahren. Und spätestens hier beginnt man, sich zu fragen, wo denn eigentlich die moderne Frau geblieben ist und wo sich die Kühnheit der Liebesproblematik verbirgt. Denn trotz Ausbruchs- oder Ehebruchsversuchen und sämtlicher Attacken gegen die konventionelle Moral läuft doch letztlich wieder alles auf das alte, seit Rousseau sattsam bekannte Klischee hinaus [73]: Die Frau hat das große Herz und der Mann den großen Verstand. Allerdings hat sich bei dieser Gleichung eine nicht unwichtige Akzentverschiebung vollzogen. Im Grunde genommen hatte Rousseau die Frau als Individuum überhaupt nicht ernst genommen, eine Tatsache, die sich auch daran erkennen läßt, daß lediglich Emil zu einer Persönlichkeit erzogen wird, Sophie hingegen ausschließlich für Emil. Seine Festlegung der Frau auf die Belange des Emotionalen geschah weniger aus der Perspektive einer gerechten Fähigkeitsaufteilung zwischen den Geschlechtern, als vielmehr aus kompensatorischen Gründen. Was Rousseau interessierte, war vor allem die Ausbildung der männlichen Persönlichkeit. Ihr allein schrieb er die intellektuellen Attribute wie Geist, Wissen, Verstand und Erkennen zu. Um die Frau dabei nicht ganz leer ausgehen zu lassen, überließ er ihr das, was von diesem männlichen Gabentisch übrigblieb, nämlich das Herz. Damit konnte sie einem Mann stets das rechte Labsal spenden und überdies keinen allzugroßen Schaden anrichten.

Um die Ideologie seiner Rollenzuweisung zu verdeutlichen, hätte die Herz-Verstand-Formel eigentlich heißen müssen: Der Mann repräsentiert den Geist und die Frau bloß das Gefühl. Diese Formel wurde von Sand in ihren Romanen dahingehend abgewandelt, daß sie behauptete: Die Frau repräsentiert das Gefühl und der Mann bloß den Verstand. Das kleine Wörtchen ›bloß‹ ist hier entscheidend, denn es markiert die neue feministische Perspektive. Nicht mehr die Frau ist unzulänglich ausgerüstet für die wesentlichen Bereiche des Lebens, sondern der Mann. Infolge seiner mangelnden seelischen Größe ist er in den seltensten Fällen in der Lage, sich aus den Fesseln von Prestige und Renommee, von Prinzipien und Konventionen zu befreien – ein Schritt, der der Frau aufgrund ihrer größeren emotionalen Sicherheit in der Regel gelingt. Sand hielt an einer grundsätzlichen Wesensverschiedenheit von Mann und Frau fest, wertete aber das weibliche Prinzip beträchtlich auf. Dadurch erwarben sich ihre Romane einerseits das Renommee einer größeren Emanzipiertheit, verschreckten aber andererseits doch nicht das männliche Lesepublikum. Denn das A und O ihrer Protagonistinnen war und blieb der Mann. Weder Valentine und Indiana, noch Octave und Quintilia haben individuelle, politische oder soziale Interessen oder gar Berufsabsichten. Sie alle sehen nicht über die Welt der Liebe hinaus. Ihr ganzer Erwartungshorizont richtet sich einzig auf den Geliebten und die grande passion. Dafür sind sie bereit, allen Keuschheits- und Sittengesetzen zu trotzen und Ansehen, Familie und Vermögen zu opfern. Einer solchen Spielart von Emanzipation zollten Gutzkow, Laube und Mundt ihre volle Anerkennung. Hier glaubten sie, die Inkarnation der ›femme libre‹ gefunden zu haben, zumal die Autorin in der Ausschmückung ihrer Liebesszenen einen sehr viel größeren erotischen Schick bewies, als man das von der deutschen Literatur gewohnt war. Fanny Lewald dagegen, zweifellos die kritischste unter den jungdeutschen Schriftstellerinnen, ließ sich nicht täuschen. Sie sah etwas Unwahres in diesen gewaltigen Leidenschaften und überdimensionalen Frauenherzen. [74]

Die Modernität von Sands frühen Romanen war Pseudomodernität, ihr Avantgardismus nur ein halber Ruck nach vorn und die Pauschalverdammung der Männer die falsche Alternative. Ihre schriftstellerische Kühnheit lag weniger in ihrer Ideologie, als vielmehr in ihrer ästhetischen Draperie, war nicht Substanz, sondern Accessoire. Die neue feministische Perspektive verhinderte nicht den Rückfall in die gängigen Klischees, und die Freiheit der Frau beschränkte sich letztlich bloß auf die Wahl eines ›anderen Herrn‹. Und so stehen die Sandschen Protagonistinnen zwar in einer antinomischen Beziehung zu den Moralkonventionen ihrer Zeit, stoßen aber niemals zu einem dialektischen Verhältnis vor. Von daher erklärt es sich, daß gerade so progressive Autorinnen wie Fanny Lewald oder Louise Otto-Peters diesen Romanen mit Vorbehalt begegneten, während ein Mann wie Gutzkow, der sich schon frühzeitig als ein Gegener der Frauenbefreiung zu erkennen gab und in seiner *Philosophie der Geschichte* (1836) »die Emanzipation der Frauen« als »die albernste Idee, welche unser Zeitalter ausgeheckt hat« [75], bezeichnete, von der Kühnheit ihrer Heldinnen überwältigt war. Auf die wirklich kühnen theoretischen Gleichheitskonzepte der Französin ging er hingegen gar nicht ein. Insofern war die Wirkung George Sands eine ähnliche wie die des Saint-Simonismus: Sie war in erster Linie emanzipationsstimulierend. Indem die deutschen Literaturblätter höchst polemisch auf den Sandschen Liebesliberalismus reagierten, wurde auch das Thema der Frauenemanzipation zu einem verbreiteten und Affekt auslösenden Gesprächsstoff des literarisch und kulturell interessierten Bürgertums. Hinzu kam, daß ihre größere Brillanz und Freizügigkeit in der Darstellung erotischer Szenen den tatsächlichen Fortschrittsgehalt verschleierten. Ebenso wie die Jungdeutschen die saint-simonistische Einladung zum Fleischgenuß schon als hinlängliche Voraussetzung für die Erschaffung der »femme libre« verstanden, hielten sie auch das entschleierte Fleisch der Indianen, Octaven und Lucrezien bereits für ein ausreichendes Modernitätsindiz. Sie vergaßen dabei allerdings, daß ein solches Indiz auch schon in Heinses *Ardinghello* oder *Hildegard von Hohenthal* zu finden war. Hier sahen die Frauen, als die Hauptbeteiligten, entschieden klarer: Durch die Sandschen Frauengestalten konnte das weibliche Selbstbewußtsein nur wenig entwickelt werden. Aber sie trugen dazu bei, dem Emanzipationsgedanken ein stärkeres Echo in der Öffentlichkeit zu verschaffen.

# III. Die Emanzipation des Herzens

## *Luise Mühlbachs kecke Jahre*

Nach den schriftstellerischen Präliminarien der Sophie von LaRoche, Friederike Unger, Christiane Naubert, Therese Huber und Bettina von Arnim verlor der Frauenroman in den späten dreißiger Jahren des 19. Jahrhunderts seine marginale Position als weibliche Einzelleistung und wurde zum integrierten Bestandteil der deutschen Literatur. Wenn man bis dahin ›die Frauen der Feder‹ eher als kuriose Raritäten auf der literarischen Szenerie betrachtet hatte, so bahnte sich in dieser Hinsicht um 1840 eine Wende an. Ganz bewußt setzte Sophie Pataky – eine der großen Ausnahmeerscheinungen, die sich schon zu Ende des vorigen Jahrhunderts um die Bekanntmachung des weiblichen Schrifftums verdient gemacht hat – dieses Jahr als Zäsur für ihre Autorinnenbibliographie an. »Mit geringen Ausnahmen«, so schreibt sie, hatte in der Zeit davor »der schriftstellerische Drang der Frau in der Abfassung von Koch-, Haushaltungs- und Handarbeitsbüchern seinen sichtbaren Ausdruck und seine Befriedigung gefunden.« [1] Ein kurzer Hinweis auf das folgende Zahlenmaterial ist eine deutliche Veranschaulichung der veränderten Situation. So führt Elise Oelsner in ihrer Zusammenstellung wissenschaftlicher und schriftstellerischer Arbeiten von Frauen für das 16. Jahrhundert drei, für das 17. Jahrhundert sieben und für das 18. Jahrhundert 40 weibliche Namen an. [2] Demgegenüber nennt Carl Wilhelm von Schindel für das letzte Drittel des 18. Jahrhunderts zwar 223 schreibende Frauen [3], doch dazu muß ergänzend erwähnt werden, daß Schindel auch solche Frauen in seine Bibliographie aufnimmt, die irgendein unveröffentlichtes Gelegenheitsgedicht hinterlassen haben. Sophie Pataky dagegen kann in ihrem Schriftstellerinnen-Lexikon für den Zeitraum von 1840–1890 bereits auf 4547 Namen verweisen.

Wenn man sich vergegenwärtigt, daß zu Beginn des 18. Jahrhunderts die Gesellschaft noch ernsthaft mit der Frage beschäftigt war, ob die Frauenzimmer überhaupt zu den Menschen zu rechnen seien [4], daß 1771 mit dem *Fräulein von Sternheim* ein erster gewichtiger Frauenroman erschienen war und bereits in der jungdeutschen Zeit die Schriftstellerinnen ein beachtliches literarisches Kontingent gebildet hatten, wird man zugeben müssen, daß der deutsche Frauenroman eine erstaunlich kurze Anlaufzeit zu verzeichnen hat. Es kann deshalb nicht verwundern, wenn es sich bei diesen frühen Dokumenten weiblichen Selbstbewußtseins zunächst einmal um erste tastende Artikulationsversuche handelt. Besonders Luise Mühlbach und Ida Hahn-Hahn äußerten in ihren Romanen eher spontane und häufig sogar recht widerspruchsvolle Gleichheitsideen und ließen noch nichts

Programmatisches erkennen. Als retardierendes Moment in dieser Entwicklung kam, wie erwähnt, noch hinzu, daß die deutschen Frauen – durch das Fehlen der Revolutionen – nicht die Möglichkeit gehabt hatten, eine politische Solidarität zu entwickeln. Ihre emanzipatorischen Impulse entsprangen daher meist einem persönlichen Ungenügen an der üblichen Reduzierung der Frau auf die Tochter- und Gattinfunktion und trugen stark individualistische Züge.

Als eine erste Anwältin in eigener Sache trat Luise Mühlbach (1814–1873), Pseudonym für Klara Mundt, auf den Plan. Sie wurde am 2. Januar 1814 als Tochter des Oberbürgermeisters Müller in Neubrandenburg in Mecklenburg geboren und hatte das Glück, eine äußerst vielseitige und für damalige Verhältnisse recht unkonventionelle Erziehung zu erhalten. Als besonders günstig für ihre Entwicklung erwiesen sich die musischen Interessen beider Eltern und die exponierte Stellung, die der Vater als Bürgermeister innehielt. »Das Haus meiner Eltern«, schreibt sie in ihren Erinnerungsblättern, »war der Zusammenfluß für alles geistige Leben, für alle künstlerischen Interessen der ganzen Stadt, vielleicht des ganzen kleinen Landes. Alles, was Neues in der Literatur erschien, ward dem Vater aus Berlin gesandt, und das theilte er an solchen Abenden den Freunden mit; Alles, was Neues in der Musik erschien, erhielt meine Mutter.« [5] Dadurch wurde sie frühzeitig zu gemeinsamem Musizieren sowie zu eigener Lektüre angeregt und entwickelte bald ein leidenschaftliches Interesse für Literatur. Ihre besondere Vorliebe galt den Schriften der Jungdeutschen. Hinzu kam, daß sie durch häufige Reisen die Chance hatte, schon in jungen Jahren dem üblichen weiblichen Scheuklappendasein zu entkommen und zahlreiche außerhäusliche Anregungen zu erfahren. Sicherlich hing es mit dieser größeren persönlichen Freiheit zusammen, daß sie sich früher, als das bei den Schriftstellerinnen sonst der Fall war, selber literarisch äußern konnte und bereits mit 24 Jahren ihren ersten Roman vorlegte. Auf jeden Fall traf die Behauptung von Prutz, »daß in den meisten Fällen Schmerz, Kummer, Verzweiflung die Muse unserer Frauen ist« [6], nicht auf Luise Mühlbach zu. Bei ihr waren es spontane literarische Begeisterung und soziales Engagement für die Benachteiligten, die sie zu ihrer schriftstellerischen Artikulation beflügelten. Sie schickte diese Versuche an Theodor Mundt, der ihr besonders interessant erschien, und erhielt von ihm eine erste anspornende Ermunterung. Daraufhin entspann sich ein ausgedehnter Briefwechsel zwischen den beiden, der 1839 zu einer – nach der Meinung der Zeitgenossen – äußerst glücklichen ehelichen Verbindung führte.

Luise Mühlbach war zweifellos die produktivste der jungdeutschen Autorinnen. Sie schrieb ohne Unterlaß und hat es in ihren 59 Lebensjahren zu der unvorstellbaren Zahl von 290 Romanen gebracht. [7] Was in diesem Zusammenhang interessiert, ist allerdings nicht die kaum übersehbare Masse ihrer historischen Romane, sondern jene elf Werke, die sie in den Jahren von 1838 bis 1849 publizierte und die ihr den Ruf oder auch Verruf einer »Emancipirten« einbrachten. Was zunächst auffällt und ihre Romane von allen anderen jungdeutschen Werken unterscheidet, ist eine fast barocke Handlungsfülle. Metaphysische Spekulationen und theoretisierende Sentenzen treten fast ganz in den Hintergrund vor einem alles überwuchernden Tatendrang. In Mühlbachs Romanen herrscht die permanente Aktion. Und zwar handeln alle. Hier verliert die apodiktische Grenzziehung zwischen dem aktiven und dem passiven, dem hinausstrebenden und dem sich begrenzenden Geschlecht ihre normative Gültigkeit. Es kommt vor – wie zum Beispiel in *Bunte Welt* (Bd. 1, S. 114), *Der Zögling der Natur* (S. 163) oder *Aphra Behn* (Bd. 1, S. 173) –, daß die Frau, um sich selbst oder ihre Überzeugungen zu verteidigen, sogar gewalttätig wird. Anders als die Indiana der George Sand, die die Stiefelschläge ihres ungeliebten Ehemannes widerstandslos hinnimmt, greift Aurelia in einer ähnlichen Situation sogleich zum Dolch, um sich gegen die Handgreiflichkeiten ihres Gatten zu verteidigen. [8]

Aber in diesem zunächst so verwirrend erscheinenden Handlungsgestrüpp lassen sich dennoch einige Basismotive erkennen. Dazu gehören die Kritik an der bestehenden Konvenienzehe sowie die Forderung nach erleichterten Scheidungsmöglichkeiten, der Zweifel an der ewigen Dauerhaftigkeit der ersten Liebe und das soziale Engagement für benachteiligte Bevölkerungsgruppen. Mit solchen Themenkreisen entrichtete die Autorin einen nicht unwesentlichen Beitrag zum jungdeutschen Roman. Besonders die Kritik an der Konvenienzehe hatte im Roman des 18. Jahrhunderts noch keine vergleichbare Bedeutung gehabt. Schon durch die unterschiedliche Struktur der Adelsehe, die in erster Linie eine repräsentative Funktion innehatte und in welcher der emotionale Bereich als »bürgerliche Innerlichkeit« verpönt war, konnte die Vernunftsheirat keine großen Frustrationen auslösen. Die Ehepartner bildeten in der Regel keine eheliche Einheit, ja bewohnten »oft genug ihr eigenes ›hôtel‹« und hatten nicht einmal einen gemeinsamen Hausstand. [9] Häufiger als in der Intimsphäre des eigenen Domizils, traf man sich bei offiziellen Anlässen, denn um die Geschlechterkontinuität und die ererbten Privilegien zu sichern, war der Name bereits ein hinreichender Garant. Die Mätresse war Institution. [10] Der Mann brachte sie quasi schon als Mitgift in die Ehe, und die Frau hatte es nicht schwer, das Pendant dazu während der zahlreichen Soireen zu finden. Sophie von LaRoche hatte in ihrem *Fräulein von Sternheim* dieser Adelsgesellschaft, deren Lebensinhalt aus einer Aneinanderreihung von Bällen, Gartenfesten und Landpartien bestand, einen getreuen Spiegel vorgehalten. Wenn Sophie jenen Kreisen gegenüber als ein Vorbild hingestellt wurde, entsprang das einer veränderten gesellschaftlichen Konzeption, in der sich bereits eine emotionale Verbürgerlichung der Aristokratie ankündigte, das heißt eine Privatisierung des Gefühls. In dem Maße, wie sich das aufstrebende Bürgertum zu einer ökonomischen Realität entwickelte, vollzog sich gleichzeitig ein Strukturwandel im Bereich des Matrimonialen. Mit der allmählichen Verarmung breitester aristokratischer Kreise war ein derart aufwendiger Ehestil einfach nicht mehr durchzuführen. Damit verlor die Ehe ihren rein repräsentativen Charakter und verlagerte sich aus der Sphäre der Öffentlichkeit zunehmend in die der Innerlichkeit. Als Folge dieses Rückzugs ins Private ergab sich für die Eheleute ein sehr viel engerer Kontakt miteinander, bei dem besonders die Frau ganz auf die Person des Mannes angewiesen war. Sie hatte sowohl ihre repräsentativen Pflichten in der Öffentlichkeit als auch, sofern sie aus kleineren Handwerkskreisen kam, ihre mitarbeitende Hilfe als Hausmutter eingebüßt, da das Ansehen der neuen Bürgerfamilie vor allem am Müßiggang von Frau und Tochter gemessen wurde.

Erst mit der Etablierung des Bürgertums als tonangebender Gesellschaftsschicht, in Deutschland also erst in den dreißiger und vierziger Jahren des 19. Jahrhunderts [11], konnte das Problem der Konvenienzehe Allgemeingültigkeit aufweisen. Wenn daher bei Luise Mühlbach und ebenfalls bei den anderen jungdeutschen Schriftstellerinnen dieses Thema einen konstituierenden Anteil in den Romanen ausmacht, spiegelt sich darin nicht etwa eine larmoyante Erzählermentalität, sondern ein akutes Bedürfnis der Zeit. Erst vor dem Hintergrund solcherart veränderten Gesellschaftsstruktur gewinnt die Polemik gegen die Konvenienzehe ihre emanzipatorische Bedeutung. Ohne diese soziologische Perspektive läuft man Gefahr, manch einen der jungdeutschen Frauenromane als bloße rührselige Liebesgeschichte mißzuverstehen, so wie das Hildegard Gulde bezüglich Luise Mühlbachs *Erste und letzte Liebe* unterlaufen ist. [12] Denn selbst wenn inzwischen darüber Einigkeit bestand, die Frau mit zu den Menschen zu zählen, negierte man weiterhin die Ansprüche ihrer Individualität; und die ›Emanzipation des Herzens‹ war weit davon entfernt, eine Selbstverständlichkeit zu sein. Die Mehrzahl der Männer vertrat immer noch den Standpunkt Rousseaus, nach dem der Hauptberuf der ›Weiber‹ zu reizen und zu gefallen sei. Entsprechend dieser Maxime forderte selbst ein Liberaler wie Laube, daß die Frau bei Nichteinhaltung ihrer Pflichten gefälligst von der Bühne zu treten habe:

> Die Männer sind nicht da, um zu gefallen, aber die Frauen sind's; wenn man die Waffen verloren hat, kann man nicht mehr Soldat sein, wenn man nicht mehr gefallen kann, muß man's verstecken, daß man eine Frau ist. [13]

Deutlicher konnte sich ›der doppelte Blick‹ kaum offenbaren. Während nach Laube dem Mann ein natürliches Recht auf Häßlichkeit und Alter zustand, verlor die Frau ihre Existenzberechtigung, sofern sie nicht eine dekorative Hülle vorwies. Zeigten sich die ersten verunzierenden Runzeln, hatte sie sich flugs hinter einer glatteren Larve zu verstecken. Ihre Gedanken, Empfindungen und Gefühle kamen bei einem solchen Rotationsverfahren gar nicht in Betracht. Es mußte ihr genügen, daß sie gefiel, und ein Eheantrag hatte sie stets in Euphorie zu versetzen. Und so schien sich die Gesellschaft darauf verschworen zu haben, dem Mädchen die Konvenienzehe als die natürlichste Sache der Welt aufzuzwingen. Der erste, der die Frustrationen solcher Verbindungen in ihrem vollen Ausmaß erkannt hatte, war Johann Gottlieb Fichte. Selbst wenn sich seine Eheauffassung aus der naturgegebenen Unterschiedlichkeit der Geschlechter herleitet und stark patriarchalische Züge aufweist, wandte er sich – als Vertreter des ethischen Individualismus – mit besonderem Nachdruck gegen jede Art von Heiratszwang. In seinem *Eherecht* geht er davon aus, daß der Inbegriff aller Rechte *die Persönlichkeit* ist und die höchste Pflicht des Staates darin besteht, diese zu schützen. Wenn die Frau dazu gezwungen wird, sich ohne Liebe der Geschlechtslust des Mannes zu unterwerfen, büßt sie die Würde ihrer Persönlichkeit ein. Es gehört infolgedessen zu den dringlichsten Aufgaben des Staates, seine Bürgerinnen vor einer solchen Situation zu bewahren. Aber nicht allein im Fall der Notzucht besteht ein derartiger Zwang, sondern ebenso in der elterlichen Überredung zu einer Ehe ohne Neigung, die nach Fichte einer strafbaren Handlung gleichkommt. »Diese Art des Zwanges ist die schädlichste und weit beleidigender, als die erstangezeigte physische Gewalt«, schreibt er in seinem *Naturrecht*. »Bei dem ersten wird das Weib doch hinterher wieder frei; bei diesem Zwange wird sie gemeiniglich auf ihr ganzes Leben um die edelste und süßeste Empfindung, die der Liebe, und um ihre wahre weibliche Würde, um ihren ganzen Charakter betrogen; völlig und auf immer zum Werkzeuge heraberniedrigt.« [14]

Aber mit einer solchen Haltung stand Fichte so ziemlich allein da. Schließlich gehörte es zur besten deutschen Philosophentradition, das »sexus sequior« in seinem individuellen Anspruch gar nicht für voll zu nehmen. Das ›Weib‹ hatte einen Fortpflanzungstrieb und einen »Häuslichkeitstrieb« [15], und wenn beide befriedigt wurden – darin waren sich Philosophen und Hausväter durchaus einig –, dann kam die Liebe schon von selbst. Daß die nach Emanzipation drängenden Frauen hier entschieden anders dachten, verdeutlicht ein Blick auf ihre Romanproduktion. Sobald sie die Möglichkeit hatten, schriftstellerisch wirksam zu werden, spitzten sie die Feder, um sich gegen diesen Zwang zu wehren. Es kann deshalb auch nicht verwundern, wenn ein Großteil ihrer Romane um Motive wie Liebes- und Zwangsverbindung, freiwillige und erzwungene Entsagung oder Scheidung und Wiederverheiratung kreist. Sähe man darin nichts anderes als das übliche verpönte Frauenzimmergeschwätz, so hieße das, den historischen Hintergrund vergessen. Denn es ging hier ja nicht um amouröse Arabesken oder pikante coups de foudre, sondern um die Existenzfrage der Frau im allgemeinen oder, wie Fichte es ausgedrückt hatte, um das Problem, inwieweit man verhindern könne, daß die Hälfte der Menschheit auf lebenslänglich »zum Werkzeug herabeniedrigt« würde. Und so ist auch Mühlbachs erster Roman die beredte Illustration eines von solchen Zwängen und Frustrationen beherrschten Frauenlebens. Am Schicksal ihrer Heldin Emilie verdeutlicht sie die ganze kommerzielle Tragweite der geplanten Konvenienzehe, bei der es nicht nur um die Sicherstellung der Tochter, sondern darüber hinaus auch um die materielle Versorgung der übrigen Familie geht. Der folgende Dialog zwischen Mutter und Tochter dokumentiert eine Situation, die für das bürgerliche Mädchen exemplarischen Charakter hatte:

Geliebtes Kind, ich habe Dich gerufen, um mit Dir über ernste, für Dein Leben folgerichtige Gegenstände zu sprechen ... Du weißt, daß wir kein bedeutendes Vermögen haben, daß wir schwerer Zukunft entgegensehen. Wenige Monate noch, und Dein geliebter Vater wird uns auf immer verlassen, eine innere Ahndung sagt es mir, er wird diesem Brustübel erliegen. Dann bist Du mit Deinen Geschwistern vaterlose Waise, ohne Stütze, Euch zu beschützen ... da zeigt uns nun ein Gott in unserer Bedrängniß eine Hülfe, und Du sollst meine Trösterin werden! – Der junge Rauben wirbt um Deine Hand, er hat mir so eben geschrieben, er bittet mich, Dein Herz zu erforschen, ob es frei ist. Und wenn es nicht so wäre, meine Mutter? Dann müßtest Du die thörichten Wünsche Deines Herzens unterdrücken, und dem Glücke Deiner Familie dies kleine Opfer bringen. Du hast keine Wahl mehr. Selbst diese Thränen, die Du als eine Thörin weinst, bestärken mich in meinem Willen. [...] Heute noch kommt Rauben, und Du wirst und sollst ihn als Deinen Verlobten begrüßen, und mein Fluch treffe Dich, wenn Du Dich weigerst, meinen Willen zu thun. [16]

Daraufhin gerät Emilie in die typische Konfliktsituation der höheren Töchter, deren Neigung mit dem Interesse ihrer Familie kollidiert, und es beginnt der enervierende Bekehrungsprozeß, der das Mädchen zu freiwilligem Verzichten abrichtet. Dazu läßt es die Autorin jedoch nicht kommen. Ganz im Sinne des ethischen Individualismus eines Fichte nimmt sie Emilie als Persönlichkeit ernst und verteidigt ihren Neigungsanspruch gegenüber den Forderungen der Eltern. Es ist darum nur konsequent, wenn sich die Protagonistin bei der Lektüre der *Wahlverwandtschaften* entschieden gegen Ottiliens Entsagungsethos wendet:

Ich würde mich nicht verhungern aus Liebe zu ihm und weil er nicht mein eigen sein kann, ich würde zu ihm treten und sagen: weil ich Dich mehr liebe, als Alles in der Welt... darum darf auch Nichts mich von Dir trennen, ich will Dir zeigen, wie ich liebe. – Die Sitte, die heilige Sitte trennt Dich von mir, Dir opfere ich sie, Dir opfere ich Ehre und Gewissen. [17]

Die erzählerische Einkleidung dieser Emanzipation des Herzens ist allerdings nicht frei von Hintertreppenromantik. Zum Teil tauchen sogar alte Motive der Ritterromane wie Flucht der Liebenden, heimliche Trauung, Personenverwechslung und doppelter Scheintod wieder auf. Doch trotz der listenreichen Initiative des Paares gelingt es ihm nicht zusammenzubleiben. Nach der langwierigen Krankheit Emilies überzeugt man diese von dem Tod ihres Geliebten, nachdem man jenen zuvor von dem ihren benachrichtigt hatte. Und so bleibt ihr nichts anderes übrig, als für immer auf die Verwirklichung ihres Herzensanspruchs zu verzichten und ihr weibliches Selbstbewußtsein nur durch die Verweigerung einer Konvenienzehe zu manifestieren. Im Unterschied zu den üblichen Entsagungsromanen, angefangen von Caroline von Wobesers *Weib wie es seyn soll* (1789) bis hin zu Fontanes *Irrungen, Wirrungen* (1887), verzichtet Emilie nicht, wie Elisa oder Lene Nimptsch, weil sie die Vorrangigkeit der gesellschaftlichen Normen akzeptiert, sondern weil sie durch eine Intrige dazu gezwungen wird. Damit wird der Verzicht auf den individuellen Glücksanspruch nicht mehr, wie noch bei Fontane, zu einer metaphysischen Notwendigkeit stilisiert, sondern auf die Ebene des Zufalls zurückgewiesen. In einer solchen Enttranszendierung des Entsagungsethos liegt der emanzipatorische Ansatz des Mühlbachschen Romans und seine größere Progressivität selbst gegenüber einem in anderer Hinsicht so viel gelungeneren Roman wie *Irrungen, Wirrungen*. Daß man diesen Punkt bisher so wenig beachtet hat, beruht auf der abenteuerlichen Verpackung ihrer Fabel. Mit keckem Griff verwendet Mühlbach das ganze Motivarsenal des Kolportage- und Schauerromans, um ihre Geschichte aufzuputzen. Doch eine solche Abenteuerlichkeit der Handlung, die sich in allen ihren Romanen breitmacht, leistet der emanzipatorischen Intention keine besonderen Dienste. Das Spannungsmoment gerät zu stark in den Vordergrund und verdeckt die progressiven Impulse. Hier wird ein Johann Gottlieb Fichte ganz unbekümmert durch Christian August Vulpius verdrängt.

Hinzu kommt aber noch etwas anderes, Schwerwiegenderes: nämlich die offensichtliche Inkonsequenz der Autorin selbst. Einerseits verherrlicht sie ihre Heldin als Inkarnation der ›femme libre‹, die sich über alle konventionellen Barrieren hinwegsetzt, indem sie sich heimlich sogar mit einem noch verheirateten Mann vermählt, andererseits verurteilt sie diese mit geradezu barocker Vehemenz. Und so liest man mit Erstaunen, wie die »nur für die Liebe geschaffene« und sich nicht »den kalten Entsagungsgesetzen« [18] unterwerfende Emilie plötzlich mit apokalyptischem Pathos verdammt wird. »Darum wehe dem, der ihm [Gott] mit frevelnder Hand vorgreift, der in verzweifelndem Schmerze sich selber sein Schicksal schafft. Dulde und gehorche! das ist das Schild, das uns Erdenpilgern mitgegeben wird in dem Kampf mit dem Leben.« [19] Damit mündet der anfängliche Freiheitselan in blinde Gottesunterwürfigkeit und der emanzipatorische Aufbruch in ein Zurück-zum-Barock. Ganz in dieser Magdalenen-Stimmung endet der Roman: »Verzeihe auch denen, durch die unser Lebensglück vernichtet ward«, salbadert Emilie angesichts ihres nahenden Todes. »Ihr Wille war gut, laß uns dieses nie vergessen. Und der Mensch ist ja nur ein Werkzeug in der Hand Gottes ... schwer haben wir beide gefehlt, laß uns nicht murren über die zu gnädige Strafe. – Eine freudige Stimme in meinem Herzen sagt mir, unser Schicksal ist versöhnt, – dort, ja dort werden wir uns wiedersehen.« [20] Hier hat die Vanitas-Ideologie entschieden die Oberhand gewonnen. Das Jahrhundert der Aufklärung und der Vernunftsethik, dessen Bildungsoptimismus die Prämissen zu einer ersten Gleichheitsbereitschaft ermöglicht hatte, scheint wie weggeblasen und der Mensch wieder auf die bloße Werkzeug-Gottes-Funktion reduziert. Es hat den Anschein, als ob Luise Mühlbach hier vor ihrer eigenen avantgardistischen Courage erschrickt und schleunigst in die gottgeschützte Tradition zurückkehrt. Darin erweist sie sich als eine echte Repräsentantin der Metternichschen Restauration, die wohl zu den uneinheitlichsten und widerspruchsvollsten Epochen gehört und in der das Nebeneinander von revolutionären und reaktionären Elementen geradezu strukturbildend war. Auch der Rückgriff auf solche barocken Glaubensmuster gehört – wie Sengle in seiner Biedermeierzeit nachgewiesen hat [21] – durchaus zum Stimmungsbild dieser Ära, die nicht nur den Auftakt zu einem allgemeinen Liberalismus, sondern ebenso das Finale alter, auslaufender, voraufklärerischer Traditionen wie Barock und Rokoko bildete. Von daher erklärt sich das bereits beobachtete Phänomen, daß die meisten emanzipatorischen Dokumente dieser Epoche einen wesentlich ambivalenteren Charakter aufweisen als beispielsweise die Schriften von Gottsched, Gellert oder Hippel.

Der Weg von Sophie von LaRoche bis zu Fanny Lewald ist daher keineswegs geradlinig verlaufen. Vieles von dem, was die Autorin des ersten Frauenromans auf fiktionaler Ebene bereits entworfen hatte, ist an die Peripherie gedrängt oder gar nicht weiterentwickelt worden. Und so bedeutete die Auseinandersetzung mit der Situation der Frau für die Jungdeutschen in vieler Hinsicht einen Neuansatz. Die Lage der Schriftstellerinnen war insofern schwierig, als sie keine eindeutige ideologische Unterstützung von seiten ihrer männlichen Kollegen erhielten. Solange Mundt davon überzeugt war, daß selbst die geistvollsten Frauen nie ganz von ihrem häuslichen Kreise abzuziehen seien [22], und Gutzkow diejenigen, die durch ihr beredtes Auftreten in der Öffentlichkeit das Gegenteil bewiesen, wiederum verspottete, weil sie ihren Mund nicht mehr ausschließlich zum Küssen benutzen wollten [23], mußte die Frau weiterhin um ihren Geschlechtswert in Sorge sein. Die Vorstellung von dem unauslöschlichen Kainsmal der Widernatürlichkeit, die dem Typ des ›Blaustrumpfs‹ anhaftete, war zu tief in der männlichen Denkweise verwurzelt, um vorbehaltlos verschwinden zu können. Schon aus diesem Grunde ist es erklärlich, wenn die ersten emanzipatorischen Bemühungen der Schriftstellerinnen sich immer wieder an herkömmlichen Verhaltensmodellen orientieren. Denn darin liegt letztlich der fundamentale Unterschied zu jeder anderen Befreiungsaktion: das Band, das die Frau an ihren Unterdrücker bindet, ist mit keinem anderen vergleichbar. Hugenotten und Jakobiner, Kommunisten und Rassismus-Gegner haben nicht gezögert, sich notfalls ihrer Beherrscher auch mit Gewalt zu entledigen. Die Situation der Frau ist jedoch eine andere. Sie allein bildet mit ihrem Beherrscher ein Paar und will ja, auch wenn sie sich emanzipiert, dennoch seine Liebe behalten, wodurch sie in ein höchst ambivalentes Verhältnis zu ihrem Freiheitsbeschränker gerät. In diesem Zusammenhang sind auch die zahlreichen Inkonsequenzen zu sehen, auf die man in den Romanen der Gattin des vom »Häuslichkeitstrieb« so fest überzeugten Mundt immer wieder stößt. Nur durch diese Ambivalenz erklärt sich das Phänomen, daß neben den Unabhängigkeitsbeteuerungen der Autorin immer wieder eine Hommage an die männliche Überlegenheit durchklingt. Ins geradezu Peinliche entgleist diese Tendenz allerdings in ihrem Roman *Die Gattin* (1839) in der sonst so kritischen Tetralogie der Frauenschicksale. Hier scheint sich die Autorin zur Verbündeten von Caroline von Wobeser gemacht zu haben und ›das Weib, wie es sein soll‹ fröhliche Urständ zu feiern. Noch einmal greift Mühlbach das Bestseller-Motiv des ausklingenden 18. Jahrhunderts auf und predigt, wie durch die bedingungslose Unterwerfung der Frau unter die Herrschaft des Mannes auch aus einer unglücklichen Ehe schließlich eine glückliche zu machen ist. Anna, ›die neue Elisa‹, übertrifft ihre Vorgängerin sogar noch an emphatischer Unterordnung. Wie eine Heilige duldet sie still jede Widerwärtigkeit ihres tyrannischen Gemahls und ermuntert selbst noch die Schwester, getrost ihrem Vorbild zu folgen: »Ich sage es aus voller Ueberzeugung, *es ist besser unglücklich verheirathet zu sein, als gar nicht.*« [24] Und durchdrungen vom Pathos ihrer Sklavenmoral läßt sie sich dazu hinreißen, eine allgemeine Apotheose des männlichen Geschlechts anzustimmen: »Ein Mann, ein wahrer Mann, ist das Meisterwerk des göttlichen Geistes, und einem solchen in Liebe sich zu unterwerfen, ihm zu dienen, ihn als Herrn und Schutz anzuerkennen, das ist wohl etwas Schönes.« [25] Und so endet der Roman ganz nach altbewährtem Wobeser-Rezept: Die unterwerfungsunlustige Schwester wird mit frühzeitigem Altern und totaler Vereinsamung bestraft, während sich die gefügige Ehefrau einer permanenten Jugendlichkeit und der zunehmenden Achtung ihres Mannes erfreut. Damit hat Mühlbach der Status-quo-Moral einen peinlichen Tribut gezollt und einen Meilenstein der Restauration gesetzt.

Doch schon in ihrem drei Jahre später erschienenen Roman *Der Zögling der*

*Natur* (1842) äußert sich das weibliche Selbstbewußtsein entschieden vernehmlicher. Konnte man in *Erste und letzte Liebe* noch die gängigen Klischees finden, wie "Das Mädchen, das wahrhaft liebt, vergißt ihr eigenes Dasein, hat ihr ganzes Ich hingegeben dem Einen, dem ewig Geliebten, hat in ihrem Herzen nur Raum für den Einen Gedanken ... Und mag der Mann heiß und glühend lieben können, der Liebe eines Weibes kommen seine Gefühle nicht gleich" [26], so stellte die weibliche Hauptperson aus *Dem Zögling der Natur* eine solche an Selbstauslöschung grenzende Liebe grundsätzlich in Frage. Obgleich Catharina für Antonio die heißesten Gefühle äußert, hat sie nicht nur Raum für diesen »Einen Gedanken« und vergißt darüber durchaus nicht ihr eigenes Dasein, denn schließlich ist sie eine berufstätige Frau. Als sie von Antonio vor die Entscheidung gestellt wird, sich »mit ihm in die stille Natur« zurückzuziehen und ausschließlich ihrer Liebe zu leben oder ihr bisheriges Leben weiterzuführen und auf *ihn* zu verzichten, entschließt sie sich zum letzteren. »Die Liebe allein macht nicht glücklich«, gesteht sie ihm ohne Vorbehalt, »es bedarf dazu der ganzen Staffage des Lebens... mitten in dieser rauschenden stürmischen Welt ist mir wohl, und so sehne ich mich oft nach einer stillen, heimlichen Stunde, um sie mit Dir zu verplaudern, – wenn aber diese Stunde Ewigkeit würde, könnte sie mich tödten vor Langerweile!« [27]

Das sind nicht mehr die Worte eines Wesens, dessen einziger ›Beruf‹ die vorbehaltlose Hingabe an den Mann ist. So hätte kein Gretchen oder Klärchen gesprochen, und auch die Sandschen Heroinen hätten einem derart hingabebereiten Liebhaber niemals widerstehen können. Catharinas größere Selbständigkeit gegenüber den erwähnten Frauengestalten äußert sich darin, daß ihre Glückserwartung nicht mehr ausschließlich am männlichen Prinzip orientiert ist. Sie hat eigene Wünsche, Vorstellungen und Hoffnungen, die sich aus ihrer Künstlerexistenz als Sängerin herleiten. Der Gesang bedeutet ihr deshalb auch nicht nur ein schönes Accessoire, das bereitwilligst abgelegt wird, sobald erst ›der Rechte‹ erschienen ist, sondern eine wirkliche Lebensaufgabe. Damit verliert ihre Berufstätigkeit die für die Frau bezeichnende kompensatorische Überbrückungsfunktion und das unverwüstliche Klischee von der überlegenen Liebesfähigkeit des weiblichen Geschlechts seine Gültigkeit. Catharina begnügt sich nicht mehr damit, die Hohepriesterin eines einzigen Herzens zu sein, sondern strebt darüber hinaus nach Ansehen, Ruhm und Erfolg wie jeder andere männliche Künstler ebenfalls. Darin, daß Mühlbach eine solche Gestalt weder als kalte Karrierehyäne noch als leichtfertige ›femme fatale‹ interpretiert, liegt das Avantgardistische dieses Romans, was nur dadurch eine gewisse Einschränkung erfährt, daß die Heldin gerade eine Sängerin ist. Denn schließlich hatte man Künstlerinnen schon immer einen größeren Freiheitsraum zugestanden und ihr Verhalten nicht nur am üblichen Sittenkodex gemessen. Sie befanden sich gewissermaßen in einem zugebilligten Randfeld der Moralität, welche das Hauptfeld nicht eigentlich bedrohen konnte. Ihr Freiheitskonsum hatte letztlich keinerlei Verbindlichkeit für die Frau im allgemeinen. Sie waren im anderen Sinne ›die anderen‹, die ihren größeren individuellen Aktionsraum mit einer Einbuße an Respektabilität bezahlen mußten. Eine solche

Einbuße erleidet hingegen Catharina nicht. Im Gegenteil: in einer zutiefst korrupten Gesellschaft ist sie nahezu die einzige, die materiellen Gütern gegenüber unempfindlich geblieben ist und sich ein offenes Ohr für die Kümmernisse der Benachteiligten und Erniedrigten bewahrt hat. Und gerade in dieser Koppelung von erotischer Selbständigkeit und sozialem Verantwortungsgefühl äußert sich Mühlbachs Progressivität. Damit durchbricht sie ein hartnäckiges Klischee, das bis in das 20. Jahrhundert hinein im Frauenroman nachwirkte: nämlich die Vorstellung, daß die nach Unabhängigkeit strebende Frau gleichzeitig die moralisch minderwertige ist. [28]

Um dem literarischen Innovationswert der Frauengestalten dieser frühen Romane gerecht zu werden, empfiehlt es sich, einen kurzen Blick auf den Männerroman dieser Zeitspanne zu werfen. Als Luise Mühlbach 1838 mit ihrem ersten Roman in die Öffentlichkeit trat, war der Bundesbeschluß gegen das Junge Deutschland bereits in Kraft getreten und der Höhepunkt der jungdeutschen Bewegung überschritten. Gutzkow hatte seine *Wally* (1835) und seine *Seraphine* (1837), Mundt seine *Madonna* (1835) und Laube das *Junge Europa* (1835–1837) herausgebracht. Die *Wally,* die ihrem vierundzwanzigjährigen Autor eine Gefängnisstrafe von mehreren Monaten eingebracht hatte, galt allgemein als der aufregendste emanzipatorische Roman. [29] Die berühmt-berüchtigte Sigunenszene spielt schließlich sogar in Agnes Günthers *Die Heilige und ihr Narr* (1911) noch eine wichtige Rolle. [30] Doch trotz dieses Eklats war die *Wally* wenig ergiebig für die Identitätsprobleme der ›anderen Frau‹. Denn wie Gutzkow selbst in seiner Vorrede zur Neuauflage von 1852 erläuterte, ging es ihm weniger um das individuelle Schicksal der Wally, als vielmehr um “die polemische Tendenz gegen die Ansprüche des Theologen- und Kirchentums«. [31] Die Fabel war hier nichts weiter als »eine romantische Einkleidung« und Wally vor allem das Sprachrohr eines Autors, der seinen eigenen theologischen Standpunkt suchte. Und so wirken die wenigen kritischen Aperçus über die Situation der Frau eher wie eine emanzipatorische Draperie als eine ernsthafte Stellungnahme«. Etwas anders verhält es sich mit Mundts *Madonna,* obwohl auch dieses Werk eher einem philosophischen Tagebuch als einem Roman über ein Frauenschicksal gleicht [32] und es vornehmlich um religiöse und kulturphilosophische Phänomene, im besonderen um das Verhältnis von Geist und Materie geht. Doch neben solchen metaphysischen Spekulationen findet sich hier gleichzeitig eine Auseinandersetzung über das ›rechte Liebesleben‹ der Frau. Mit der Lebensgeschichte seiner »weltlichen Heiligen« lieferte Mundt einen ersten Entwurf, wie er sich die Entwicklung einer unkonventionellen, natürlich empfindenden Frau vorstellte. Das böhmische Mädchen Maria, mit der neugierigen Sehnsucht nach dem Leben, wird zu einer Tante nach Dresden geschickt, die sich anerboten hatte, ihre Erziehung zu übernehmen. Der eigentliche Initiator dieses Angebots ist jedoch ein fürstlicher Bonvivant, der sich das Landmädchen für seinen eigenen erotischen Appetit herrichten lassen will. Maria, der diese fürstlichen Avancen äußerst lästig sind, fühlt sich hingegen zu ihrem ernsten, leidenschaftlich der Wissenschaft hingegebenen theologischen Lehrer hingezogen. Als der Augenblick gekommen ist, wo der Fürst sein Naturkind für genußreif hält, entwindet sich dieses voller Abscheu aus seiner frivolen Umarmung und flieht an die keusche Brust des Kandidaten. Hier überläßt es sich bedenkenlos seiner frisch geweckten Sinneslust. Während der Theologe, von Gewissensqualen zermartert, noch in derselben Nacht aus dem Leben scheidet, fühlt sich Maria anderntags wunderbar wohl und »in allen Theilen« ihrer Natur »erquickt und gehoben«. [33]

»Ich bin keck und frei genug«, läßt Mundt seine Madonna rückblickend behaupten, »die Augen noch dreist und harmlos aufzuschlagen, wenn mich die Südwinde meiner eigenen Leidenschaft verschlagen haben an gefahrvolle Klippen; ich bin dann noch ein Kind meines Willens, ein Kind meines Schicksals, und ein Kind meines Gottes.« [34] Ein solches Bekenntnis ist ganz nach dem Geschmack des Autors. Maria repräsentiert das ideale weibliche Wesen, das sich ohne Bigotterie, aber auch ohne Frivolität zu ihrer eigenen Sinnlichkeit bekennt und sie als etwas von Gott Kommendes versteht. Damit symbolisiert sie die Synthese von Gott und Welt, von Jenseits und Diesseits, das heißt von Geist und Materie, die nach Mundt die conditio sine qua non zur menschlichen Glückseligkeit bedeutet. Ganz in diesem Sinne ruft er ihr zu: »Wahrlich, wahrlich, ich sage Dir, Du kannst keine größere Heilige auf Erden sein, als wenn Du eine Weltliche bist! Schönes Mädchen, ich erwähle Dich zu meiner Heiligen, damit Du nicht zu sehr verzagst an Dir! Ich grüße Dich als meine Heilige, eine Weltheilige! Ich küsse Dich!« [35] Und um Maria in ihrem weiblichen Selbstbewußtsein zu unterstützen, berichtet ihr der reisende Poet von dem legendären böhmischen Mägdekrieg, »dem kecksten Versuch *zur Emancipation der Frauen*«. [36] Nachdem Libussa, die in Böhmen die Weiberherrschaft eingeführt hatte, gestorben war, fordert Wlasta, über die der Geist ihrer Anführerin kommt, die Gefährtinnen auf, sich ihre Freiheit zu bewahren: »Das Weib muß frei sein, sonst ist es verachtungswürdig, denn zur Freiheit haben die Alles wohlbedenkenden Götter nicht bloß den Mann erschaffen!" [37] Da ihnen die Männer diese Freiheit nicht gewähren wollen, rüsten sich die Jungfrauen zum Amazonenkrieg, um ihre Forderungen notfalls mit Gewalt durchzusetzen.

So weit, so emanzipatorisch. Aber damit hat Mundt noch nicht das letzte Wort gesprochen. Das überläßt er nämlich seiner vorbildlichen Heiligen, die sich über den besagten Mägdekrieg zutiefst empört zeigt. »Wlasta aber, wie Du sie Dir gedacht hast, ist mir ein wahres tragisches Exempel des verfehlten weiblichen Berufs« [38], schreibt Maria und fährt mit Entschiedenheit fort:

> Wer weiß nicht, daß auch die ganze schöne Kunst unsres Frauenlebens nur in der Begränzung liegt! In der Begränzung siedeln wir unser Glück an, in der Begränzung finden und erfüllen wir unsern Beruf, und in der Begränzung sind wir für uns und für die Andern ein harmonisches, in sich befriedigtes Gebild. [39]

Mit einer solchen kategorischen Verherrlichung der »Begränzung« endet der Roman und hinterläßt nicht wenig irritierte Leser. Wozu denn überhaupt der ganze emanzipatorische Aufwand, fragt man sich. Wozu diese Klischeezertrümmerung, wenn letztlich doch alles auf die übliche Haus- und Herdideologie hinausläuft? Doch in dieser Widersprüchlichkeit liegt gerade das Gefährliche von Mundts Roman. Wäre er weiter nichts als ein Abgesang auf die weiblichen Freiheitsbestrebungen, verdiente er keine besondere Erwähnung und könnte gleich in der Ablage für Reaktionäres verschwinden. Mundts »Reactionarismus« ist jedoch perfider. Er verschließt sich keineswegs den Gleichheitsforderungen seiner Zeit, ja räumt ihnen sogar einen nicht unbeträchtlichen Platz ein, aber benutzt sie gewissermaßen nur als rhetorische Provokation. Nicht der freisinnige Jungdeutsche, der in seiner »Bohemiconymphomachia« sogar Hippel und Enfantin erwähnt, bemängelt hier die Frauenemanzipation. Es ist der Frauenkenner Mundt, der im Namen seiner Maria das letzte Wort in dieser Sache spricht. Damit läßt sich die emanzipatorische Substanz dieses Romans etwa auf die folgende Formel reduzieren: Wir Männer wären wohl bereit, den Frauen einen größeren Freiheitsraum zuzugestehen; es ist ›das echte Weib‹ in seinem tiefen Drang nach seliger Begrenzung, das dieses Anerbieten stolz zurückweist. Wahrlich, wahrlich, ich sage euch – könnte man in des Autors pastoral-didaktischer Litanei fortfahren –, das Weib, wie es sein möchte, ist nicht ›emancipirt‹!

Was Mundt unter Frauenbefreiung versteht, konzentriert sich in erster Linie auf die Saint-Simonistische Forderung nach »der Wiedereinsetzung des Fleisches«. Sein Idealbild verkörpert daher eine Frau wie Maria, die im ›richtigen‹ Moment ihre Prüderie über Bord wirft und dem Drang ihrer Sinne nachgibt. Genau betrachtet, bedeutet dies eher eine frohe Botschaft für Studenten, Kandidaten und andere Junggesellen als gerade für die Frau. Denn solange sich diese in einem absoluten ökonomischen Abhängigkeitsverhältnis, sei es zu ihrer Familie oder zu ihrem Ehemann, befand und Gefahr lief, bei einem freien Liebesverhältnis die Konsequenzen der Mutterschaft auf sich zu nehmen, war sie schon aus rein pragmatischen Gründen gezwungen, sich vor der Ehe sexuell zu verweigern. Maria hatte in dieser Hinsicht einfach Glück gehabt. Einmal war ihre nuit d'amour ohne konkrete Folgen geblieben, zum anderen ihr Vater inzwischen hinreichend senil geworden, um die Motive für die Rückkehr seiner Tochter nicht mehr so richtig durchschauen zu können. Eine konsequente »Emanzipation des Fleisches« ohne Veränderung der bestehenden Gesellschaft hätte die Frau zu einer noch größeren Abhängigkeit verdammt, denn sie hätte nicht nur um die Sicherstellung ihrer eigenen Person, sondern gleichfalls um die ihres Kindes in Sorge sein müssen. So wie die sozialen Verhältnisse in den dreißiger und vierziger Jahren des vorigen Jahrhunderts nun einmal aussahen, wären in erster Linie die Männer die Nutznießer der »Wiedereinsetzung des Fleisches« gewesen. Auf dem Wege zu einer tatsächlichen Gleichrangigkeit von Mann und Frau führte eine solche Proklamation lediglich in eine Sackgasse.

Und genau das zeigt Luise Mühlbach in ihrem Schicksalsmodell *Das Mädchen* (1839). Die soziale Wirklichkeit, die Mundt gar nicht zum Gegenstand der Reflexion erhebt, sondern einfach als Bagatelle abtut, bildet in ihrem Roman die Voraussetzung für die Entwicklung der Handlung. Ebenso wie Mundts Madonna ist auch das Mädchen Christine ein wohlgewachsenes, lebens- und sinnenfreudiges Naturkind, das weniger den gesellschaftlichen Konventionen als den Forderungen ihrer Sinne folgt. Auch sie ist »keck und frei genug«, sich ohne Vorbehalte ihrem gräflichen Geliebten hinzugeben. Aber damit endet die Parallelität der beiden Geschichten. Die Autorin gibt sich nicht damit zufrieden, nur die poetische Seite der freien Liebe auszumalen, sie zeigt auch deren prosaische Kehrseite. Christine wird schwanger. Dadurch verliert sie nicht nur ihre Stellung als Kammerzofe, sondern gleichzeitig die Attraktion für den Grafen. Ohne Arbeit und von ihrem Geliebten verlassen, bittet sie ihren Vater um Aufnahme im elterlichen Heim. Doch dieser erweist sich nicht als der kauzige Greis wie in Mundts *Madonna,* sondern als ein verbissener Vertreter der konventionellen Moral. »Das sind die Folgen deines ehrvergessenen Lebens«, hält er ihr vor. »Sieh zu, wie du durchkommst; mein Kind bist du nicht mehr. Was habe ich dir gepredigt von Jugend an: arbeite! das ist das Loos des Armen! Aber nein! du wolltest auch Vergnügen und Lust, wolltest Freude vom Leben, sieh zu, wie's weiter gehen wird ... Fort jetzt, sage ich dir! Gehe doch hin zu deinem Liebhaber und suche Trost bei ihm!« [40] Damit ist das Schicksal des Mädchens besiegelt. Zur totalen Obdachlosigkeit verurteilt, wäre ihr nur noch durch einen deus ex machina oder einen deutschen Poeten zu helfen gewesen. Mühlbach bleibt jedoch auf der Ebene der Realität. Mit einem fast soziologischen Interesse verfolgt sie den kontinuierlichen Abstieg der unehelichen Mutter und ihren durch Alkoholismus verursachten vorzeitigen Verfall. Keine Verklärungsvision mildert das trostlose Ende. Kein christliches »gerettet« wird hier gesprochen. In einem kahlen, schmutzigen Krankensaal stirbt eine als Nummer 30 geführte, entstellte junge Frau einen sinnlosen Tod. Die ›freie Liebe‹ hat in die unfreiwillige Verbannung geführt, die »Emanzipation des Fleisches« in die Totenkammer eines Armenhauses. Mühlbach läßt keinen Zweifel daran: nicht die unglückliche Protagonistin ist schuld an dieser Misere [41], sondern eine Gesellschaft, deren Basis die doppelte Moral ist und die mit Argusaugen über die ›Ehre‹ ihrer höheren Töchter wacht, während sie stillschweigend zusieht, wenn die Arbeiter- und Bauernmädchen von den nichtstuerischen Sprößlingen der Privilegierten als Instant-Vergnügen verbraucht werden. Ganz im Vollgefühl seines Rechts entgegnet daher der Graf der um Hilfe flehenden Christine: »Deine Ehre soll ich dir wiedergeben? Bei Gott, du sprichst hochtönend. Hat so eine niedrige Dirne auch Ehre? ... Mein Kind, einer schönen jungen Magd Ehre besteht darin, wenn wir sie lieben.« [42]

Es ist Mühlbachs Verdienst, daß sie in ihrer Roman-Tetralogie *Frauenschicksal* die Frage nach den Beziehungen der Geschlechter zueinander nicht nur als Katheder-Idee entworfen hat, sondern vor dem Hintergrund ihrer sozialen Wirklichkeit entwickelt. Sie begnügt sich daher nicht damit, auf die Ungleichheit der Frau im allgemeinen zu verweisen und in die Unverbindlichkeit des Pauschalen auszuweichen, sondern bemüht sich, die standesspezifischen Schwierigkeiten hervorzuheben, mit denen die Frauen, je nach Klassenzugehörigkeit, in unterschiedlicher Weise zu kämpfen hatten. Die Mann-Frau-Dualität findet hier eine erste Differenzierung nach soziologischen Kategorien, indem zu der bloßen Geschlechterdichotomie noch die Gegensätze von Adel und Nichtadel, Reichtum und Armut, Bildung und Unbildung treten. So werden etwa die Beziehungen des Grafen zu

Christine nicht nur dadurch bestimmt, daß diese eine Frau ist, sondern auch durch die Tatsache, daß sie eine *arme* Frau ist und den niederen Ständen entstammt. Insofern stirbt sie nicht bloß als ein Opfer des Mannes schlechthin, sondern als ein Opfer des *reichen* Mannes. [43] Andererseits ist es kein besonderes Emanzipationsindiz, wenn die Fürstin Eleonore selbstbewußt ihre jeweiligen Liebhaber wählt oder verwirft, da es sich dabei lediglich um Privilegienrelikte der Adelsgesellschaft handelt. Anhand von vier Modellen, die das Leben einer Frau aus der Unterschicht, einer Bürgerlichen, einer Adeligen und einer Künstlerin exemplifizieren, wird veranschaulicht, daß die Befreiungsintentionen von völlig unterschiedlichen Voraussetzungen ausgehen mußten. Während sich der Emanzipationskampf der Frauen des Adels vorwiegend auf geistiger Ebene abspielte und vor allem auf gleiche Persönlichkeits- und Bildungsrechte hinzielte, mußte er im Bürgerstand zunächst einmal um die ökonomische Unabhängigkeit geführt werden. Die Verfasserin macht deutlich, daß die bestehenden sozialen Verhältnisse dem Gedanken der freien Liebe geradezu hohnlachten. Zumindest stand für ein Großteil der Frauen als Preis das Armenhaus dahinter.

Es ist deshalb nicht weiter verwunderlich, wenn auch andere jungdeutsche Schriftstellerinnen, als die viel direkter Betroffenen in dieser Angelegenheit, die sexuelle Liberalisierung nicht als geeigneten Emanzipationsansatz verstanden. Darin unterschied sich der Frauenroman dieser Ära von dem der Männer. In dieser Frage hatten die Autorinnen grundsätzlich abweichende Vorstellungen. Sie glaubten, ihre eigenen Probleme eher aus einer anderen Perspektive beleuchten zu können, und forderten zunächst einmal das, was sich am besten unter dem Schlagwort »der Emanzipation des Herzens« subsumieren läßt.

Ein solches Herzenspanorama entfaltet Luise Mühlbach in ihrem folgenden Roman. Hauptanliegen aller agierenden Personen in *Bunte Welt* (1841) ist, dem Zwang der Konvenienzehe zu entgehen und den ›rechten‹ Partner zu finden. Doch neben dem Motiv des Ehezwangs taucht gleichzeitig das Thema der unglücklich verlaufenden Liebesehe auf, denn von den vier Paaren, die im Mittelpunkt des Romans stehen, sind zwei nicht durch die übliche Pflichtverheiratung, sondern in einer freiwillig geschlossenen Verbindung unglücklich geworden. Damit greift Luise Mühlbach ein Thema auf, das bereits Therese Huber in ihren *Ehelosen* angeschnitten hatte. Während jene allerdings mehr das kontinuierliche Abflauen einer romantischen Ehevorstellung und die zunehmende Resignation der Gatten beschreibt, gerät bei Mühlbach ›die erste Liebe‹ in einen Konflikt mit einer neuen. Man sieht, wie die Autorin hier bereits über die Thematik ihres ersten Romans hinausstrebt und die Emanzipation des Herzens nicht bloß für die Liebeswahl der Siebzehnjährigen fordert. An den Lebensläufen von Aurelia und Ellinor, den beiden Hauptfrauengestalten aus *Bunte Welt,* wird erkennbar, wie die einmalige Wahlfreiheit des Herzens noch kein hinreichender Garant für ein langes, erfülltes Eheleben bedeutet. Mühlbach verweist dabei vor allem auf die ungünstigen Voraussetzungen, unter denen selbst ein Mädchen, das nicht zur Konvenienzehe gezwungen wird, in der Regel ihre Wahl fürs Leben trifft. So befindet sich zum Beispiel Aurelia seit ihrer frühesten Kindheit in einem widerspruchsvollen Verhältnis zur Wirklichkeit, da sie von ihrem Vater nur als armseliger Ersatz für den sehnsüchtig erwarteten Sohn betrachtet wird. »Er hatte bei meiner Geburt gehofft, Vater eines Knaben zu werden«, berichtet sie ihrem Geliebten, als sie rückblickend versucht, die Gründe ihres verpfuschten Lebens zu erkennen. »Da ihm dieser Wunsch nicht erfüllt wurde, suchte er sich selbst über diesen Mangel meiner Geburt, wie er es nannte, zu täuschen. Ich trug Knabenkleidung, und ward gehalten wie ein Knabe. Oft streifte ich tagelang mit dem Vater zu Pferde durch seine großen Besitzungen ... und kehrten wir dann Abends ermüdet heim in unser großes, alterthümliches Stammschloß, so erzählte mir der Vater ausruhend, von den Heldenthaten unserer Vorfahren ... Ich wußte nichts von den Beschäftigungen eines Weibes, und nichts von den Gefühlen eines Mädchens.« [44] Hier steht die männliche Bekleidung nicht als Indiz der selbstgewählten Rollenbefreiung wie bei George Sand, sondern als Kaschierung des als minderwertig empfundenen weiblichen Geschlechts. Aus der nachdrücklichen Beschwörung des Stammschlosses geht unmißverständlich hervor, worin diese Wertminderung zur Hauptsache besteht, nämlich im Verhältnis zum Besitz. Frauen können keine Erbkontinuität garantieren. Um einen solchen Tatbestand nicht täglich vor Augen zu haben, greift der Vater zu den Mitteln der Selbsttäuschung; er nimmt das Geschlecht seiner Tochter einfach nicht wahr und schafft sich in ihr einen Ersatzsohn.

Als sich bei Aurelia die ersten erotischen Sehnsüchte einstellen, ist es nicht weiter verwunderlich, daß auch diese völlig aus den Heldentugenden ihrer Ahnen gespeist werden. An keinerlei geselligen Umgang gewöhnt, nur mit der Einsamkeit ihrer Wälder vertraut und ohne Vorstellung von ihrer späteren Lebensaufgabe, genügt schon der Anblick eines edel gewachsenen, »glänzend uniformierten Jünglings«, um verliebte »Entzückensschreie« samt anschließender Ohnmacht in ihr auszulösen. Und so stand sie, »eine kaum erwachte Jungfrau, unbewußt fast dessen, was sie that, nach wenigen Tagen schon mit Albert vor dem Altare« [45], ohne auch nur die geringste Kenntnis seines Charakters zu haben. Aber nur allzu bald muß sie sich in ihren hochgespannten Erwartungen getäuscht sehen. In der trauten Alltäglichkeit der Ehe entpuppt sich ihr ritterliches Idol sehr bald als ein Mann höchst medioker Eigenschaften, die das Liebesbarometer schnell zum Fallen bringen. Aurelia beginnt, ihren Gefühlsirrtum zu erkennen und »eine tiefe Verachtung gegen das Band der Ehe« [46] zu entwickeln. Aber mit der unverwüstlichen Vitalität einer echten ›Mühlbach-Heldin‹ ausgerüstet, beläßt sie es nicht nur bei dieser resignativen Erkenntnis. Sie lernt, an die Rechte ihrer eigenen Persönlichkeit zu glauben, und da sich eine Trennung von ihrem Mann nicht auf legale Weise bewerkstelligen läßt, schrickt sie nicht davor zurück, eine solche mit so fragwürdigen Mitteln wie Gewalt und Betrug zu erzwingen. Damit verteidigt die Autorin mit einem nie zuvor geäußerten Rigorismus alle Mittel als legitim, die dazu dienen, die weibliche Selbstachtung zu retten.

Wie aber läuft das Leben der solcherart Geretteten nun weiter? Was beginnt die Befreite mit ihrem Überschuß an Freiheit? Zunächst einmal greift ihr das Schicksal höchst fürsorglich unter die Arme, indem es sie im richtigen Augenblick zur Erbin eines beträchtlichen Vermögens macht. Und so begibt sich die Neu-Emanzipierte fürs erste auf Reisen, um sich später als Baronin Stopford in dem demokratischen England niederzulassen und in einer Londoner Villa zu residieren. Mit einer solchen Ex-machina-Erbschaft klammert Mühlbach die ganze soziale Problematik von vornherein aus und reduziert ihre Handlung ins Triviale, denn Inzidenzen wie vom Himmel fallende Geldsäcke, Prinzen oder Schlösser sind schließlich nicht die adäquaten Lösungsmittel, um sich ernsthaft mit der Situation der alleinstehenden Frau auseinanderzusetzen. Immerhin zieht die Heldin die Konsequenzen aus ihren matrimonialen Erfahrungen. Sie bekümmert sich in erster Linie um ihre vernachlässigte Bildung, hält sich die Männer in gebührender Entfernung und widersetzt sich auf das Entschiedenste jeder Heiratsofferte mit der Begründung, daß sie »keines Mannes Sklavin sein wolle«, daß sie ihre »Freiheit liebe und sie nicht aufgeben wolle für Ketten, deren Schwere man niemals abwiegen könne, bevor man daran gefesselt sei«. [47] Vor allem aber hat sie den Glauben an eine einzige, ewigdauernde Liebe verloren.

Ich glaube an keine Ewigkeit der Liebe ... wir hegen noch zuweilen in der stolzen Demuth unseres Herzens den Wahn, als seien unsere Gefühle für die Ewigkeit, wir lernen aber mit Thränen, daß es nicht so ist! Und warum sollte es auch sein? ... warum sollten wir uns gleich bleiben, während Alles um uns her ändert und wechselt? [48]

Hier spricht nicht mehr das nur zur Hingabe geschaffene Wesen aus der *Ersten und letzten Liebe,* sondern eine Frau, welche die Relativität solcher Erstgefühle bereits erfahren hat und an Entwicklungsprozesse auch im Bereich des Erotischen glaubt. Aber damit scheint sich Aurelias emanzipatorische Kraft schon so ziemlich erschöpft zu haben. Nach solchen kategorischen Erörterungen über den Vorzug der persönlichen Freiheit vernimmt der verdutzte Leser ganz unvermittelt völlig andere Töne. »Heil mir, ich bin ein Weib! Ich kann lieben, wie kein Mann ihn lieben kann«, heißt es da plötzlich in unverblümter Deutlichkeit. »Ich kann ihm mich ergeben, wie kein Mann es kann! Ich kann durch ihn leiden, wie kein Mann leiden kann. Und sein Geschöpf kann ich mich nennen, ich, ein Weib!« [49]

Was ist hier geschehen? Wie kommt es zu einer solchen Peripetie in Aurelias Selbstbewußtsein? Was veranlaßt die eben noch so Freiheitsüberzeugte zu dieser Apotheose der totalen Selbstauslöschung? Daß es sich hier nicht um eine Inkonsequenz der Verfasserin handelt, belegen die zahlreichen – wenn auch meist weniger eklatanten – Parallelfälle nicht nur bei ihr und anderen jungdeutschen Schriftstellerinnen, sondern auch noch bei Autoren aus dem 20. Jahrhundert. Was hier zum Tragen kommt, ist die merkwürdige Diskrepanz zwischen dem emotionalen und dem intellektuellen Niveau, das heißt die Tatsache, daß sich der Gefühlsbereich im Laufe der Jahrhunderte sehr viel langsamer verändert hat als der rationale. Oder wie Max Frisch das einmal ausgedrückt hat, daß »die meisten von uns ... so ein Paket mit fleischfarbenem Stoff haben, nämlich Gefühle, die sie von ihrem intellektuellen Niveau aus nicht wahrhaben wollen«. [50] Um etwas Ähnliches handelt es sich auch bei Aurelia. Ihre persönlichen Erkenntnisse und Erfahrungen verlieren in diesem neuen Zustand der Verliebtheit jegliche Gültigkeit. Die natürliche Anpassungswilligkeit in solchen Phasen verführt besonders die Frau dazu, in die uralten mythologischen Verhaltensmodelle wie das der absoluten Liebesunterwerfung zurückzufallen, da sie es nicht anders gewohnt ist, als sich im Spiegel der männlichen Vorstellungswelt zu sehen. Schon aus der Reaktion auf die schreibende Frau war deutlich geworden, daß der Mann Abweichungen vom herkömmlichen Geschlechtsideal grundsätzlich mit Skepsis begegnete. Er erwartete die *weibliche* Frau, worunter er ein Wesen verstand, dessen Hingabebereitschaft keine Grenzen kennt und dessen Wünsche und Sehnsüchte nicht über den Gegenstand seiner Liebe hinausreichen. Wenn sich sogar die selbstbewußte Frau diesen Wünschen zeitweilig anzupassen versuchte, so geschah das weniger aus intellektueller Überzeugung, als vielmehr aus einer pazifistischen Grundstimmung der Liebe, in der sie nicht feilschen mochte um die Glücksvorstellungen des anderen. Konkret gesprochen hatte das zur Folge, daß jede Liebende zu einer potentiellen Abtrünnigen der Emanzipationsidee wurde und der gesamte Befreiungsprozeß dadurch in einer permanenten Antithetik verlief. Das Problematische für die Frau ergab sich daraus, daß ihre emotionalen Liebeskonzessionen in der Regel irreparable Konsequenzen hatten. In dem Augenblick, wo sie erkannte, daß das ausschließliche Für-den-Mann-da-sein nicht zu permanenter Beglückung führte, waren die Weichen in den seltensten Fällen zurückzustellen. Was sie freiwillig in euphoristischer Liebesstimmung bekannt hatte, mußte sie nun zwangsläufig bis an ihr Lebensende erfüllen. Daß sich bei Aurelia dieser Circulus vitiosus sogar wiederholte, bezeugt, wie tief verwurzelt der Weiblichkeitsmythos und wie schwierig die Konstituierung eines anderen Geschlechtsideals in diesem frühen Stadium noch war. Gerade weil der neue Individualanspruch der Frau nicht mit dem herrschenden Sexualideal zusammenfiel, ergaben sich zwangsläufig immer wieder Rückfälle in die alten Klischees. Insofern spiegeln Mühlbachs Romane gerade in ihrer emanzipatorischen Ambivalenz ziemlich genau den Stand des erwachenden weiblichen Selbstbewußtseins wieder.

In ihrem 1844 erschienenen Buch *Eva. Ein Roman aus Berlins Gegenwart* beschäftigt sich die Schriftstellerin zum ersten Mal mit einer Ehe aus Handwerkerkreisen. Hier gelingt es ihr, die trivial-romantischen Handlungselemente bis auf wenige Nebenmotive zurückzudrängen und sich ganz auf ihr Hauptanliegen zu konzentrieren. Sie nimmt sich die Zeit, die Lebensweise des jungen Paares dem Leser in allen Einzelheiten vor Augen zu führen und seine Häuslichkeit mit minuziöser Detailtreue zu beschreiben. Auf diese Weise entsteht ein genaues, zeitbezogenes Portrait einer Handwerkerfrau, wie es in ähnlichem Realismus in keinem anderen jungdeutschen Roman zu finden ist. Indem die Fabel ihr Happyend bereits vorwegnimmt und mit der glücklichen Hochzeit der Protagonisten beginnt, wird schon zum Ausdruck gebracht, daß die Problematik über die Emanzipation des Herzens hinausgeht und neue Perspektiven eröffnet werden. Was Mühlbach hier interessiert, ist das alltägliche Leben eines aus ärmlichen Provinzverhältnissen stammenden Mädchens an der Seite eines wohlhabenden, selbstbewußten Handwerkermeisters. Diese Ehe bedeutet für Eva, die unter kümmerlichsten Bedingungen ihrer Mutter den Haushalt geführt hatte, sozialen Aufstieg und plötzlichen Wohlstand. Das hat aber gleichzeitig zur Folge, daß sie über Nacht aus einem Leben der permanenten Tätigkeit zu einem Dasein in absoluter Untätigkeit hinüberwechseln muß. Mit Stolz erklärt ihr der Ehemann, daß von nun an die Beschäftigung in Küche und Keller, das Wasserholen und Ofenheizen, das Spinnen und Stricken ein Ende habe, da man dafür eine Magd besäße und solche Arbeiten unter dem Stande einer Meisterin seien. »Das Alles darffst Du sogar nicht thun... denn Du bist nun eine Madame und so etwas läßt man von den Mägden thun.« [51]

Der anfängliche Reiz dieses nie gekannten Müßiggangs verkehrt sich allerdings bald in sein Gegenteil. Während der Meister, der sich durch seinen neuen Familienstand zu einer gesteigerten Tätigkeit stimuliert fühlt, diese produktiv umsetzen kann, beschränkt sich der Aktionsraum der Meisterin lediglich auf den Aufenthalt in ihren beiden Stuben. Die Entwicklungskurve der Ehegatten verläuft also gerade entgegengesetzt. Der steigende Wohlstand schafft dem Mann ein beständig wachsendes Tätigkeitsfeld, reduziert jedoch die Frau auf die bloße Daseinsfunktion. Und so stellt Eva plötzlich mit Erschrecken fest, daß das Leben keine Aufgaben mehr für sie hat und daß es im Grunde nichts für sie zu tun gibt. Die Hausarbeit wird von Mägden besorgt, und die handwerkliche Tätigkeit ist ihr versagt, da Frauen nicht mehr zunftfähig waren. [52] Das Wirken in der Öffentlichkeit aber stand dem weiblichen Geschlecht erst recht nicht an. »Wir haben in unsern Staatseinrichtungen keine einzige Sprosse, keine einzige Stufe, zu der das Weib emporklimmen könnte oder dürfte«, stellt Mühlbach resignierend fest. »Kein einziges öffentliches Ziel, zu dem das Weib ihre Arme emporstrecken und rufen könnte: ich will Dich erreichen, Du sollst mich verklären und meinen Namen erheben!... Arme deutsche Frauen, deren einziger Ehrgeiz sein soll, ungenannt und ungekannt... durch das Leben zu gehen.« [53] Bei der Weiterentwicklung von Evas Charakter geht Mühlbach von dieser Prämisse der gesellschaftlich postulierten Tatenlosigkeit der wohlhabenden Frau aus. Alles, was ihre Heldin im Verlaufe der Handlung unternimmt, interpretiert sie als eine Reaktion auf die über sie verhängte permanente Passivität. Und so hinterläßt der erste Ball, den Eva besuchte, einen ganz unerwarteten Eindruck auf die attraktive Handwerkergattin. Inmitten dieser aufgeputzten und leichthin parlierenden höheren Kreise hatte man ihr gesagt, daß sie »eine Zierde der Gesellschaft sein würde«. Damit erhält ihre brachliegende Phantasie ganz unvermittelt einen reichen Nährstoff, und ein bisher ungekanntes Ehrgeizgefühl entwickelt seine ersten Triebe. Und »dieser Ehrgeiz, dem es versagt war, nach dem Größern und Höhern zu streben, stürzte sich nun auf das Nichtige und Kleine, da ihm die Welt versagt war, wollte er sich mindestens die Gesellschaft erobern«. [54]

Vernehmlich polemisiert hier Mühlbach gegen die verbreitete Ansicht, nach der die Ausrichtung auf die dekorativen Nebensächlichkeiten des Lebens etwas spezifisch Weibliches sein soll. Nicht etwa, weil die Frau grundsätzlich an Putz und Tand, an Gefallen und Erobern interessiert und zu einer bloß oberflächlichen Existenz prädestiniert sei, begibt sie sich auf die Ebene der Badinage und des Belesprit, sondern deshalb, weil ihr jedes andere Wirkungsfeld verschlossen ist.

Mühlbach betont ausdrücklich, daß hier keine geschlechtsspezifischen Merkmale den Ausschlag geben, sondern daß erst die bestehende Gesellschaft solche Eigenschaften entwickelt. Damit antizipiert sie bereits die Marxsche Erkenntnis, daß nicht ein apriorisches Bewußtsein, sondern das »gesellschaftliche Sein« das Bewußtsein der Menschen bestimmt oder – konkret auf die weibliche Situation bezogen – die Maxime Simone de Beauvoirs, daß man nicht als Frau zur Welt kommt, sondern erst dazu gemacht wird. [55] Und so hat auch Eva seit jener Soiree zum ersten Mal ein Ziel, das über ihre Stubenexistenz hinausreicht und dennoch von der Allgemeinheit sanktioniert wird: nämlich den gesellschaftlichen Erfolg als schöne Frau.

Hinaus aus dieser Beschränktheit des bürgerlichen Lebens sehnte sich ihr Geist, und tausend lockende Bilder schuf ihr die Phantasie von den Freuden der Welt und den Entzückungen der Gesellschaft. Und in dieser Welt, in dieser Gesellschaft eine Stelle einzunehmen, dahin drängte sich jeder Wunsch, jeder Gedanke. [56]

Der ganze aufgestaute Freiheitsdrang der Frau findet als legitime Betätigungsebene einzig die Sphäre des Gesellig-Gesellschaftlichen, die als kompensatorisches Sammelbecken der unterschiedlichsten Bestrebungen und Wünsche fungiert. Die Voraussetzung, um auf diesem Terrain zu reüssieren, ist allerdings ein gewisser, vorzeigbarer Bildungsstandard. Aus diesem Grunde widmet sich Eva mit allen ihr zur Verfügung stehenden Kräften der Überwindung ihrer standesbedingten Unwissenheit und dem Erwerb der ihr nötigen sprachlichen und literarischen Kenntnisse. Sie liest Shakespeare und Rousseau, Goethe und Schiller, beschäftigt sich mit den Schriften der Jungdeutschen und hat zum ersten Mal in ihrem Leben das Bewußtsein, produktiv tätig zu sein und teilzunehmen an den kulturellen Strömungen ihrer Zeit. In ihrer Kindheit war sie über das einfache Silbenentziffern von Bibelsprüchen nicht hinausgekommen, da ihre Mutter ›Gelehrsamkeit‹ bei einem Mädchen für verderblich hielt. Auch später hatte sich daran nichts geändert, weil ihr Mann der Frauenbildung keinen Wert beimaß. Der Wille zum Lernen erwuchs ihr aus dem Ziel, in der Gesellschaft eine beachtete Rolle zu spielen, und auf dieses Ziel konzentrierte sie ihre ganze Aufmerksamkeit und Ausdauer.

Doch hier nun wechselt die Autorin unvermittelt in das Heerlager der Reaktion über. Was sie eingangs fortschrittlich aus soziologischen Strukturen herleitete, wertet sie plötzlich als Charakterfehler ab. Sie koppelt Evas Bildungsstreben mit einer larmoyanten Liebesaffaire schlechtester Sandscher Provenienz, die sie ihrem Mann entfremdet und ihre eheliche Harmonie zerstört. Durch eine solche Kritik ›aus dem Hinterhalt‹ gerät der Impetus der Heldin in eine ganz andere Perspektive. Indem auf diese Weise der Wissensdurst schnurgerade zum Ehebruch führt, wird zwischen Lernbegierde und Immoralität ein direkter Kausalzusammenhang hergestellt, durch den die intellektuelle Aktivität der Frau in Bausch und Bogen verdammt wird. Das verkappte Postulat einer solchen Kritik bedeutet letztlich nichts anderes als ein Zurück-zum-Analphabetismus, denn nur die Dümmlichkeit scheint vor moralischer Verirrung zu bewahren. Zumindest läuft man so nach Ansicht der Autorin weit weniger Gefahr, sich in das Labyrinth der

Vergleiche einzulassen und möglicherweise etwas weniger Dümmliches als den eigenen Ehemann begehrenswert zu finden Und so kommt auch Eva am Ende des Romans zu der atavistischen Erkenntnis ihrer Vorväter, daß all ihr Streben bloß eitler Wahn war und daß der wahre Platz des Weibes auf ewiglich anderthalb Zentimeter unter der Rippe des angetrauten Mannes ist. »Als ich noch strebte nach Reichthum und Glanz«, bekennt die reumütige Sünderin, »da war ein ewiger Kampf, ein ewiges Ringen in mir, ruhelos waren meine Gedanken, ruhelos meine Wünsche, und jeder befriedigte Wunsch erzeugte nur neues Begehren und Wollen in mir! Und jetzt ist Alles so friedlich und still, so klar und ruhig. Ich erstrebe nichts mehr, und will nichts mehr als Deine Liebe, mein Ralph.« [57] Damit ist die Status-quo-Moral von neuem gesichert.

Immer wieder findet sich bei Mühlbach eine solche Schwankung zwischen Progressivität und Reaktion. In keinem der erwähnten Romane ist es ihr gelungen, die avantgardistische Grundkonzeption konsequent durchzuhalten. Hinzu kommt, daß für sie Emanzipationsprobleme in erster Linie Zivilisationsprobleme sind und ihr daher beständig Sozialutopien nach dem Muster des natürlichen Gleichheitszustands ›des goldenen Zeitalters‹ vorschweben. Und so stößt man immer wieder auf antizivilisatorische Zurück-zur-Natur-Apelle, welche die tatsächlichen Schwierigkeiten der Frau unbekümmert übertönen. Eine solche Rückwärtsorientierung trägt nicht dazu bei, ihr ohnehin schon ambivalentes Emanzipationsbewußtsein zu schärfen und zeitbezogenere Lösungen zu entwickeln.

Es erübrigt sich, im einzelnen auf die anderen fünf Romane [58] dieser Periode einzugehen, da es sich bei ihnen mehr oder weniger um Variationen derselben, schon genannten Themenkreise handelt und keine neuen Perspektiven erkennbar werden. Erst der 1849 erschienene dreibändige Roman *Aphra Behn*, mit dem die Autorin ihr bedeutendstes Werk vorlegte und gleichzeitig ihre sozial orientierte Periode abschloß, bietet wieder emanzipatorisches Neuland. Titelheldin dieses Werks ist die englische Schriftstellerin Aphra Behn (1640–1689), deren exotische Biographie aus einem ihrer eigenen Romane stammen könnte. Daß Mühlbach gerade ihre Lebensgeschichte als Stoff benutzte, war sicherlich kein Zufall, sondern beruhte vielmehr auf der offensichtlichen Wesensverwandtschaft der beiden Autorinnen. Jedenfalls war Mühlbach, als sie bei ihren Studien der englischen Geschichte und Literatur auf Behn stieß, sogleich fasziniert. Hier offenbarte sich ihr eine Frauengestalt, die mit dem vollen Einsatz ihrer Person an den politischen Ereignissen der damaligen Zeit teilgenommen und gleichzeitig diese Erfahrungen produktiv in Literatur umgesetzt hatte.

Wer aber war nun diese Aphra, diese »unvergleichliche Astrea«, wie Vita Sackville-West sie in ihrer Behn-Biographie genannt hatte? [59] 1640 als Tochter eines Offiziers in Kent geboren, stand das Leben dieser Frau von Anfang an unter dem Zeichen des Außergewöhnlichen. Noch im Kleinkindalter wurde sie mit ihrer ganzen Familie nach Südamerika verfrachtet, da ihr Vater zum Lieutenant-General von Surinam, dem heutigen Niederländisch-Guayana, ernannt worden war. Und schon diese erste Reise erwies sich als ein Exempel für angewandte Paradoxie, denn der, um dessentwillen man England verlassen hatte, starb bereits während der Überfahrt. Da die Fäden zur Heimat abgeschnitten waren, entschloß sich die Witwe, zunächst allein mit ihren Kindern auf dem fremden Kontinent zu bleiben. Aus diesem Provisorium wurden allerdings fast zwanzig Jahre, denn die Familie kehrte erst nach dem Regierungsantritt Karls II. – in den sechziger Jahren – nach London zurück. Aphra hatte also hinreichend Gelegenheit, das Leben in den Kolonien und vor allem die Schattenseiten des Kolonialismus aus eigener Erfahrung gründlich kennenzulernen. Da sie nicht mehr der väterlichen Autorität unterstellt war, nutzte sie ihre Freiheit dazu, sich stärker mit den Eigenheiten des Landes vertraut zu machen, als das sonst für Gouverneurstöchter üblich war. Sie ging mit auf Tigerjagden, entdeckte eine verlassene Indianersiedlung und versuchte sich sogar als Vermittlerin bei einem Sklavenaufstand, da sie über die Korruption des weißen Statthalters zutiefst empört war. All diese Erlebnisse haben in ihrem letzten Roman *Oroonoko or The Royal Slave. A True History* (1688) ihren literarischen Niederschlag gefunden.

Nach England zurückgekehrt, vermählte sie sich bald mit dem holländischen Kaufmann Behn, lebte in Überfluß und Luxus und verkehrte sogar bei Hofe. Ob sie tatsächlich die Geliebte Karls II. gewesen ist, wie der englische Geschichtsschreiber Macaulay behauptete, ist historisch nicht nachweisbar. Soviel aber geht aus ihren Biographien deutlich hervor: Ein puritanisches Moralkonzept hat Mrs. Behn jedenfalls nicht befolgt. Dieses High-life währte so lange, bis zum zweiten Mal ein Todesfall ihrem Leben eine ganz andere Richtung gab. Behn starb 1665 an der Pest, und Aphra wurde dadurch völlig mittellos. Was danach folgte, klingt nicht weniger abenteuerlich als ihre Jugenderlebnisse. England führte seit 1664 seinen zweiten Seekrieg mit Holland, und da ihr die dortigen Verhältnisse durch ihren Mann bekannt waren, nutzte sie ihre Beziehungen zum Hofe aus, um sich selbst für den englischen Geheimdienst vorzuschlagen. Und so begann sie 1666 in Antwerpen ihre neue Laufbahn als Spionin. Doch trotz der erbrachten Erfolge konnte sie ihre finanzielle Lage nicht aufbessern. Die Regierung hielt es nicht für nötig, ihr jemals das versprochene Gehalt zu zahlen. [60] Enttäuscht und verbittert, dazu noch überhäuft mit Schulden, kehrte sie 1667 nach England zurück, wo ihre Gläubiger sie unverzüglich ins Schuldgefängnis schickten. Aber noch war ihr Mut nicht gebrochen. Sobald sie wieder auf freiem Fuße stand, fand sie ein neues Terrain, auf dem sie ihre Kräfte üben konnte: nämlich die Literatur. 1670 überraschte sie die Öffentlichkeit mit ihrem ersten Theaterstück, *The Forc'd Marriage,* das sogleich ein Erfolg wurde. Von da an entwickelte sie eine erstaunliche, bis zu ihrem Tode anhaltende literarische Produktivität und veröffentlichte in rascher Folge eine Vielzahl von Romanen und Theaterstücken.

In der Literaturgeschichte wird Aphra Behn als die erste berufsmäßige Schriftstellerin angeführt, als die erste Frau also, die von ihrer eigenen Feder leben mußte. Schon von daher ergaben sich Parallelen zwischen der englischen und der deutschen Erzählerin. Als professionelle Schreiberinnen, zumal als solche, die in ihrem Realismus nicht zimperlich waren und sich nicht auf die traditionellen Harmlosigkeiten beschränkten, standen sie beide im Kreuzfeuer der öffentlichen Kritik und mußten die schmählichsten Attacken wegen ihrer ›unweiblichen‹ Betätigung über sich ergehen lassen. Obendrein hatten sie ein ähnlich veranlagtes Schriftstellertalent und vergleichbare thematische Interessen. Bei beiden findet sich die Vorliebe für das Romaneske, für das Aktionsgeladene und den großen melodramatischen Eklat. Gemeinsam ist ihnen ebenfalls das persönliche Engagement für die Erniedrigten und Beleidigten, die spontane Kritik an den gesellschaftlichen Zuständen und an der Heuchelei des Christentums. Eine solche Kritik äußert sich bei ihnen stets in der Form der Betroffenen, das heißt heftig und planlos, und reicht häufig nicht weiter als bis zur spontanen Empörung. Aus diesem Grunde unterliegen sie immer wieder ideologischen Inkonsequenzen. Andererseits sind ihre realistischen Milieubeschreibungen und ihre genauen Detailbeobachtungen von einer solchen Anschaulichkeit, daß eine verbalisierte Kritik in vielen Fällen entbehrlich wird. Und so behauptet Klaus Reichert, daß es im »17. Jahrhundert niemanden gegeben haben dürfte, bei dem man über das Leben in London so viel erfährt wie bei Aphra Behn«. [61] Im gleichen Sinne ist Luise Mühlbach die einzige unter den Jungdeutschen, der es gelingt, realistische Beschreibungen der Unterprivilegierten in ihre Romane einzuflechten. Man denke etwa an die Situation der Auswanderer in *Bunte Welt* [62], die als Zwischendeckpassagiere wochenlang ein menschenunwürdiges Dasein zu erleiden haben, das Verbrecherproletariat im Londoner Eastend oder auch das frühe Siechtum einer unehelichen Mutter aus den *Frauenschicksalen.* Wenn man in diesem Zusammenhang überhaupt von dichterischen Verwandtschaften sprechen kann, so besteht diese für Luise Mühlbach sicher nicht in der immer wieder betonten Dependance von George Sand, sondern eher in ihrer Beziehung zu Aphra Behn. Zumindest lag ihr der unreflektierte Realismus der Engländerin wesentlich näher als der artifizielle Dolorismus der exaltierten Französin.

Und so widmet sie das Hauptwerk ihrer frühen Periode der Rekonstruktion von Aphras bewegtem Lebenslauf und benutzt dazu deren letzten Roman *Oroonoko* als biographisches Material, um das Schicksal ihrer Heldin im emanzipatorischen Sinne neu zu deuten. Aus diesem Grunde handelt es sich bei *Aphra Behn* trotz des historischen Gewandes nicht um einen historischen Roman. Sie bedient sich ihres unkonventionellen Vorbilds hauptsächlich darum, weil es ihr geeignet erscheint, neue mitmenschliche Verhaltensweisen an ihm zu entwickeln, die sich nicht auf das 17. Jahrhundert, sondern eher auf ihre eigene Zeit beziehen. Und so gelingt ihr mit der Figur der Aphra zum ersten Mal eine Frauengestalt, die sich aus einem naiven, schwärmerischen jungen Mädchen zu einer selbstbewußten, ihr Schicksal aktiv in die Hand nehmenden, emanzipierten Vertreterin des weiblichen Geschlechts entwickelt und ihren Weg auch konsequent zu Ende geht.

Aber noch in etwas anderem äußert sich die progressive Tendenz dieses Romans. Mühlbach entlehnt zwar von Behn für den ersten Teil ihrer Geschichte die Oroonoko-Handlung, nämlich das seit dem Ausgang des 17. Jahrhunderts so beliebte Motiv des *edlen Wilden,* setzt dabei jedoch ganz neue Akzente. Zwar hatte schon die englische Autorin eine naive Idealisierung ›unzivilisierter‹ Zustände à la Rousseau vermieden, indem sie in ihrer Darstellung der Wilden durchaus differenziert und auch dort Ungleichheit und Korruption vorkommen läßt, war aber nirgends über die Kritik einzelner kolonialistischer Bösewichter hinausgekommen. Selbst bei dem geplanten Aufstand interessiert sie sich bloß beiläufig für das Schicksal der Gesamtheit der Gefangenen und konzentriert ihre Aufmerksamkeit vor allem auf die Errettung des einen gebildeten, vornehmen Ausnahmesklaven. Insofern bleibt ihr Roman tatsächlich nur die tragische Geschichte des »Royal Slave«, die besonders rührt, weil dieser so »edel«, so »seelengroß«, so »voll geschliffenen Geistes«, kurz so gar nicht barbarisch ist, und beleuchtet kaum die Situation der Plantagensklaven im allgemeinen. Bei Mühlbach dagegen kommt die fiktive Aphra zu einer politischen Erkenntnis, zu der die reale nie vorgestoßen ist. Durch die Konfrontation mit den Schwarzen ihrer Plantage wird sie nicht nur in ihrem Selbstverständnis als Weiße verunsichert, sondern ebenfalls in ihrer unreflektierten Hinnahme der imperialistischen Politik ihrer Regierung. Es kommt soweit, daß sie die monarchistische Staatsform, wie sie in Europa bestand, grundsätzlich ablehnt, da es nur allzuoft geschah, »daß die Fürsten, welche mit machtvollem Wort Millionen ihrer Brüder beherrschen, blind sind, und das Elend ihrer Völker nicht sehen oder taub, und den Jammerschrei ihrer Völker nicht hören«. [63] Hier drängt sich unwillkürlich ein Vergleich mit den Zuständen in Deutschland auf. Denn schließlich war Friedrich Wilhelm IV. der Prototyp eines Herrschers, der nicht hören und sehen wollte, was das Volk verlangte, und die revolutionäre Stimmung gerade auf ihrem Höhepunkt, als Mühlbach an diesem Roman schrieb. Es ist daher sicher kein Zufall, daß sie – getragen von der allgemeinen politischen Aktivität jener Zeit – mit diesem Roman ihr emanzipatorisches Gesellinnenstück vorlegte. Und so wurden auch für ihre Heldin die Jahre in Surinam zu Lehrjahren der Menschlichkeit, in denen sie sich von der naturgegebenen Gleichheit aller Menschen überzeugt und zur entschiedenen Demokratin entwickelt.

Aber noch in anderer Hinsicht eröffnet der Roman höchst progressive Perspektiven, und zwar bezüglich seiner Liebeskonstellation. Während seine Vorlage in der schmerzensreichen Beziehung zwischen dem schwarzen Oroonoko und der ebenfalls schwarzen Clemene kulminierte, von der die Erzählerin aus der Perspektive der Augenzeugin berichtete, wandelt Mühlbach diese Geschichte dahingehend ab, daß ihre Aphra jenen Prinzen selber liebt. Das war allerdings gegen jede Schicklichkeit! Man durfte zwar theoretisch die naturgegebene Gleichheit aller Menschen proklamieren und auch gegen die Rassendiskriminierung zu Felde ziehen, aber eben nur solange, wie man auf die Verwirklichung in der Realität verzichtete. Wie heikel in jedem Fall die Wahl eines schwarzen Protagonisten war, läßt sich bereits an der Tatsache ablesen, daß Behn beflissentlich vermeidet, irgendwelche negroiden Merkmale ihres Prinzen zu erwähnen. Oroonoko ist zwar von »makellosem Ebenholz«, gleicht aber im übrigen eher einem antikischen Jüngling. »Er hatte die vorspringende Nase der Römer, nicht die platte der Neger«, weiß sie an ihm zu loben. »Sein Mund war feiner geschnitten, als man je gesehen, weit entfernt von jenen dicken Wulstlippen, welche bei allen anderen Negern ganz natürlich sind.« [64] Daraus spricht deutlich, daß es Behn gar nicht darum zu tun war, eine befreiende Bresche in das Dickicht der rassistischen Vorurteile zu schlagen oder gar einen ersten Ansporn zur Negerbefreiung zu vermitteln. Ihr Schwarzer darf nur deshalb Held des Romans sein, weil er die physiognomischen Eigenarten seiner Rasse überhaupt nicht besitzt und im Grunde nichts anderes als ein Weißer im schwarzen Gewand ist. Gegen eine so europäische Variante des Wilden hatte das englische Lesepublikum nichts einzuwenden.

Ähnliche Vorbehalte gegen das Negroide im allgemeinen finden sich bei Mühlbach nicht. Ihre Protagonistin äußert, neben ihrer Liebe für den königlichen Oroonoko, auch für die geknechtete Allgemeinheit der Schwarzen echte Anteilnahme und Solidarität. Voller Empörung wendet sie sich anläßlich des besagten Aufstands an den zum äußersten entschlossenen Gouverneur:

> Sie haben mit frevelnden Muthe Menschen zu Thieren erniedrigt, und ihre Würde und Rechte mit Füßen tretend haben Sie Gott gelästert in seinem schönsten und heiligsten Werke... diese armen zertretenen Geschöpfe erinnern sich, daß sie immer noch Menschen sind, sie stehen auf mit der ganzen Kraft der entweiheten Menschenwürde. [65]

Aphras Emanzipiertheit erweist sich von Anfang an als eine doppelte. Die Tatsache, daß sie sich als Tochter eines weißen Kolonialoffiziers in einen farbigen Sklaven verliebt und bereit ist, die Konsequenzen dieser Liebe auf sich zu nehmen, bedeutet weitgehende gesellschaftliche Ächtung für sie. Schließlich war das Postulat der Standes- und Vermögensgleichheit bei der Mädchenkopulation schon seit eh und je von größter Wichtigkeit. Verbindungen mit Männern aus ihnen unterlegenen Klassen galten als Mesalliancen, die einzig durch das Äquivalent eines beträchtlichen Vermögens aufgewertet werden konnten. Indem sich die Heldin für Oroonoko entscheidet, setzt sie sich nicht nur über die seit Jahrhunderten festgelegten Standesbarrieren hinweg, sondern darüber hinaus über die noch schärfer beachteten Rassentrennungen. Außerdem träumt die ›neue Aphra‹ nicht nur von einem kolonialistischen Winkel-Idyll. Ihr Gleichheitskonzept bleibt kein Lippenbekenntnis. Sie steht zu der Sache der Unterdrückten auch dann noch, als sie erfährt, daß sie Oroonoko nie bekommen kann, da er bereits mit einer anderen verlobt ist.

Mit dieser Figur gelingt es Mühlbach, ihren Emanzipationsanspruch konsequent zu verwirklichen. Aphra kriecht auch dann nicht zu Kreuze, als Graf Bannister, nach Oroonokos Tod, sie mit den herkömmlichen Klischees zur Ehe zu überreden sucht. »Die Aufgabe des Weibes ist, Andere glücklich zu machen! sagte der Graf bittend.« [66] Eine Bitte, die von Aphra lediglich mit kühler Zurückweisung quittiert wird. »Sie schwärmen«, entgegnet sie ihm voll Selbstbewußtsein. »Ich habe eine andere Aufgabe zu erfüllen. Ich will mich selber glücklich machen. Das ist das erste und heiligste Gesetz der Natur.« [67] Und von diesem Grundsatz, sich selber das Dasein zu gestalten und ihres Glückes eigner Schmied zu sein, weicht sie während ihres ganzen wechselvollen Lebens nicht ab. Selbst in ihrer hoffnungslosesten Periode, in der sie sich durch eine abgefeimte Intrige an den brutalen Kapitän Behn ehelich gefesselt findet und jede Scheidungsmöglichkeit durch Cromwell unterbunden war, beläßt sie es nicht bei der üblichen Gattinnenresignation. Sie richtet an den Stellvertreter Karls II. ein Gesuch, die Ehescheidung wieder einzusetzen.

Mylord, ich fordere die Freiheit meiner Seele, die Ungebundenheit meines Schicksals, ich fordere meine Selbständigkeit, und das Recht mir selber mein Glück oder mein Unglück zu schaffen! [...] Ich schreie also zu Ihnen um Gnade, um Erbarmen, und indem ich es thue, spreche ich für alle diese gemarterten, zertretenen, in den Staub geschleuderten Seelen, welche man Weiber nennt! Mylord, geben Sie uns unsere Freiheiten wieder, welche Cromwell uns geraubt hat. Wir müssen wenigstens das Recht haben, das Unglück von uns abzuschütteln, wenn wir auch vielleicht nicht befähigt sind, das Glück zu finden! Sir, es seufzen so viele Unglückliche unter diesen Fesseln ehelicher Sclaverei. Nehmen Sie diese Fesseln weg, geben Sie ein Gesetz, welches diese Bande sprengt, indem es anerkennt, daß die Ehe gelöst werden kann, daß sie es muß, wenn die Herzen und die Seelen sich geschieden haben. [68]

Als dieses Gesuch erfolglos bleibt, kommt sie selbst auf einen ungewöhnlichen Ausweg, indem sie die Auswüchse der doppelten Moral zu ihrem eigenen Vorteil benutzt: Sie tritt als ihr eigener Käufer auf und kauft sich für die Summe ihres gesamten Vermögens von ihrem ungeliebten Ehemann los, denn die Frau hatte zwar keinerlei Scheidungsmöglichkeit, durfte aber unter gewissen Umständen von ihrem Eheherrn verkauft werden. Und so benutzt sie diese mürbe Stelle in dem dichten Maschennetz weiblicher Angebundenheit, um endlich in die Freiheit zu entschlüpfen. Von da an versucht sie erstmals – unter größten materiellen Entbehrungen zwar –, den Traum von einem eigenen tätigen Leben zu verwirklichen. Sie beginnt zu schreiben und hofft, sich von dem Erlös ihrer schriftstellerischen Produktion einen minimalen Lebensstandard zu ermöglichen. Aber sie muß die Erfahrung machen, daß die Gesellschaft keineswegs auf die schreibende Frau gewartet hat. Die Verleger begegnen ihr mit höhnischer Ablehnung und geben ihr zu verstehen, daß die Männer allenfalls über »schriftstellernde Frauen lachen«, niemals jedoch ihre Bücher kaufen würden. Deshalb scheitern die mühseligen Versuche, ihren ersten Roman herauszubringen, an der kategorischen Erklärung der Verleger: »Ich meines Theils verlege nie etwas von Frauen.« [69]

Alle diese Erfahrungen lassen sie allmählich zu der Erkenntnis kommen, daß ihre eigene Situation nicht das Ergebnis zufälliger, individueller Schicksalsschläge ist, sondern die Folge einer Gesellschaftsstruktur, die der Individualität der Frau keinerlei Rechnung trägt.

Ich bin ein Weib, das ist mein ganzes Unglück, sagte sie. Man hat uns Frauen Alles genommen, selbst das Recht des geistigen Schaffens! Wir dürfen nur die Sclavinnen unserer Männer sein, und ihnen Kinder gebären, das ist unsere Pflicht und unser Beruf, und wenn wir es wagen, eigne Gedanken, eigne Gefühle, eigne Anschauungen zu haben, dann schreit alle Welt: ein Sacrilegium, ein Sacrilegium! Ein entartetes Weib! Eine Frau, welche die Frechheit hat, ein denkendes Wesen zu sein, und es den Männern gleich thun zu wollen!

Ich aber, ich will es den Männern gleich thun! Ich will frei sein, und ungebändigt! In dieser Stunde reiße ich mich los von all diesen beengenden Formen des Herkommens und der Schicklichkeit, in dieser Stunde brech ich mit allen Satzungen, in die man die Frauen gezwängt hat. Ich will kein Weib mehr sein, sondern ein freies, fühlendes, denkendes und handelndes menschliches Geschöpf! [70]

Das sind nicht mehr die halbherzigen Bekenntnisse ihrer früheren Werke. Hier wird eindeutig Stellung bezogen. Mit diesem Roman setzt Mühlbach einen Meilenstein der Frauenemanzipation.

## *Die Gleichheitsideen der Ida Hahn-Hahn*

Wohl selten hat eine Schriftstellerin heftigere und widerspruchsvollere Reaktionen hervorgerufen und die Gemüter ihrer Zeitgenossen stärker bewegt als diese mecklenburgische Gräfin. Viele sahen in dem Namen Hahn-Hahn geradezu ein Skandalon oder auch die Signatur eines Familienticks, der sich schon seit Generationen in standesunüblichen Interessen manifestierte. Bereits der Großvater, der Landerbmarschall Graf Friedrich Hahn, hatte an dem konventionellen Prunkleben der Höfe kein Genüge gefunden und die Beobachtung der Himmelskörper der Beachtung der gesellschaftlichen ›Fadaisen‹ vorgezogen. [71] Seine Sehnsucht waren die Sterne gewesen. Eine sehr viel irdischere Gestalt hatte diese Sehnsucht bei Idas Vater angenommen. Er schwärmte für die Stars und Starlets der Bühne, für die Bretter, die die Welt bedeuten, und verwandelte sich vom Landmarschall übergangslos in den Direktor einer wandernden Komödientruppe, mit dem Ergebnis, daß er innerhalb weniger Jahre seinen theatralischen Enthusiasmus mit der vollständigen Zerrüttung seiner wirtschaftlichen Verhältnisse bezahlen mußte. [72]

Bei Ida Hahn-Hahn meinte man, diesen ›Erbtick‹ in ihrem Hang zur Schriftstellerei erkannt zu haben. Sie machte von sich reden, indem sie ihre eigenen Kreise bloßstellte. Schließlich war sie die »erste moderne deutsche Romanschriftstellerin von Bedeutung«, die das Leben der oberen Stände aus eigener Anschauung darzustellen und zu kritisieren wagte. [73] All das waren bereits hinreichende Gründe, um ins Kreuzfeuer der öffentlichen Meinung zu geraten. Je nach ideologischem Standort wurde sie als Vorkämpferin der Frauenemanzipation gepriesen, als »deutsche George Sand«, welche die Befreiungsgedanken der französischen Dichterin auf germanischem Boden fortzuführen suchte [74], oder als krankhaft bizarre Emanzipationssüchtige [75] getadelt. Während der konservative und im übrigen Hahn-Hahn nicht sehr wohlwollende Julian Schmidt nicht umhinkonnte, ihren unausgesetzten Kampf gegen »das Spießbürgerthum« anzuerkennen [76], empörte sich der noch konservativere Eichendorff gegen eine Autorin, die »das an sich Verkehrte und Nichtsnutzige zum Gegenstande einer verklärenden Literatur macht«, und gegen ein Publikum, das solche Werke auch noch »mit einem Schrei des Beifalls begrüßt«. Für ihn gab es »keine schlimmere Literatur« als diejenige, welche sich wie die Hahn-Hahnsche »an dem Phosphoresziren der Fäulniß ergötzt« und »die gänzliche Zerrüttung der socialen Zustände« widerspiegelt. [77] Aber auch andere Schriftsteller und Literarhistoriker griffen zu recht affektgeladenen Metaphern, wenn es um »die tolle Gräfin« ging. Adolf Glassbrenner verspottete sie auf Grund ihres Doppelnamens als »Gräfin Kikeriki« [78] und Alexander von Ungern-Sternberg als männerfressende Amazone, die selbst vor dem Engel »Tutu« ihre Fangarme nicht zurückhält. [79] Von Fanny Lewald erschien 1847 sogar ein kompletter Roman mit dem Titel *Diogena* [80], in dem die Kollegin als Nachfahrin des Diogenes persifliert und mit ihrer mythologischen Lampe bis in die Wigwams der nordamerikanischen Indianer geschickt wird, um dort den ›rechten‹ Herzenspartner aufzuspüren. Wesentlich gemäßigter dagegen äußerte sich Theodor Mundt, der sich ausschließlich auf ihre literarische Produktion bezog und ihr »Feinheit und Eigenthümlichkeit der Beobachtung« sowie wirkliches Dichterthum attestierte. [81]

Doch auch die Stimmen aus dem 20. Jahrhundert sind ähnlich widerspruchsvoll. So bezeichnet Heinrich Spiero die Autorin als »vornehme Dilettantin« [82], wogegen Richard M. Meyer sie den »Originalgenies« à la Max Stirner zurechnet und in ihren Werken die psychologischen Erkenntnisse eines Ibsen und Jacobsen bereits vorweggenommen findet. [83] Friedrich Sengle stellt sie sich »als eine melancholische Kreuzung von Kurtisane und Klosterschwester« [84] vor und beschreibt ihr Oeuvre »als ein schwer definierbares Ragout aus Byron, Jean Paul und den französischen Einflüssen«. [85] Walter Dietze hingegen erkennt in ihren Werken »wesentlich schärfere Angriffe auf Kirche und Staat ... als sie jemals von jungdeutscher Seite kamen«. [86]

Ungeachtet solcher literarischen Etikettierungen sind die Werke Hahn-Hahns von ihren Zeitgenossen geradezu verschlungen worden. Sie war die beachteteste unter allen deutschen Belletristinnen [87], und ihre »Romane ... sind mit einem Eifer und einer Aufmerksamkeit gelesen worden, wie sie anderen Erscheinungen der nämlichen Schriftgattung damals und später nicht gegönnt waren«. [88] Mit mehr als hundert Besprechungen ihrer Schriften in Tagesblättern und Zeitschriften [89] kommt sie rein quantitativ der »Rezensionsintensität« nahe, die Heines literarische Produktion hervorrief. [90] Ein Jahrzehnt (von 1838–1848) waren Auftreten und Werk der Autorin »gesellschaftsbeherrschend« [91], und es steht außer Zweifel, daß sie zu den interessantesten Frauen des 19. Jahrhunderts gehört. An ihr lassen sich die Zwiespältigkeit der Metternichschen Restaurationsepoche und der Bruch, der durch das ganze jungdeutsche Geschlecht ging, am deutlichsten erkennen. [92] Nicht zu Unrecht wird sie von Ernst Alker in seiner *Literatur des 19. Jahrhunderts* »als die schwierigste Gestalt« unter den Schriftstellerinnen bezeichnet, die sich nicht damit begnügte, jungdeutsch zu schreiben, sondern darüber hinaus ebenfalls »jungdeutsch lebte«. [93] Und so läßt sich an Werk und Rezeption sowie auch an der Persönlichkeit dieser Autorin kulturhistorisch höchst Aufschlußreiches ablesen. Eine Beurteilung der emanzipatorischen Impulse ihrer Romane nach formalästhetischen Gesichtspunkten wäre daher der ungeeigneteste Ansatz, um ihren Platz in der Geschichte der Frauenfrage zu ermitteln. Hahn-Hahns Gleichheitsvorstellungen lassen sich nur vor dem Hintergrund der damaligen politischen, gesellschaftlichen und literarischen Spannungen beurteilen, wobei nicht übersehen werden darf, daß sie zu der ersten Schriftstellerinnengeneration gehört, die solche Fragen in ihre Romane aufnimmt. Mit welchen generellen Schwierigkeiten diese ›Pionierinnen der Frauenliteratur‹ auch in intellektuellen Kreisen zu rechnen hatten, geht aus der folgenden Rezension in den *Blättern für literarische Unterhaltung* hervor. Gegenstand der Kritik ist die erste, fast nichtssagend harmlose Gedichtsammlung (1836) Hahn-Hahns, die der Rezensent fast gelobt hätte, wenn sie nicht einer weiblichen Feder entsprungen wäre und damit gegen den männlichen Geist der Poesie verstieße. Denn sowohl der Genius als auch die Poesie sind seiner Ansicht nach ausschließlich männliche

Reservate. [94] Und so mußte die Schriftstellerin schon frühzeitig die Erfahrung machen, daß für die Beurteilung eines literarischen Produkts die Zugehörigkeit sowohl zur Aristokratie [95] als auch zum weiblichen Geschlecht in vielen Fällen als wertmindernd galt. Eine Erfahrung, die sicherlich dazu beigetragen hat, ihre spätere Gleichgültigkeit Rezensionen gegenüber zu erklären.

Doch werfen wir zunächst einmal einige Blinklichter auf die Lebensgeschichte von Ida Hahn-Hahn, die wohl zu den farbigsten und skurrilsten Frauenschicksalen des 19. Jahrhunderts gehört. 1805 hinter ›der chinesischen Mauer‹ im mecklenburgischen Remplin geboren, stand ihre Wiege noch ganz auf dem Boden des slavischen Mittelalters. In den *Erinnerungsblättern* von Luise Mühlbach findet sich folgende Beschreibung von diesem Landteil: »Mecklenburg war damals [etwa 1820] noch fern ab von allem Verkehr, von jeder geistigen Zugehörigkeit, gleichsam umgeben von einer chinesischen Mauer, die es abtrennte von der ganzen übrigen Welt. Keine Chausseen, keine Industrie, keine Ausfuhr seiner Producte, ein mittelalterliches Dasein.« [96] Die herrschende Adelsgesellschaft, die streng hierarchisch gegliedert war und deren tonangebende Schicht durch den eingeborenen obtritischen Adel [97] vertreten wurde, war zutiefst reaktionär. Zu der Zeit, in der Ida Hahn-Hahn – als Tochter aus einem der ältesten und reichsten Geschlechter des eingeborenen Adels – heranwuchs, herrschten die feudalen Junker noch immer ungebrochen. Mit kaum zu überbietender Selbstherrlichkeit maßten sich diese Obersten der Oberen an, ohne Rücksprache mit dem Landesfürsten für 1500 Thlr Adelserhebungen vorzunehmen und gleichzeitig andere Mitbürger gänzlich von dem Genuß der Vollbürgerrechte auszuschließen. [98] Für seine Untergebenen interessierte man sich nur insofern, als sie nützlich waren. »Dem Gutsherrn ist es genug, wenn der Bauer den Ochs von der Kuh zu unterscheiden weiß, wenn sein Weib die adlige Kuh zu melken versteht« [99], liest man in der Biographie von Marie Helene, und in bezug auf die Schulbildung gibt die Schilderung aus den *Rostocker gelehrten Beiträgen* hinreichend Aufklärung:

> Eine Mehrbildung des geringen Landmannes ist ganz unzweckmäßig, Intelligenz zu seinem Berufe nicht erforderlich; die neuere Bildung des geringen Mannes ist das größte Uebel der neueren Zeit, der Blasebalg aller Revolutionen; die Bildung in Volksschulen ruft allein das Gefühl des Unbefriedigtseins hervor, und Begehr nach einem andern Zustand der Dinge. [100]

Allerdings war der mecklenburgische Landadel auch in bezug auf seine eigene Bildung von verblüffender Genügsamkeit. Seine geistige Nahrung bezog er für gewöhnlich aus der *Illustrierten Zeitung*, aus *Diezmanns Modejournal* und einem gelegentlichen Theaterbesuch. Diejenigen, die größere Ambitionen verspürten, schafften sich *Brockhaus' Conversationslexikon* an. [101] Daß unter solchen Umständen auch die Bildung der jungen Ida eine höchst rudimentäre blieb, kann daher nicht weiter verwundern. Wechselnde Gouvernanten hatten in erster Linie die Aufgabe, sie für das Leben in der Gesellschaft vorzubereiten. Nach den herrschenden Standesbegriffen waren für eine mecklenburgische Gräfin darüber hinausreichende Kenntnisse nur überflüssiger Ballast, mit dem sich Theologen, Advokaten oder andere wappenlose Gesellen befrachten mochten. Einen regelmäßigen Schulunterricht, wie das in anderen Teilen Norddeutschlands für die Töchter der höheren Stände bereits üblich war [102], hat Ida Hahn-Hahn niemals genossen. Ein Manko, das sich in all ihren Romanen bemerkbar macht und ihr immer wieder den Vorwurf des Dilettantischen einbrachte, wobei nur allzuoft übersehen wurde, daß sie wie kaum eine andere Schriftstellerin – von männlichen Kollegen ganz zu schweigen – durch Stand, Herkunft und Sitte zu diesem Dilettantismus verdammt war. Über ihre Erziehung hat kein bildungsbewußter Vater gewacht und sie zu systematischer Arbeit angeleitet, wie das bei Sophie von LaRoche, Luise Mühlbach und vor allem bei ihrer ›Antipodin‹ Fanny Lewald der Fall war. Sie begann ihre Beschäftigung mit Literatur ganz »ins Blaue hinein« [103], wie sie selber sagte, und fand mit 16 Jahren in Byron ihren ersten Lehrmeister.

Nicht so sehr Hahn-Hahns aristokratische Herkunft als solche bedarf der besonderen Berücksichtigung, als vielmehr die Tatsache, daß es sich in ihrem Fall um eine so mittelalterliche und jedem Fortschrittsgedanken verschlossene Kaste gehandelt hat. Man muß sich den obtritischen Junkergeist vorstellen, der ‹die Milch ihrer frühen Denkart‹ gewesen ist, um ihren emanzipatorischen Entwicklungsprozeß richtig einschätzen zu können. Erst vor dem Hintergrund einer solchen Kulturfinsternis läßt sich die individuelle Energie ermessen, die erforderlich war, um den Sprung über ›die chinesische Mauer‹ zu wagen. Zwar hatte bereits der Vater Idas, der berüchtigte Theatergraf, mit diesem feudalherrlichen Archaismus in Fehde gelegen, indem er auf seinem Hauptgut ein eigenes Theater errichtete [104] »und den Schauspielern, als seinen ›natürlichen Kindern‹, großzügig im Schlosse Quartier gewährte. [105] Aber dieser väterliche Enthusiasmus, der den völligen Ruin der Familie zur Folge hatte, war in allzu chaotische Formen gekleidet, als daß eine solche Lebensführung für die heranwachsende Tochter eine wünschenswerte Alternative zu dem herkömmlichen Kastenwesen bedeutet hätte. Jedenfalls berichten ihre Biographen, daß das exzessive Treiben des Vaters höchst nachteilig auf die Psyche Idas gewirkt und eher Abwehrreaktionen hervorgerufen habe. [106] Und tatsächlich ist es auffällig, daß sie in ihrem gesamten Werk den Vater nur ein einziges Mal erwähnt hat und auch das nur in Verbindung mit einem für sie höchst unangenehmen Erlebnis. [107] Sie hielt sich mehr an die als sanft und zurückhaltend beschriebene Mutter [108], mit der sie nach der elterlichen Scheidung ohnehin eng zusammenlebte, und war bis zu ihrem 21. Lebensjahr das, was man als eine ›gehorsame Tochter‹ zu bezeichnen pflegte. Widerstandsloser und gutherziger, als sie es tat, konnte man sich den familienpolitischen Heiratsstrategien kaum fügen, und ihr »ja! gern« [109], das sie auf Anraten der Verwandten ihrem begüterten Vetter Graf Friedrich Hahn auf dessen verliebte Ehewerbung entgegnete, konnte nicht freundlicher geklungen haben. Sie gab ihr Jawort, weil sie keine Abneigung gegen ihren Vetter empfand und sich als gute Tochter verpflichtet fühlte, den Wünschen ihrer Familie entgegenzukommen.

Wie die meisten dieser mit Argusaugen behüteten Mädchen der Oberschicht, hatte sie keine andere Vorstellung von der Ehe, als welche die Familie ihr frühzeitig vorzugaukeln für vorteilhaft hielt, um jeglichen Individualanspruch schon möglichst im Keim zu ersticken. Man tat daher alles, um dem Mädchen den Ehestand als solchen in den poetischsten Farben zu schildern und als das begehrenswerteste Ziel hinzustellen. Wie wenig die Realität solchen Glücksprophezeihungen in der Regel entsprach, mußte die junge Frau nur allzubald selber erfahren. Sie erkannte schnell, daß sie sich an der Seite eines Mannes befand, der ihr innerlich fremd war und dessen Vorlieben sie erschreckten. Die ›Poesie der Ehe‹ bot sich ihr als die ›Prosaik‹ des Pferdes dar, bei der es um Züchtung und Zähmung, um Geländeritte und Parforcejagden ging, denen sie keinen Geschmack abgewann. Friedrich Hahn dagegen mißfielen die schöngeistigen Interessen seiner Gemahlin. Die Problematik dieser Ehe war ähnlich gelagert wie die der George Sand. Auch hier schreckte der Mann nicht vor Tätlichkeiten zurück, und die Frau glaubte sich dazu verpflichtet, selbst diese erdulden zu müssen. Ebensowenig wie Sand war Hahn-Hahn mit irgendwelchen Gleichheitsansprüchen in die Ehe getreten. Sie bemühte sich, eine gute Landedelfrau zu sein und in allem dem Willen ihres Mannes zu entsprechen. Nach Berichten von Augenzeugen soll die Gräfin selbst nach erfahrenen Unbilligkeiten noch behauptet haben, daß »sich eine Frau ... ihrem Mann stets fügen müsse, auch wenn ihr Unrecht geschähe«. [110] Von einer solchen gutwillig akzeptierten Unterordnung finden sich in ihren Romanen keine Beispiele mehr. Katrin van Munsters Beobachtung, daß sich nur noch in einer Tagebucheintragung ein ähnlicher Appell an die weibliche Unterdrückungsbereitschaft findet, kann hier voll unterstützt werden, wenn auch die bedauernde Verwunderung, welche die Verfasserin über die Aufgabe eines so »gesunden Gedankens« wie den der freiwilligen weiblichen Unterordnung zum Ausdruck bringt, nicht nur ihr generelles Unverständnis für die Emanzipationsidee, sondern auch für ihren Untersuchungsgegenstand verrät. [111] Anders als Luise Mühlbach war Ida Hahn-Hahn ja gerade nicht von Anfang an eine ›Emancipirte‹ gewesen, hatte nicht das Gedankengut der jungdeutschen Schriftsteller gekannt oder gar mit ihnen korrespondiert. Das Echo der Julirevolution war kaum hinter ›die chinesische Mauer‹ gedrungen. In demselben Alter, nämlich mit 24 Jahren, in dem Mühlbach einen Roman gegen die Entsagungsehe *(Erste und letzte Liebe)* schrieb, verkörperte Hahn-Hahn eine solche Entsagende noch selbst. Erst die Zuspitzung ihrer Eheproblematik und die darauffolgende Scheidungskrise entwickelten so etwas wie ein Unterdrückungsbewußtsein in ihr und ließen sie die völlige »Verkehrtheit« und Heuchelei der Gesellschaft in bezug auf die Geschlechter erkennen. Wenn sich also in den folgenden Romanen keine Ermunterungen zur Selbstauslöschung der Frau mehr nachweisen lassen, so spiegelt sich darin der emanzipatorische Entwicklungsprozeß wider, den Hahn-Hahn seit ihrem folgenschweren »ja! gern« inzwischen durchlaufen hat und den Munster anscheinend überhaupt nicht wahrnimmt. Dabei hat der spezielle Erfahrungshintergrund, vor dem sich das weibliche Selbstbewußtsein der Autorin herausbildete, ihren Gleichheitsvorstellungen eine ganz besondere Färbung verliehen. Ausgangspunkt ihrer egalitären Forderungen waren keine abstrakten ideologischen Veränderungskonzepte, war kein generelles soziales Engagement wie im Fall von Luise Mühlbach, sondern die individuelle Frustrierung, die sie als Frau in ihrer Ehe erlebt hatte. Eine solche diskriminierende Eheerfahrung hat von den anderen Schriftstellerinnen dieser Untersuchung nicht eine durchgemacht.

Die Art und Weise, wie die Scheidung durch einen in ihrem Schreibtisch versteckten, fingierten Briefwechsel mit einem Pferdemaler zu ihren Lasten erzwungen wurde [112], ließ sich nicht mehr bloß durch den traditionellen männlichen Dominierungsanspruch verteidigen, sondern fiel eindeutig in den Bereich des Kriminellen. Wie nachhaltig diese Angelegenheit die damaligen Gemüter bewegt hat, läßt sich auch an der Tatsache erkennen, daß Gutzkow, der alles andere als ein Hahn-Hahn-Verehrer war, ihr mit seinem Roman *Imagina Unruh* (1849) eine späte poetische Rechtfertigung erwies. Er griff das Motiv ihrer Ehe- und Scheidungsgeschichte noch einmal auf und schilderte den Konflikt, in den »das lieblichste, merkwürdigste, interessanteste weibliche Wesen« [113] durch den Hang zur Poesie mit seinem prosaischen Landjunkerehemann geraten war. Wenn auch Gutzkow den phantastischen Unabhängigkeitsideen der Gräfin Imagina mit der in dieser Hinsicht für ihn bezeichnenden Skepsis begegnete, so erhöhte er seine Protagonistin dennoch zum Vorbild für eine Gesellschaft, deren Lebensinhalt durch krasseste Gewinnsucht und vordergründigsten Geltungstrieb bestimmt war. Er erkannte die potentielle Bedeutung ihrer poetischen Selbstbehauptung und sah in ihrer Weigerung, sich den erwarteten Normen anzupassen, die Voraussetzung zu einer ersten Individualisierung der Gesellschaft gegeben.

Hahn-Hahns Emanzipationsanstoß ergab sich aus ihrem diskriminierenden Eheerlebnis. Das bewirkte einerseits die Entschiedenheit ihrer Gleichheitsvorstellungen, andererseits aber auch deren Einseitigkeit. Nicht zu Unrecht ist immer wieder der Vorwurf erhoben worden, daß sie sich bloß für den Egalitätsanspruch der Damen aus der Aristokratie interessiere und vornehmlich für eine ›Gräfinnen-Emanzipation‹ plädiere. In der Tat sind die weiblichen Hauptgestalten ihrer zehn Romane aus den Jahren 1838–1848 ausnahmslos blaublütig. Es gibt keinen Zweifel daran, daß sie ihre emanzipatorischen Bemühungen nur an einem ganz bestimmten Typus exemplifiziert. Ein allgemeines Befreiungskonzept hat sie niemals im Auge gehabt. In einem solchen Elitismus liegt ohne Frage ihre Begrenzung und Rückständigkeit im Vergleich mit einer Autorin wie Luise Mühlbach, die sich ebenso um das Los von Frauen aus der Unterschicht bekümmerte. Andererseits kann Hahn-Hahn durch eine solche ›Terrainabsteckung‹ in mancher Hinsicht auch zu subtileren Ergebnissen vordringen. Mühlbachs Emanzipationsradius ist zwar weiter gespannt als der ihrer aristokratischen Kollegin, ihr Aussagequotient hingegen verschwommener. Es hat sich gezeigt, daß ihre Befreiungsbestrebungen vielfach inkonsequent und zum Teil sogar in voraufklärerische Ideale umgeschlagen waren. Ein solcher Rückfall ins weibliche Mittelalter läßt sich bei Hahn-Hahn nicht mehr feststellen. In keinem ihrer Romane findet sich ein ähnliches Credo der herkömmlichen Unterdrückungsmoral wie das folgende, schon einmal zitierte aus Mühlbachs Tetralogie *Die Gattin:* »Ich sage es aus voller Überzeugung, *es ist besser unglücklich verheirathet zu sein, als gar nicht.«* [114] Zu einer derartigen Devotion können sich die Hahn-Hahnschen Frauengestalten nicht mehr entschließen. Das Kleinmütige und Klägliche einer solchen Ehevorstellung läßt sich mit ihrem entwickelteren Ichbewußtsein nicht mehr vereinen. Bei ihnen kann sich eine Ehe nur auf der Basis einer wechselseitigen Achtung aufrechterhalten. Fehlt diese, so kommen sie zur entgegengesetzten Erkenntnis, nämlich daß es besser sei, gar nicht verheiratet zu sein, als unglücklich. [115] So paradox es zunächst auch klingt, gerade in diesen Dingen erweist sich die zuvor beschriebene Einseitigkeit der Autorin ganz offensichtlich als produktiv. Sie hat es verstanden, ihr aristokratisches Überlegenheitsbewußtsein – nach ihren ehelichen Lehrjahren – auf die frauenemanzipatorische Ebene umzutransponieren.

Das Selbstbewußtsein dieser mecklenburgischen Gräfin blieb nicht – wie bei der Mehrzahl ihrer Standesgenossinnen – auf das erlaubte Terrain der Stammbaumsuperiorität beschränkt. Ihr Individualbewußtsein sträubte sich gegen eine Parzellierung ihrer Befugnisse in höchstes Befehlspotential auf der einen und niedrigsten Gehorsamszwang auf der anderen Seite. An diesem Widerspruch entwickelten sich ihr emanzipatorisches Selbstverständnis und die Einsicht, den männlichen Dominierungsanspruch nicht als etwas Absolutes hinzunehmen. Ganz in diesem Sinne läßt sie die Heldin des Romans *Faustine* auf die kategorische Behauptung ihres Schwagers, daß der Mann zum Herrschen, die Frau hingegen zum Gehorchen geboren sei, höchst entschieden widersprechen:

›Gott‹, rief Faustine, ›wie komisch sind die Männer! ganz ernsthaft bilden sie sich ein, der liebe Gott habe unser Geschlecht geschaffen, um das ihre zu bedienen! [...] Und die eine Hälfte des Menschengeschlechts wäre geschaffen, damit sie die andre brutalisire!... Ihr wollt winken, und wir sollen kommen – ein Wort sagen, und wir sollen anbeten – lächeln, und wir sollen auf die Knie fallen – zürnen, und wir sollen verzweifeln... Das ist Euch schon zur Natur worden! in diesem Sinn richtet Ihr die bürgerlichen Verhältnisse ein, erzieht Ihr die Kinder, schreibt Ihr Bücher.‹ [116]

Faustine ist jedoch keineswegs das, was man im landläufigen Sinne als eine Frauenrechtlerin bezeichnen würde. Sie hat weder entschiedene Veränderungskonzepte noch sonst irgend etwas Programmatisches im Sinn. Sie äußert ihre Vorbehalte im Bewußtsein ihrer unverwechselbaren Individualität, die sich gegen jede Art von Fremdeinmischung zur Wehr setzt. Und gerade dieser gesteigerte Subjektivismus befähigt sie dazu, seismographisch auf die diskriminierenden Machtansprüche des Mannes zu reagieren. In einer solchen Blickverschärfung für die traditionelle Benachteiligung der Frau liegt Hahn-Hahns emanzipatorischer Mehrwert. Daß sie dabei zunächst einmal sich selbst Modell gestanden hat und nur die ihr vertrauten Kreise schildert, ist eine Eigenschaft, die sie mit den meisten der jungdeutschen Autoren gemein hat. In dieser Hinsicht ist sie genau wie Heine, Laube und Gutzkow eine echte Repräsentantin jenes deutschen Liberalismus, der nicht »den politischen Freiheitsbegriff« zum obersten Prinzip erhob, sondern »die Freiheiten, die zum Vorrecht bestimmter Klassen und Einzelpersonen gehörten« [117], das heißt das eigene ›emanzipierte Ich‹ in den Mittelpunkt seiner Ideologie stellt. Ihr hieraus einen Vorwurf machen und sie lediglich ins Gräfinneneck abschieben zu wollen, hieße die vielsträngige Entwicklung der von Metternich immer wieder gebremsten liberalistischen Tendenzen verkennen. Schließlich pflegen sich auch Laubes »Poeten« vorzugsweise mit Gräfinnen zu beschäftigen, und das Handlungsterrain von Gutzkows Romanen bildet gleichfalls der Salon. Insofern geht Sengle konsequent vor, wenn er nicht nur Hahn-Hahn, sondern ebenfalls die jungdeutschen Autoren als »Salonschriftsteller« [118] bezeichnet. Problematisch wird die Sache erst, wenn er einerseits das zunehmende Ansehen der aristokratischen Kreise nachweist und durchaus nicht abwertend von einer »Restauration des Adels« in der Biedermeierzeit spricht [119], aber andererseits dieselben Symptome in der Literatur der Jungdeutschen als bloßen Aristokratismus und Elitismus verwirft. [120] Besonders bei seiner Hahn-Hahn-Abwertung ist auffallend, daß seine Beurteilung ohne jede Rückkoppelung mit den historischen und sozialen Voraussetzungen geschieht, so daß man den Eindruck gewinnt, als wolle Sengle literarisch nicht wahrhaben, was er historisch erkannt hat. [121]

Bei der Beurteilung von Hahn-Hahns emanzipatorischen Stellenwert muß man sich noch einmal vor Augen halten, daß so, wie die sozialen Verhältnisse damals in Deutschland aussahen, der Befreiungskampf der Frau auf drei verschiedenen Ebenen geführt werden mußte, nämlich auf der adligen, der bürgerlichen und der proletarischen. Die Abhängigkeitsverhältnisse waren in jedem Fall andere. Die bürgerlichen Frauen waren ökonomisch vom Manne am abhängigsten. Im Mittelpunkt ihrer Gleichheitsbemühungen mußte daher das Recht auf Arbeit, das heißt das Recht auf eine eigene Berufstätigkeit stehen, denn nur die entlohnte Tätigkeit konnte ihnen die materielle Unabhängigkeit von Vater und Ehemann garantieren. Eine solche finanzielle Abhängigkeit bestand nicht für die Arbeiterfrau, die selber Lohnempfängerin war. Sie wurde durch die wirtschaftliche Notlage ihrer Klasse zur Mitarbeit gezwungen. Hier hatten die moralischen Bedenken, mit denen die oberen Klassen gegen die weibliche Berufstätigkeit zu Felde zogen, auf einmal ihre Relevanz verloren. Während man bei den läppischsten Anlässen um die Tugend der Bürgerinnen fürchtete und peinlichst ihre Ausgänge bewachte, empfand man nicht die mindesten Skrupel, lohnempfangende Frauen auch zur Nachtzeit aus dem Haus zu schicken, wenn es darum ging, einen Botengang zu verrichten. Das Abhängigkeitsverhältnis der Arbeiterfrau war in erster Linie durch die Lohnabhängigkeit von ihrem Arbeitgeber bestimmt.

Für die Frauen des Adels war die Situation dagegen die folgende: Sie waren vermögensrechtlich am besten gestellt, da ihnen im Falle der Nichtvermählung wie auch der Scheidung eine Rente zustand. [122] Das Ideal der Berufslosigkeit galt in diesen Kreisen für beide Geschlechter, wodurch die für das Bürgertum bezeichnende Arbeitsteilung von vornherein wegfiel. Die Befreiungsvorstellungen der aristokratischen Damen konzentrierten sich daher vor allem auf die emotionale und intellektuelle Gleichheit. Man sollte also angesichts der immer wieder kritisierten emanzipatorischen Einseitigkeit Hahn-Hahns nicht die unterschiedlichen Modalitäten der weiblichen Abhängigkeitsverhältnisse vergessen. Es gab nicht *die zu befreiende Frau* schlechthin. Durch das Fehlen einer Revolution hatte gerade die deutsche Frau – anders als beispielsweise die Französin – keinen Anstoß zu einer allgemeinen Solidarisierungserfahrung erhalten. Sie blieb in erster Linie Repräsentantin ihres Standes, bevor sie zur Repräsentantin ihres Geschlechts wurde. Verbindliche Emanzipationsansätze mußten daher zunächst einmal auf der jeweiligen Standesebene entwickelt werden. Alles andere war Utopie. Ein auf den ersten Blick so demokratisches Konzept wie das der »femme libre« nützte letztlich keiner Frau und mußte notwendig ins Allgemeine verpuffen. Hahn-Hahn erbrachte nicht mehr und nicht weniger als den frauenemanzipatorischen Beitrag ihres Standes. Darin liegt ihre Bedeutung wie auch ihre Begrenzung.

Als Ida Hahn-Hahn zum ersten Mal über ›die chinesische Mauer‹ hinauskam und außermecklenburgischen Boden betrat, war sie 24 Jahre alt. Sie war im Februar 1829 geschieden worden und fühlte sich seitdem als die uneingeschränkte Herrin ihres Geschicks. Da ihr 1500 Taler Gold nebst der Unterhaltskosten für ihre geisteskranke Tochter als jährliche Rente ausgesetzt waren, befand sie sich zumindest wirtschaftlich in einer recht gesicherten Position. [123] Anders als bei Luise Mühlbach und Fanny Lewald war es daher nicht der Erwerbszwang, der sie zur Schriftstellerei trieb. Zwischen Scheidung und erstem Hervortreten in der literarischen Öffentlichkeit lagen in ihrem Fall volle sechs Jahre. [124] Es drängte sie, zunächst einmal aus der mecklenburgischen Begrenzung herauszukommen und etwas anderes von der Welt zu sehen als das obtritische Junkertum. In diesem Wunsche kam ihr »die neue Mobilität«, wie man die damals aufkommende Reisemode bezeichnete [125], höchst günstig entgegen. Was jedoch noch mehr zu ihren Gunsten wirkte, war das Novum, daß auch für Frauen das große Reisen – sofern es unter der entsprechenden männlichen Schirmherrschaft geschah – nicht länger als ein diskriminierendes Unterfangen angesehen wurde. Und so war Ida Hahn-Hahn eine der ersten ihres Geschlechts, die in den Genuß dieser travelloristischen Toleranz kam und ausgiebigst davon Gebrauch machte. Den adäquaten Schutzpatron hatte sie in dem kurländischen Baron Adolf Bystram gefunden, mit dem sie in einem freien Neigungsverhältnis lebte. Gemeinsam mit ihm bereiste sie zunächst Deutschland, die Schweiz, Österreich und Italien, später Dänemark, Schweden, England, Frankreich und Spanien und im Jahre 1843/44 sogar den Orient. »Ich bin gepilgert von einer Grenze unsers Welttheils zum andern«, schreibt sie in ihrem Bekenntnisbuch, »von den Katarakten des Nils zu den Grotten von Staffa – von Cintras Hügeln nach den Gärten von Damaskus – über Alpen und Pyrenäen und Libanon – über Meere und durch die arabische Wüste – von den Ufern des Shannon im grünen Erin zu den Ufern des heiligen Jordan; ich bin zu Hause gewesen unter dem Zelt des Beduinen und in den Palästen der haute volée von Europa; ich habe gekannt, was mir an verschiedenen Ständen und Verhältnissen, Völkern und Menschen nur irgend erreichbar war.« [126]

Diese Reiseerlebnisse sowie die vorangegangenen Eheerfahrungen bildeten den Grundstock ihrer emanzipatorischen Entwicklung. Bei ihren Streifzügen durch die Welt konnte sie zumindest einen Teil ihrer vernachlässigten Bildung aufholen und die Engräumigkeit ihrer Jugend- und Ehezeit kompensieren. Wenn sie dabei auch nicht zur Demokratin wurde, so hat sie doch immerhin jeglichen Regionalaristokratismus abgelegt. Um sich das Ausmaß an Couragiertheit vorzustellen, das zu einem solchen Aufbruch in den Orient gehörte, muß man sich vergegenwärtigen, wie beschwerlich und hindernisreich das Reisen selbst innerhalb Deutschlands damals noch war. Ida Hahn-Hahn unterzog sich dieser Strapazen nicht aus der Sekundärmotivation der begleitenden Ehefrau oder Freundin heraus, sondern weil Wissensdurst und Erkenntnisdrang sie in diese Fernen trieben. »Ich mache sie [die Reisen]«, schrieb sie ihrem Bruder aus Konstantinopel, »um die Stätten kennen zu lernen, aus denen einst große Civilisationen gleich Blüten aus dem Kern ihrer Religionen *hervor-* und *untergingen* ... Ich mache sie um die Stätte zu sehen, wo unsere Civilisation, die vielseitigste von Allen, die je gewesen, ihren Ursprung hat.« [127]

Und so reiste sie nicht als die aristokratische Lady, die aus schicklicher Distanz per Lorgnon ein wenig orientalische Architektur inspizierte, sondern mit dem vollen Einsatz ihrer Persönlichkeit. Sie besichtigte nicht nur die Vorderseite der Kultur, die Paläste und Moscheen, Tempel und Grabmäler, sondern versuchte, auch mit den Einwohnern in Berührung zu kommen, ging auf Märkte und Volksfeste, in Hospitäler und Schulstuben und erwirkte sich sogar die Erlaubnis, einen türkischen Harem zu besuchen. Auf einem verschmutzten und völlig verwanzten Dampfschiff machte sie die Fahrt durch das Schwarze Meer nach Konstantinopel. Von da aus ging es weiter nach Smyrna und Beirut. Mit Packpferden, Zelt und Kamelen begann dann von Damaskus aus der Karawanenzug durch die Wüste, auf dem die Gräfin täglich acht bis zehn Stunden im Pferde- oder Kamelsattel saß. Wegen räuberischer Umtriebe ging es unter bewaffneter Beduinenführung weiter nach Jaffa. Hahn-Hahn scheute keine Strapazen. [128] Ihre »Neubegierde nach nie gesehener Menschlichkeit« war unerschöpflich. Wenn es sein mußte, übernachtete sie auf der Erde, nahm mit jeder Speise vorlieb und paßte sich völlig den Gegebenheiten der jeweiligen Situation an. »Wer nicht lernen kann, aus der Flasche eines Arabers zu trinken, komme lieber gar nicht her« [129], schrieb sie nach Deutschland, wo man regen Anteil an ihren abenteuerlichen Exkursionen nahm. Vor allem die *Blätter für literarische Unterhaltung* informierten die Öffentlichkeit über die verschiedenen Aufenthaltsorte der Gräfin. [130]

Mit ihrer orientalischen Reise hatte Hahn-Hahn unmißverständlich zum Ausdruck gebracht, daß sie nicht mehr gewillt war, ihr Leben nach den erwarteten gesellschaftlichen Normen auszurichten. Sie reiste, wohin und wie es ihr Spaß machte, und kümmerte sich nicht darum, daß sie die erste Frau war, die in Konstantinopel einen Reisepaß für den Orient forderte. [131] Es störte sie ebensowenig, daß man sich anfangs in der höheren Gesellschaft über ihre illegale Beziehung zu Bystram entrüstete. Seit ihren eigenen schmachvollen Eheerlebnissen hielt sie nichts mehr von institutionalisierten Liebesbindungen und zog es vor, ihr gemeinsames Leben mit Bystram auf die Basis freiwilliger Übereinkunft zu stellen. Von der gesellschaftlichen Meinung hatte sie sich längst emanzipiert. Was für sie zählte, waren Reisen und Schreiben. Wenn sie einen Roman beendet hatte, machte sie eine Reise. Kehrte sie wieder heim, so beschrieb sie diese. Auf solche Weise entstanden in dem Jahrzehnt ihrer vorkatholischen Zeit sechs umfangreiche Reisebeschreibungen, von denen drei zweibändig und eine – nämlich die *Orientalischen Briefe* – sogar dreibändig waren, fünf Gedichtsammlungen und zehn Romane. Das Schreiben wurde ihre Passion. Sie arbeitete dabei rein assoziativ, hatte nie irgendeinen Plan und ließ sich ganz von der Lust an der Erfindung leiten. »Ich schrieb und zwar so, wie ich Alles that, was ich that«, erläuterte sie rückblickend, »aus innerm Drang, um mir selbst zu genügen, um in irgend Etwas den Durst meiner Seele nach Vervollkommnung auszusprechen und um ihn in Anderen anzuregen. Ich schrieb mit einer Art von Leidenschaft, so daß ich, wenn ich in tiefer Nacht vom Schreibtisch aufstand und zu Bette ging, bisweilen aus meiner Ermüdung ganz schlaftrunken aufjubelte vor Freude, daß ich am andern Tag weiter schreiben könne. Einen solchen Genuß fand ich darin!« [132]

Mit den Mühseligkeiten der Schriftstellerei hat sie sich nicht abgegeben. Für lange Ausarbeitungen und Korrekturen besaß sie keinen Sinn. Sie schrieb, wie ihr zumute war, und kommentierte, was ihr als kommentierenswert erschien. Sie scheute sich nicht, immer wieder ihre Fabel zu unterbrechen und die Fiktionsebene zu verlassen, um sich übergangslos mit ihren eigenen, manchmal recht umfangreichen Reflexionen einzuschalten. Das beeinträchtigt zwar die ästhetische Geschlossenheit der Romane und schmälert ihren Wert bei germanistischen ›Abrundungsfanatikern‹ wie Schmid-Jürgens, welche die mangelnde Straffheit und Objektivität beanstandet [133], bietet jedoch demjenigen, der Literatur nicht außerhalb der üblichen gesellschaftlichen Verflechtungen betrachtet und in erster Linie auf ihre emanzipatorische Relevanz hin befragt, höchst aufschlußreiches Material. Denn gerade diese von Schmid-Jürgens als so »störend« bezeichneten Abschweifungen der Autorin sind in bezug auf die Frauenfrage von größtem Interesse. In ihnen äußern sich ihre Gleichheitsvorstellungen am konkretesten. Wenn Charlotte Keim auf »die unangenehme Schärfe« dieser frauenrechtlerischen Erörterungen hinweist und sie als »irgendwie aufgepfropft« und »aus den Romanen herausfallend« bezeichnet [134], so ist die Beobachtung einer solchen Emanzipationsdivergenz auf der Handlungs- und Reflexionsebene durchaus zutreffend, unterstützt jedoch indirekt die hier vertretene Ansicht von der Wichtigkeit derartiger Kommentare für den Prozeß der weiblichen Selbstfindung.

Was jedoch nicht unwidersprochen hingenommen werden kann, ist die doppelte Abwertung, die in den Beobachtungen von Keim und Schmid-Jürgens liegt. Man kann nicht die Maßstäbe der klassizistischen Ästhetik für eine Literatur bemühen, die sich von dieser Ästhetik ausdrücklich distanzieren will. Denn wie man das Verhältnis von Hahn-Hahn zum jungen Deutschland auch sieht, daß sie im weiteren Sinne dazugehört – und zwar gerade durch ihre Gesellschaftskritik, die, wie Dietze festgestellt hat, schärfer ausfällt als bei den meisten ihrer Zeitgenossen [135], ist ernsthaft wohl nicht zu bestreiten. Mit formalästhetischen Kriterien wie »Geschlossenheit«, »Abrundung«, »Eingliederung« et cetera ad libitum in infinitum ist keinem der jungdeutschen Romane gerecht zu werden. Gutzkows *Wally, Seraphine* und *Imagina Unruh,* Mundts *Madonna* oder Laubes *Junges Europa,* um bloß einige Werke herauszugreifen, strotzen nur so vor Reflexionen ihrer Autoren, die ihr »Ich« gar nicht kaschieren wollen. Sie unterbrechen, kommentieren, schweifen ab, verstoßen unbekümmert gegen die poetologischen Gesetze und plädieren für »die Unordnung in allen Gattungen«, weil es sie beständig zu spontaner Teilnahme drängt und sie nicht die Muße haben, ihre Einfälle erst mit »regelnder Hand« zu beschneiden. »Eine kritische Epoche der Weltgeschichte wird begleitet von einer subjektiven der Poesie; denn jedes Individuum«, so folgert Laube, »verlangt hartnäckig sein Recht, also auch sein Recht zu fühlen und zu singen, und zwar individuell zu fühlen und zu singen.« [136] Sollte man dieses Recht nicht auch Ida Hahn-Hahn zugestehen?

Zu der inhaltlichen Kritik, nämlich der »unangenehmen Schärfe« bezüglich der Frauenfrage in den kommentierenden Passagen, die häufig mit den konventioneller gehaltenen Fabeln in Widerspruch steht, wäre Ähnliches zu sagen. Der Emanzipationsgehalt dieser ersten Frauenromane ist in der Tat höchst ambivalent. Es hatte sich bereits am Beispiel Luise Mühlbachs gezeigt, daß das neue Rollenverständnis von der Autorin selbst beständig in Zweifel gezogen wurde und ›die andere Frau‹ nicht immer die Siegerin war. Bei Mühlbach hatte sich dieser Bruch – mit Ausnahme von Aphra Behn – innerhalb ihrer Frauengestalten selbst vollzogen, das heißt diese entwickelten zwar häufig weibliches Selbstbewußtsein, hielten es aber nicht aufrecht und fielen meist gegen Ende der Romane hinter die bereits errungenen Positionen zurück. Hahn-Hahn zeigt solche Persönlichkeitsbrüche kaum. Was bei ihr auffällt, ist das Phänomen, daß ihre Protagonistinnen bei weitem progressiver argumentieren, als man das nach ihren Handlungen erwarten sollte. So findet sich bereits in ihrem zweiten Roman *Der Rechte* (1839) eine grundsätzliche Infragestellung der traditionellen Rollenverteilung von Mann und Frau, die in ihrer Pointiertheit über alles, was in dieser Hinsicht von jungdeutscher Seite zu lesen war, hinausgeht. »Das Recht ist von Männern erfunden«, polemisierte Catherine. »Man lehrt sie es deuten und anwenden; unwillkürlich kommt es ihrem Vortheil zu gut. Männer dürfen ja Alles thun, Alles wissen, Alles lernen. Sie sitzen zu Gericht und entscheiden, wie Gott selbst, über die Seelen und über Leben und Tod. Sie stehen auf der Kanzel zwischen der Menge, an Wiege und Grab bei dem Einzelnen, und vertheilen Himmel und Hölle. Sie vertheidigen das Vaterland, sie umschiffen die Welt – und wir... wir sehen zu! – O, ich hasse sie!« Und auf die Entgegnung ihres Gesprächspartners, daß diese Dinge den Frauen eben unmöglich seien, führt sie voller Empörung fort: »Unmöglich? – schickt die Mädchen auf die Universität, und die Knaben in die Nähschule und Küche: nach drei Generationen werdet ihr wissen, ob es unmöglich ist, und was es heißt, die Unterdrückten sein.« [137]

Hier polemisiert eine Frau nicht nur gegen die männliche Macht- und Aufgabenmonopolisierung, sondern gleichzeitig gegen die alteingewurzelte Überzeugung, daß die Ausschaltung der weiblichen Hälfte der Menschheit generisch begründet sei. Sie empört sich gegen eine Ideologie, nach der allein der Mann darauf Anspruch hat, als vernunft- und willenbegabtes menschliches Wesen zu gelten, während die Frau lediglich von ihrer Gattungsfunktion her interpretiert wird. Nicht in der unterschiedlichen Chromosomenstruktur liegt ihrer Ansicht nach der Hauptdifferenzierungsfaktor von Mann und Frau, sondern vielmehr in den Umwelteinflüssen, das heißt, nicht die Geburt, sondern die Gesellschaft macht einen zum weiblichen Wesen. Mit dieser Entschiedenheit ist vorher im jungdeutschen Roman noch nicht gegen die herkömmliche Rollenpolarisierung argumentiert worden. Mit solchen Einwänden geht Hahn-Hahn auch über George Sand hinaus, welche die Qualitäten der Frau ebenfalls auf den Bereich des Emotionalen fixierte. Daß die eloquente Gleichheitsverfechterin Catherine in praxi ihren kühnen Gedankenflügen bei weitem nicht nachkommt, kann kaum geleugnet werden. Sie entzieht sich zwar der patriarchalischen Unterdrückung, indem sie sich mit schöner Konsequenz sukzessiv ihrer Ehemänner entledigt, als diese ihren partnerschaftlichen Ansprüchen nicht mehr Folge leisten wollen, wartet aber weiterhin auf das altbewährte Herzensglück mit dem »Rechten« und beschränkt sich im übrigen auf die weibliche Zuschauerrolle.

Das stärkere Emanzipationsverlangen auf der Dialog- und Reflexionsebene, das sich in allen Romanen findet, spiegelt das – im Vergleich zu Mühlbach – stärker entwickelte feministische Selbstbewußtsein Hahn-Hahns wider. Mit ihren Kommentaren über den weiblichen Willen, ihren Denunziationen der Unterdrükkungsmechanismen und Attacken gegen die doppelte Moral der Gesellschaft durchbricht die Autorin den poetologischen Gattungszwang, um sich selbst die Möglichkeit zur Mitsprache zu verschaffen. Hier äußert sich ihr emanzipatorisches Ich am spontansten und unvermitteltsten, denn hier offenbart sie sich selbst. Wo sie erfindet, konstruiert und gestaltet, entstehen auch traditionelle Frauengestalten; wo sie als ihr eigenes Sprachrohr fungiert, sträubt sie sich gegen diese Tradition. Mühlbach und Mundt dagegen verfahren gerade umgekehrt. Sie gestehen zwar ihren Frauengestalten zum Teil einen beachtlichen Freiheitsraum zu und lassen sie – wie sich gezeigt hatte – gelegentlich auch jenseits der konventionalisierten Moral agieren, versäumen jedoch in der Regel nicht, sie mit erhobenem Zeigefinger auf das Terrain des Hergebrachten zurückzurufen. Dadurch entstanden vor allem bei Mühlbach die erwähnten charakterlichen Brüche und Inkonsequenzen ihrer Figuren, durch die der Befreiungsprozeß oft nicht über seine Ansätze hinauskam.

Die Romane, die Hahn-Hahn in dem Jahrzehnt vor der Achtundvierziger-Revolution geschrieben hat, sind nicht nur in bezug auf ihre Autorenschaft Frauenromane, sondern auch in ihrer inhaltlichen Fixierung. Selbst wenn vier der zehn Werke männliche Titelhelden aufweisen, so bedeutet das nicht, daß hier tatsächlich Männerschicksale im Mittelpunkt stehen. Lediglich in ihrem letzten Roman *Levin* (1848) kann der Titelheld einen stärkeren Aufmerksamkeitsgrad für sich beanspruchen. In *Ulrich* (1841) geht es eigentlich um Margarita, in *Sigismund Forster* (1843) um Tosca und in *Cecil* (1844) um Renata. Anders als Luise Mühlbach, die sich in den Romanen *Der Zögling der Natur, Die Pilger der Elbe* und *Bunte Welt* auch für männliche Lebensläufe interessiert, beherrscht bei Hahn-Hahn ausschließlich die Frau das Aktionsfeld. Und zwar genauer gesagt die Frau zwischen fünfzehn und dreißig. Denn »die großen Leidenschaften, die herzzerbrechenden Schicksale, die unerhörten Glücke«, so kommentiert sie in ihrem Roman *Zwei Frauen,* »haben fast immer vor dem dreißigsten Jahre begonnen, so daß die Frau, welche sie bis dahin nicht kennen gelernt hat, sie auch schwerlich kennen lernen wird«. [138] Alte Leute und Kinder treten so gut wie gar nicht auf. Wird einmal retrospektiv die Kindheit der Hauptperson beleuchtet, so ›agieren‹ und

›parlieren‹ diese wie Erwachsene en miniature, die sich nur durch den ausdrücklichen Hinweis der Autorin als Kinder erkennen lassen. [139] Mit dieser Aussparung von Kindheit und Alter steht sie völlig auf jungdeutschem Boden. Auch Gutzkow, Mundt und Laube bevorzugen eindeutig die Problematik der Jugend und mittleren Lebensphase, wogegen sich ihre biedermeierlichen Antipoden mehr an die Darstellung von Kindern und Greisen halten und gerade das Nebeneinander von abgeklärtem Alter und rührender Kindheit zu einem zeitlosen Geborgenheitsidyll stilisieren. [140]

Mit einer solchen Konzentration auf die Frau bietet sich Hahn-Hahns Werk für eine Untersuchung über den derzeitigen Stand des weiblichen Selbstbewußtseins geradezu an. Nirgendwo sonst in der Literatur dieser Ära findet sich eine ähnlich subtile und nuancenreiche Darstellung »nicht allein des inneren Entwicklungsgangs des weiblichen Herzens, sondern aller Krankheiten, Krisen, Uebergänge und Widersprüche desselben« [141], nirgends ein solches »anatomisches Präparat aus den Seelenleiden der Frau« [142], wie Eckardt es ausdrückt, als in ihren Romanen. Hier sagt sie Dinge, »welche das Weib auch dem geliebtesten Mann verschweigt, *weil es nicht für ihn ist*«. [143] Auf solchen Einblicken in die Tabuzonen des weiblichen Herzens beruhte ein Großteil des Erfolgs ihrer Bücher, den sie überall und bei allen gebildeten Gesellschaftsschichten der damaligen Zeit zu verzeichnen hatte. Das machte sie auch für Männer interessant. Fürst Pückler-Muskau zum Beispiel drängte es nach der Lektüre des *Sigismund Forster* zu einem persönlichen Briefwechsel mit der Autorin, so sehr fühlte er sich angesprochen:

> Als ich die letzte Seite Ihres Buches schon bei hellem Tagesschein beendet... hätte ich gern Ihre Hände geküßt, und vielleicht wäre dann eine dankbare Träne nicht bloß der Rührung, sondern der innigsten, wohltuendsten Befriedigung darauf gefallen, weil es einen fühlenden Menschen wohl immer tief bewegen muß, Geist, Herz und Talent zu einem so schönen Kunstwerk ausgeprägt zu sehen, einer Produktion, die ich in dieser Dichtungsart zu dem Klassischsten, in sich Vollendetsten zähle, was seit langer Zeit in Deutschland erschienen ist. Nur George Sand in Frankreich ist Ihre Rivalin, unter unseren weiblichen Schriftstellern weiß ich keine zu nennen. [144]

Und ein paar Monate später schrieb er ihr:

> Sie haben keine Rivalin in Deutschland; einen Roman der Paalzow von A bis Z durchzulesen könnte einem die Kolik geben, die Bacheracht ist unbedeutend, die Frau Bremer nur für Förster und Amtmänner lesbar, die sind Sentimentalen ganz ungenießbar, und meine Freundin Gurli Bettina ist etwas wahnsinnig. Also geben Sie sich dem Vergnügen des Schreibens nicht so rücksichtslos hin, es ist der Stoff in Ihnen, noch Bedeutenderes zu leisten als bisher. [145]

Hahn-Hahns Romanwelt ist nicht nur in ihrer soziologischen Struktur abgegrenzt und einseitig, sondern wird noch weiter verengt durch das Phänomen, daß häufig dieselben, großenteils miteinander verwandten oder befreundeten Personen wieder auftreten. So ist etwa Cecil der Bruder von Sigismund Forster, die Gestalt der Tranquillina aus *Levin* die Tochter von Clelia Conti, und Renata und Diane sind die Schwestern von jenem Ignaz Adlercron, der Sigismund Forster im Duell getötet hat. Die Schriftstellerin Ilda Schönholm aus Hahn-Hahns erstem Roman erscheint noch einmal in *Ulrich,* Julian Ohlen aus *Dem Rechten* in *Zwei Frauen* und der ungebärdige Wilderich in *Sybille* und *Levin,* um nur einige Beispiele herauszugreifen. [146] Der Eindruck der Engräumigkeit und Gleichartigkeit ihrer Werke wird noch weiter verstärkt durch ihre geringe thematische Variationsbreite. Das liegt hauptsächlich daran, daß die Autorin in fast allen ihren Romanen in irgendeiner Form auf ihre höchst persönlichen Erlebnisse zurückgreift. Dazu gehören ihre Ehe- und Scheidungserfahrungen sowie die sich daraus ergebende Abneigung gegen eine Wiederverheiratung, ihre Liebe zu dem bereits erwähnten Baron Bystram und ihre plötzliche Leidenschaft für den demokratisch gesinnten Heinrich Simon, durch die sie in heftigste Konflikte geriet. Über diese Liebe zwischen der mecklenburgischen Gräfin und dem bürgerlichen, jüdischen Assessor, die nicht zur Ehe, sondern zu endgültiger Entsagung führte, ist viel geredet und gerätselt worden. In den Hahn-Hahn-Monografien wird sich breiträumigst darüber ausgelassen, und auch die Literaturgeschichten des 19. Jahrhunderts verzichten selten darauf, das Ereignis wenigstens zu erwähnen. Die wohl differenzierteste und aufschlußreichste Information über Ida Hahn-Hahns Beziehung zu Bystram und Simon erhält man durch Eckardts Aufsatz »›Der Rechte‹ der Gräfin Hahn-Hahn. Eine Liebesgeschichte aus vormärzlicher Zeit«, die dazu noch den Vorteil hat, das ganze historische Kolorit mitzuliefern. Was in diesem Zusammenhang nur als kurioses Detail erwähnt werden soll, ist die Tatsache, daß Heinrich Simon gleichzeitig als Held in dem Liebestraum einer anderen Schriftstellerin auftrat, nämlich in dem seiner Cousine Fanny Lewald, der Antipodin Hahn-Hahns. Hier war von seiner Seite aus allerdings nur Freundschaft empfunden worden.

Diese Erlebnisse wirkten sich auf die literarische Produktion der Hahn-Hahn dahingehend aus, daß sie im Grunde nicht mehr als drei verschiedene Männertypen zu zeichnen imstande war. Immer wieder begegnet man daher dem brutalen, oberflächlichen und nur auf die eigene Lustbefriedigung ausgerichteten Ehemann (Herr von Meerheim aus *Der Rechte,* Graf Obernau aus *Faustine,* Fürst Thierstein aus *Ulrich,* Graf Sambach aus *Zwei Frauen,* Baron Thannau aus *Clelia Conti* und Otbert von Astrau in *Sybille*), dem treu ausharrenden, verläßlichen Seelenfreund (Julian Ohlen aus *Der Rechte,* Baron Andlau aus *Faustine,* Fürst Callenberg aus *Zwei Frauen* und Graf Wilderich aus *Levin*) und dem energischen, leidenschaftlich Liebenden (Otto in *Aus der Gesellschaft,* Mario Mengen in *Faustine,* Sigismund Forster in dem gleichnamigen Roman, Leonor Brandes in *Zwei Frauen,* Cecil und Graf Emerich in *Cecil*). Es ist natürlich keine Zufälligkeit, daß von diesen leidenschaftlichen Männern fast alle bürgerlicher Herkunft sind.

Von den nicht gerade zahlreichen Versuchen, die im 20. Jahrhundert unternommen wurden, um auf Persönlichkeit und Romanwerk dieser vergessenen Autorin wieder etwas mehr Licht zu werfen, sind die meisten schon von ihrer Fragestellung her zum Scheitern verurteilt. Wenn man sich – wie Schmid-Jürgens – beständig auf der Suche nach dem Formal-Gekonnten befindet und die

Hahn-Hahnschen Romane lediglich daraufhin abklopft, ob sie »eine straff durchgeführte einheitliche Handlung« [147] vorweisen können, bevor man sein literaturwissenschaftliches Plazet erteilt, wird man ihnen kaum gerecht werden. Ebensowenig sinnvoll ist die einseitige Reduzierung ihrer Persönlichkeit auf das bloß Anekdotische, wie Weiglin das in seinem Aufsatz »Ein Gelehrter, ein Narr und eine Dame von Welt« [148] unternimmt und damit schon vom Ansatz her eine kritische Auseinandersetzung unterminiert. Aber auch Adolf Töpkers ontologistische Bemühungen, Hahn-Hahn ausschließlich »in ihrer Orientierung auf das Unendliche ... Transzendente« [149] zu sehen und sie einseitig auf dem Boden der Romantik anzusiedeln, sind nicht recht überzeugend. Die verklärenden Stimmen aus dem katholischen Lager dagegen, die durch Romane wie *Sigismund Forster, Cecil, Doralice* und *Maria Regina* die gesamte Weltliteratur in den Schatten gestellt sehen [150], können nur als komisch bezeichnet werden. Eine wirklich sinnvolle Auseinandersetzung mit diesen Romanen ist nur in dem Fall gegeben, wenn man sich zunächst einmal um ihre inhaltliche Bedeutsamkeit bemüht und ihren entwicklungsgeschichtlichen Stellenwert zu fixieren sucht. Ein Romanwerk, welches wie das der Hahn-Hahn so nachdrücklich die Frau in den Mittelpunkt aller Betrachtungen rückt, sollte weder nach formalästhetischen noch nach transzendent-philosophischen Kategorien interpretiert, sondern in erster Linie auf seine emanzipatorische Qualität hin befragt werden. Nur weil man diese Perspektive offensichtlich für zu gering veranschlagte, konnte es passieren, daß ein Roman wie *Zwei Frauen,* der geradezu mit emanzipatorischem Sprengstoff geladen ist, von katholischer wie nichtkatholischer Seite einstimmig abqualifiziert wurde. Anscheinend finden sich selbst ideologische Kontrahenten zu einem gewissen Konsensus bereit, wenn es darum geht, das ästhetische Establishment zu retten. Daß Ida Hahn-Hahn keine Annette von Droste-Hülshoff ist, hat Sengle natürlich sehr richtig erkannt. Sie ist es ebensowenig, wie Heine ein Stifter und Büchner ein Gotthelf ist. Sie wollte es auch gar nicht sein. Ihr ging es nicht um die Perpetuierung der sogenannten Ewigkeitswerte, um das Weibliche schlechthin oder an sich, sondern um das Individuum Frau, das eigene Vorstellungen, Wünsche und Ziele hat, die ihm von der Gesellschaft in den seltensten Fällen zugebilligt wurden. Ihr ging es um die Frau, die nicht mehr Supplement oder Annex sein mochte, sondern ›Ich‹ sagen wollte, wenn ihr danach zumute war. Hauptsächlich um solcher Emanzipationsansätze halber wird die Beschäftigung mit ihren Schriften interessant und wichtig. Denn hierin liegt ihre Bedeutung für die Entwicklung des weiblichen Selbstbewußtseins.

Bereits in *Aus der Gesellschaft* (1838) [151], ihrem ersten Roman, der ziemliches Aufsehen erregte, überraschte sie mit ihren entschiedenen Gleichheitsideen. Nicht so sehr die Darstellung der oberen Schichten als solche war ausschlaggebend für den Erfolg dieses Werks – wenngleich gerade in Deutschland Gesellschaftsportraits nicht zu den literarischen Selbstverständlichkeiten gehören –, sondern die Tatsache, daß diese Kreise zum ersten Mal seit Sophie von LaRoche wieder aus der Perspektive einer Frau beschrieben wurden. Damit treten plötzlich ganz andere aristokratische Repräsentantinnen auf, als man das von Laubes *Poe-*

*ten* oder Gutzkows *Seraphine* gewohnt war. Hier geht es nicht mehr um Projektionen männlicher Wunschvorstellungen, sondern um Sehnsüchte und Ziele, Aufgaben und Wirkungsmöglichkeiten, Beschränkungen und Reduzierungen, wie sie von Frauen selbst empfunden wurden. Hier definiert eine Frau die Frau als das Opfer einer Moral, die ausschließlich von Männern und für Männer gemacht war und die ihr nur die Wahl zwischen Anpassung und Verstoßung ließ.

Anhand dreier unterschiedlicher Lebensläufe zeigt die Autorin die Auswirkungen, die der aristokratische Sittenkodex auf die Beziehungen der Geschlechter zueinander hatte. Sie interpretiert ihre Gestalten ganz vor dem Hintergrund dieser sozialen Wirklichkeit und mißt der Milieubezogenheit einen entscheidenen Einfluß bei. Diejenigen Frauentypen, die sie in dieser Sphäre am häufigsten ausgebildet findet und die auch zu einem festen Bestandteil ihrer eigenen Personenpalette werden, sind einmal der unselbständige und puppenhaft-naive Typ, der sich widerstandslos zum Spielball männlicher Ansprüche degradieren läßt, und zum anderen der verderbte, oberflächlich-medisante, der dem Herrschaftsanspruch des Mannes mit Heuchelei und eigenen Liebesintrigen begegnet. Beides sind Typen, die schon der barocke Roman entwickelt hatte und die in Deutschland – wie man besonders aus den Romanen von Christian Friedrich Hunold und Johann Michael von Loën ersehen kann – im frühen 18. Jahrhundert ihre stärkste Ausprägung erfahren hatten. Insofern handelt es sich gewissermaßen um auslaufende Typen, die Hahn-Hahn hier noch einmal aufgreift und mit ihrer besonderen Färbung versieht.

Etwas wirklich Neues jedoch entwickelt sie mit ihren sogenannten »Emancipirten«, die sich nicht mehr zu traditioneller Unterwürfigkeit oder altbewährter Heuchelei hergeben wollen, sondern unangepaßt und selbstbewußt, jenseits der konventionellen Moral, ihre eigenen Wertvorstellungen zu behaupten versuchen. In *Aus der Gesellschaft* wird dieser Typ durch die Schriftstellerin Ilda Schönholm verkörpert, die in ihrer Nichtanpassung bereits so extrem ist, daß sie sich entschieden gegen die Ansicht ausspricht, daß »Kinder zu haben das Höchste sei, was eine Frau wünschen könne« [152], und damit sogar die Heiligkeit des Mutterglücks in Frage stellt. Der ketzerische Gedanke Rahels, daß eine Frau nicht bloß von der Existenz des Mannes und Kindes mitzehren könne [153] und trotz höchster Familienpflichten kaum völlig ausgefüllt sei, wird von Ilda Schönholm wieder aufgenommen und sogar noch verschärft, indem sie die Mutter- und Familienrolle nicht mehr als ihr höchstes Ziel akzeptiert. Es ist symptomatisch, daß in einer Zeit, wo die Frau durchschnittlich noch sechs bis acht Kinder gebar, der neue Hahn-Hahnsche Typ der Emanzipierten entweder keins oder höchstens nur ein Kind besitzt. Damit wird die Frau nicht mehr in bezug auf ihre Gattungsfunktion definiert, sondern wie der Mann als individuelle Persönlichkeit gesehen. Daß Ildas weibliches Selbstgefühl eng mit ihrem aristokratischen Wertbewußtsein zusammenhängt, darf allerdings nicht übersehen werden. Welche Sicherheit ihr Ich aus der soliden Basis von Reichtum und Namen schöpft, spiegelt das folgende Gespräch zwischen ihr und dem sie zur Ehe überredenden Baron:

›Man heirathet um einen festen Stand in der Gesellschaft zu haben!‹
›Wie könnte der der reichen Gräfin Schönholm fehlen.‹
›Um einen großen Namen glänzend zu tragen.‹
›Der Name: Ilda Schönholm, hat einen guten Klang.‹
›Um im Schutz und Schirm eines treuen Freundes zu sein.‹
›Nach außen hin bedarf ich keines Schutzes, und vor mir selbst kann mich niemand schützen, als ich selbst.‹
›Um die Freuden der Häuslichkeit zu genießen.‹
›Sie sprechen ja wie Leute in Ifflandschen Schauspielen‹ – sagte Ilda allmählich belustigt durch den Ernst des Barons – ›die langweilen mich außerordentlich.‹ [154]

Eine Frau in wirtschaftlich abhängiger Position hätte sich eine derartige Entschiedenheit gar nicht erlauben können. Doch damit soll Ildas Unabhängigkeitsverlangen keineswegs abgewertet werden. Schließlich darf man nicht vergessen, daß die überwiegende Mehrheit ihrer aristokratischen Geschlechtsgenossinnen die gesellschaftliche Normsetzung unreflektiert und widerstandslos übernahm und sich eher der gängigen Heucheleien bediente als Moralkonventionen in Frage zu stellen. Ildas Progressivität äußert sich darin, daß sie ihr aristokratisches Selbstbewußtsein ins Emanzipatorische umsetzen kann.

In der Figur der Ondine zeichnet Hahn-Hahn den unselbständigen und hilflosen Frauentypus, welcher an der gesellschaftlich tolerierten männlichen Skrupellosigkeit zerbricht. Schon ihr sogenannter Eintritt ins Leben ist exemplarisch für einen Großteil der damaligen höheren Töchter:

Aus der Kinderstube trat sie vor den Altar ... Sie ward Gattin wie im Traum, und wie im Traum Mutter. Ihre Söhne waren ihre Puppen, dann ihre Gespielen; sie zu erziehen fiel ihr nicht ein; ... Askanio [ihren Mann] fesselte dies weiche, schmiegsame, hilfsbedürftige Wesen, das bei jedem Schritt seine leitende Hand ergriff. [155]

Aber auch in der Gesellschaft gefällt Ondine durch ihre kindliche Harmlosigkeit, die ohne alle Koketterie ist und darum die Roués des Salons um so mehr anzieht. Besonders Fürst Casimir setzt seinen ganzen männlichen Ehrgeiz daran, ein solches Wesen zu verführen. Als ihm das endlich gelingt und Ondine, in völliger Unkenntnis der amourösen Usancen dieser Kreise, von ihrem Mann die Scheidung verlangt, um Casimir heiraten zu können, flieht dieser aus Angst vor solchen bourgeoisen Unbequemlichkeiten auf der Stelle nach Paris. Ondine aber verliert bei dem monatelangen Warten auf den entschwundenen Geliebten allmählich ihre physische und psychische Gesundheit. Bei der Nachricht von dessen geplanter Geldheirat verfällt sie vollends dem Wahnsinn, der ihren frühzeitigen Tod zur Folge hat.

Ein Beispiel für die kokette und medisante Frau, deren Tageslauf durch nichtssagende Konversationen, Toilettenfragen und Liebesintrigen bestimmt wird, bietet die Gräfin Regine, eine zweiundzwanzigjährige bildschöne Witwe. Sie versucht, sich die Monotonie ihrer Mußestunden vor allem dadurch zu vertreiben, daß sie sich als ›allumeuse d'hommes‹ betätigt und die Neulinge der Gesellschaft in ihre raffiniert ausgespannten Netze lockt. In ihrem Fall ist es der junge und leicht entflammbare Bildhauer Polydor, der in ihren Fangarmen zappelt und sich nicht vorstellen kann, daß man sich bloß aus Eitelkeit und Langeweile für ihn passionieren sollte. Aber der Gräfin Schönheit verlangte nun einmal nach permanenter Bestätigung. »Keine Eigenschaft Reginens, kam ihrer Schönheit gleich, als nur ihre Eitelkeit«, kommentiert die Autorin, »und Beiden wiederum die Kälte ihres Herzens. Man hatte sie ganz für die Anforderungen der Welt erzogen, gebildet, vermählt ... Ihr Grundsatz ward: eine Frau, die liebt, ist eine Närrin«. [156] Regine versteht es also, sich den Forderungen der Etikette anzupassen und emotionale Bedürfnisse gar nicht erst aufkommen zu lassen. Dadurch kann sie sich unangefochten auf dem Parkett der Gesellschaft behaupten und trotz ihrer Liebesintrigen einen makellosen Ruf bewahren, da sie stets darauf achtete, formale faux pas zu vermeiden. In dem Augenblick, wo Polydor, erschöpft durch das ständige Hinhaltemanöver, sie endlich darum bittet, ihm ihre Gegenliebe zu gestehen, weist sie ihm degoutiert die Tür, da sich solche Erklärungen für eine ›anständige‹ Frau nicht schickten. Als sich Polydor darauf endgültig zurückzieht, ist sie so verwundert, daß sie in eine momentane Ekstase gerät und ihn zu verfolgen beginnt. Doch schon bald findet sie sich wieder auf dem glatten Boden des Salons zurecht und ist im Begriff, eine zweite, glänzende Heirat zu machen.

Hahn-Hahn läßt keinen Zweifel daran, daß eine Gesellschaft, die nur auf dem Boden der doppelten Moral existiert und die Heuchelei als Verständnisbasis toleriert, welche die Zeit mit Medisancen, Huldigungen, Intrigen und anderen nichtsnutzigen Ablenkungen vertut und nur darauf bedacht ist, sich selbst zu perpetuieren, die ihre Mitglieder schon in frühester Kindheit »für die Welt erzieht«, das heißt, für ihre eigenen »Fadaisen« abrichtet, zwangsläufig solche Frauentypen entwickeln muß. Es geht der Autorin gerade nicht – wie man ihr das so häufig vorgeworfen hat – um die Verklärung der aristokratischen Lebensform, sondern im Gegenteil um die Entlarvung ihrer Hohlheit und Perversion. Sie zeigt die Kehrseite der Etikette, den Morast unter der glänzenden Oberfläche. In fast allen Romanen stößt man daher auf die Kritik des Salonlebens mit seinen ewigen Tableaudarstellungen und Tapisserienähen, der schablonisierten Erziehungsvorstellungen und der moralischen Heuchelei. »Sieht man aber die Heuchelei dermaßen zur Basis der Gesellschaft gemacht«, empört sie sich in *Ulrich*, als Clotilde die Folgen ihres Ehebruchs als eheliche Früchte deklariert, »daß gute, edle Menschen, wie Gräfin Erberg, Unica, Ulrich ihr huldigen, indem sie alle äußeren Zeichen der Freundschaft für Clotilde beibehalten: so fragt man sich wol mit Entsetzen, was aus einer Gesellschaft werden soll, die demoralisiert genug ist, um die Heuchelei als Prinzip ihres Bestehens zu proklamiren, und von jedem Individuum das Opfer seiner Prinzipe, d. h. seines schlichten Gefühls für Recht und Unrecht zu verlangen. Clotilde soll den Schein bewahren, als stände sie im besten Vernehmen zu ihrem Mann; dann wird ihr alles erlaubt ... Würde Graf Ostwald [ihr Mann] der Nachsicht müde – ach, wie würden die Steine fliegen! ... So ist die Gesellschaft eingerichtet: von dem Mann hängt es ab, seine Frau vor der Welt rein oder verworfen darzustellen. Ein feiger, erbärmlicher Mann, wie Graf Ostwald, läßt sich durch das Vermögen seiner Frau bestechen, über ihr Betragen ein für alle Mal die Augen zu schließen und dessen Consequenzen gelassen hinzunehmen.« [157] Es geht der Autorin nicht mehr darum, einzelne ›Bösewichter‹ abzuurteilen und Extremfälle bloßzustellen, sondern um die Sichtbarmachung einer totalen Korruption, die so durchgreifend ist, daß sie selbst von den verantwortungsvollen Vertretern dieser Gesellschaft, von den »guten, edlen Menschen«, wie Hahn-Hahn feststellt, nicht durchschaut wird. Das Opfer einer solchen Doppelwirtschaft des Herzens aber ist in den meisten Fällen die Frau.

Der konservative Wilhelm Heinrich von Riehl, der dem Adel höchst wohlgesinnt war und »die sociale Ungleichheit als ein ewiges Naturgesetz« [158] definierte, hatte Hahn-Hahns Romane genauer gelesen und besser verstanden als mancher liberale Literaturhistoriker. Er bezeichnete ihre »aristokratischen Frauenromane« als zutiefst »destructive Schriften, die eine richtige Erkenntniß und Würdigung des Wesens der Aristokratie weit mehr beeinträchtige als gar manche polizeilich verbotene, von bärtigen Literaten geschriebene Bücher«. [159] Riehl hat sich von den gräflichen Protagonisten nicht täuschen lassen. Hahn-Hahn ging es nicht um eine Würdigung, sondern viel eher um eine Verketzerung des Adels, und ihre Helden zeichnen sich gerade dadurch aus, daß sie sich von den aristokratischen Konventionen distanzieren. Für sie bedeutete Frauenbefreiung in erster Linie die Emanzipation vom ›Salon‹, die Abkehr von der herrschenden gesellschaftlichen Heuchelei und die Rückbesinnung auf die Wahrheiten des Herzens.

Es ist aufschlußreich, daß sowohl der konservative Riehl wie auch der marxistische Dietze ihren Romanen zum Teil eine größere gesellschaftliche Relevanz beimessen als der Literatur des Jungen Deutschlands. In die prinzipielle Problematik der weiblichen Existenz hat sie ohne Frage tiefere Einsichten gehabt als ihre schreibenden Kollegen. Sie sah, daß sich »die Frauen den Männern gegenüber genau in dem Verhältnis des tiersetats zu der alten Aristokratie vor der französischen Revolution« [160] befanden – nämlich ohne auch nur die geringste Machtbefugnis – und daß »ihr Platz in der Gesellschaft auf leidendes Dulden berechnet war«. [161] Sie polemisierte gegen »die Verschiedenheit der Ansprüche, welche beim Eintritt in die Ehe an beide Geschlechter gemacht werden« [162], die »dem Mann alles« und der »Frau nichts zu kennen und wollen« erlauben, die von ihr »engelhafteste Schönheit« und »höchste Tugendhaftigkeit« verlangen und von ihm nur, daß er nicht »gerade Mörder oder Räuber ist«. [163] Aber auch gegen scheinbar äußerliche, meistenteils gar nicht als diskriminierend empfundene und auch heute noch übliche Ungleichheiten wie die der Namensaufgabe der Frau richtete sich ihr Protest. »Diese Erfindung der Männer«, entrüstet sich Catherine, die Vertreterin des emanzipierten Typs in dem Roman *Der Rechte,* »ihren Namen uns aufzudrücken, recht als wollten sie ihr Eigenthum damit stempeln und beweisen, ist barbarisch.« [164]

Die Autorin wird nicht müde, sich immer wieder zur Anwältin der absoluten Gleichrangigkeit der Frau zu machen und ihren Anspruch auf eine gleiche Behandlung zu betonen. »Ich will«, fordert die ihrer selbst bewußte Faustine, »daß die Männer mit den Frauen umgehen wie mit ihres Gleichen, und nicht wie mit erkauften Sklavinnen, denen man in übler Laune den Fuß auf den Nacken stellt, und in guter Laune ein Halsband oder ähnlichen Plunder hinwirft.« [165] Aber auch jene Frauen, die sich, anders als die Malerin Faustine oder die Schriftstellerin Ilda Schönholm, ausschließlich auf den Mann konzentrieren und in der Liebe ihre eigentliche Domäne erblicken, wie Margerita aus *Ulrich* oder Vincenze aus *Der Rechte,* »fühlen die Nothwendigkeit, in der Ehe einem Manne gleich zu stehen«. [166] Das Ideal der einseitigen Liebesunterwerfung, das bei Mühlbach noch gelegentlich eine Rolle spielte, ist bei Hahn-Hahn endgültig überwunden.

Von den zehn Romanen, welche die Autorin bis zur politischen Wende von 1848 geschrieben hat, vermitteln *Gräfin Faustine* (1840) und *Zwei Frauen* (1845) wohl die stärksten emanzipatorischen Impulse. *Faustine* gilt als der berühmteste ihrer Romane, der einzige, der in drei Auflagen erschien [167] und der für ihre Zeitgenossen noch die besondere Pikanterie besaß, die Ehegeschichte der Autorin mitzuliefern. Doch von solcher privatistischen Würze einmal abgesehen, führt dieser dritte Roman Hahn-Hahns entschieden über ihre beiden ersten hinaus und bietet gerade in bezug auf die Frauengestaltung ganz neue Perspektiven. Zunächst werden die schon *Aus der Gesellschaft* und *Dem Rechten* bekannten Attacken gegen den Salon, die Konvenienzehe und die doppelte Moral noch einmal aufgenommen, da die Malerin Faustine in ganz besonders starkem Maße unter diesem »beleidigendsten und schädlichsten der Zwänge«, wie Fichte die oktroyierte Ehe nannte, zu leiden hat.

> Giebt es denn auf der ganzen weiten Gotteswelt eine Schmach, welche der gleich kommt: einem Manne zu gehören, ohne ihn zu lieben? [...] Krankhaft an Leib oder Seele, verschroben, überspannt nennt man eine Frau, nachdem man sie ohne Barmherzigkeit in die Arme des Ersten Besten, der sie nach ihr ausstreckt, geliefert hat, und sie nun mit unüberwindlichem Entsetzen wahrnimmt, was von ihr gefordert wird, was sie gewähren soll. Von einer Million Ehen wird eine aus Liebe geschlossen. Die Beweggründe der übrigen kommen in keinen Betracht; weil sie immer auf hausbackene Nützlichkeit zielen, sind die einen grade so gemein oder grade so würdig als die andern. [168]

Doch diese Empörung der Heldin ist keineswegs das Hauptanliegen des Romans. Die Polemik gegen die Konvenienzehe steht nicht mehr im Mittelpunkt. Die Handlung setzt ein, als Faustine ihre eheliche Fessel bereits abgeworfen hat und in einem freien Neigungsverhältnis mit Baron Andlau lebt. Sie steht zwar insofern noch unter dem Einfluß dieser Erfahrung, als sie einen unüberwindlichen Widerwillen gegen die Institution der Ehe empfindet und sich zu keiner Wiederverheiratung enschließen kann, hat aber im Grunde dieses Erlebnis überwunden. In Andlau besitzt sie den ihrer Natur entsprechenden Partner, der »Alles war, was sie bedurfte, und in jedem Augenblick, wo sie es bedurfte: Vater oder Freund, Lehrer oder Geliebter«. [169] Anders als die Frauengestalten der beiden ersten Romane, für die sich eine solche Glückserfüllung nicht ermöglicht hatte, glaubt Faustine, in den Genuß des »Rechten« gekommen zu sein. Was Hahn-Hahn hier interessiert, ist der Entwicklungsprozeß, den eine solche durch maximale Günstigkeit ausgezeichnete Beziehung im Verlaufe der Zeit durchmacht, und die Veränderungen, denen sie unterliegt. Die Problematik hat sich also von außen nach innen verlagert und das psychologische Moment stärkere Relevanz gewonnen. Zwar hatte schon Mühlbach das Motiv der emotionalen Veränderlichkeit anklingen lassen, wenn sie zum Beispiel in *Bunte Welt* die Heldinnen nicht etwa ihrer oktroyierten, sondern ihrer selbst gewählten Ehemänner überdrüssig werden ließ. Doch war sie dieser Gefühlsverflüchtigung stets erfolgreich entgegengetreten. Der »Rechte« wurde kurzerhand als der ›falsche Rechte‹ entlarvt und durch den endgültig ›richtigen Rechten‹ ersetzt.

Hahn-Hahn dagegen verfolgt in der Gestalt der Faustine eine Gefühlsverlagerung von höchster Intensität bis zu totaler Resignation. Die wichtigsten Stationen ihres Lebens sind, grob gesprochen, die folgenden: obgleich sie seit ihrer Ehescheidung mit Andlau in einer nahezu idealen Verbindung lebt, hindert sie das nicht, sich während einer längeren Trennung von ihm in den geistreichen, dynamischen und sie heftig umwerbenden Mario Mengen zu verlieben. Da sich dieser eine Gemeinschaft mit ihr nur als eine eheliche vorstellen kann, überwindet sie ihren Widerwillen dagegen, schreibt Andlau einen Abschiedsbrief und heiratet Mengen. Doch auch bei ihm kommt ihre emotionale Rastlosigkeit nicht zur Ruhe. Schließlich glaubt sie, daß die alles ausfüllende Liebe allein bei Gott zu finden sei, und entschließt sich, den Schleier zu nehmen. Sie stirbt anderthalb Jahre nach ihrer Einkleidung und hat auch dort nicht das verheißene Kanaan gefunden, sondern nur ihren eigenen Irrtum erkannt.

Bei einer solchen Vita drängt sich unwillkürlich die Frage auf, was daran so ›emanzipiert‹ ist? Kann man die bloße Tatsache, daß dieses »Adieu-Welt« weiblicher Provenienz ist, schon als Pluspunkt für die Sache der Frauen bewerten? Macht man damit nicht jede Klosterfrau zur potentiellen Frauenbefreierin? Man sollte daher diesen Rückzug in das gottgeschützte Abseits nicht überbewerten. Schließlich findet Faustine auch dort nicht ihre volle Befriedigung. Worum es Hahn-Hahn wirklich geht, läßt sich schon am Namen ihrer Protagonistin erkennen. Sie sträubt sich ganz offensichtlich gegen die herkömmliche Frauentypisierung in Mütter, Madonnen und Mätressen und versucht, dieses stereotype Register durch neue Gestalten zu bereichern. Sie bemüht sich um die Entwicklung der ›anderen Frau‹, die nicht bloß die Projektion männlicher Wunschvorstellungen ist, und beschreibt in Faustine einen weiblichen Menschen, der durch die Liebe nicht voll ausgefüllt werden kann. »Streben war ihr alleinziges Glück«, erläuterte Mengen, »und der Moment, wo sie das Erstrebte mit der Fingerspitze berührte – ihre Seligkeit. Sollte sie aber festhalten, so ermattete ihre Hand.« [170] Wie wenig man dieses weibliche ›Streben‹ als literarisches Sujet beachtet hatte, verdeutlicht ein Blick auf den deutschen Bildungsroman vom *Agathon* bis zum *Zauberberg*, ja selbst noch bis zu einer so grotesken Variante wie der *Blechtrommel*. Frauen galten – seitdem sie ihrer barocken Sündhaftigkeit entkleidet waren – als ›abgerundete‹, erdhaft verbundene, geschlossene und in sich selber ruhende Wesen, die man den Männern sozusagen als Wegzehrung mitgab. Als ›Butterbrote‹ des Mannes hatten sie eine uralte Tradition. Dieses Schema kehrte Hahn-Hahn einfach um. Mittelpunkt ihres Romans ist die Künstlerin Faustine, welcher sie Männer zugesellt, die ohne berufliche Aufgabe sind und sich ausschließlich an ihr und der »fulminanten Entwicklung ihres Talents« erfreuen, deren Liebesvermögen unausschöpfbar ist und die dabei nichts von ihrem männlichen Charisma einbüßen.

Auf diese Weise wirkte sie dem Klischee von der überlegenen Liebeskraft der Frau entgegen und trug zu einer differenzierteren Darstellungsweise beider Geschlechter bei.

Allerdings ist Faustine trotz der Inanspruchnahme ihres ›Taufpaten‹ kein weiblicher Faust, oder doch nur insofern, als sie der Skepsis des Geistes eine Skepsis des Herzens entgegenhält. Wenn man schon nach literarischer Verwandtschaft Ausschau hält, so ist sie eher ein ›Fröken Lyhne‹, eine ›Heldin unserer Zeit‹ oder eine Lélia im deutschen Gewand. Jedenfalls könnte man deren Dolorismus ebenso auf Faustine übertragen. »Arriver au scepticisme du coer, comme Faust au scepticisme de l'esprit! Destinée plus malheureuse que la destinée de Faust« [171], oder »L'inertie, c'est le mal de nos coeurs, c'est le grand fléau de cet âge du monde. Hélas! oui, tout est usé« [172], klagt Lélia und antizipiert damit bereits den gleichen Indifferentismus, der auch aus Faustines Worten spricht:

> Jetzt mag ich nicht mehr reisen ... ich weiß nur, daß die Erde überall dieselbe ist, und der Mensch ist es auch. Nur die Oberfläche wird bei jener durch das Klima, bei diesem durch das Temperament verändert. Das Neue ist immer etwas Altes, und etwas Anderes ist immer dasselbe; nur das äußere Kleid wird gewechselt. Das kann uns keine volle Befriedigung geben. [173]

Selbst die Liebe zu Mario, von der Faustine »Alles« erhofft, vermag sie nicht aus ihrer Seelenapathie zu reißen. »Es gibt Augenblicke«, gesteht sie, »da hab' ich Dir nichts zu sagen, wenigstens nichts, was ich nicht ebenso gut allen Menschen sagen könnte.« [174]

Es ist nicht die Absicht, Faustine zum Vorbild für die ›andere Frau‹ emporzuheben. Was in diesem Zusammenhang interessiert, ist das Phänomen, daß in ihr ein Charakter exemplifiziert wird, den man sonst nur in der literarischen Männergesellschaft anzutreffen pflegt, etwa bei Hamlet und Faust, Eugen Onegin und Niels Lyhne, William Lovell und Malte Laurids Brigge, um nur die berühmtesten dieser emotionalen Bankrotteure anzuführen. Es geht also gewissermaßen um eine psychologische Terrainerweiterung für die Frau, selbst wenn diese ins Destruktive führt. Nun hatten zwar auch die männlichen Kollegen die Frau nie gänzlich vor dem seelischen Ruin bewahren wollen und ihr gerade auf dem Herzenssektor so mancherlei zugemutet, aber es mußte doch auf ganz besondere Weise destruktiv sein. So ließ man sie dem Wahnsinn erliegen (Ophelia), den Hungertod antreten (Ottilie), kurz sich auf jedwede Weise des Lebens berauben, nur hatte das Movens dazu stets die ›Liebe‹, die Anbetung des Mannes zu sein. Eben diese Geisteshaltung dokumentiert Immermann, wenn er den Opfertod der Charlotte Stieglitz als die germanische Alternative zur Emanzipiertheit einer George Sand versteht, als »Quelle«, »aus welcher sich deutsches Leben immerdar tränkt« [175], und bei weitem der Exzentrizität der Französin vorzieht. Vor dem Hintergrund solcher Ungeheuerlichkeit gewinnt eine Gestalt wie Faustine ihre emanzipatorische Bedeutung. Sie stirbt weder den Ottilien- noch den Charlotte-Stieglitz-Tod, sondern ihren höchst persönlichen »eigenen« Tod, den kein Mann verursacht hat und den keiner verhindern kann.

Während die Sekundärliteratur die Sonderstellung der *Faustine* im allgemeinen erkannt hat (wenn auch nicht aus den gleichen Gründen, die hier angeführt wurden) und diesen Roman geradezu als Aushängeschild für die Hahn-Hahnsche Produktion benutzte, hat sie die *Zwei Frauen* entweder mit Pauschalverdammung oder gänzlicher Nichtachtung gestraft. [176] Und gerade dieser Roman, von Gottschall im abwertenden Sinne als »Evangelium der Freiheit« [177] bezeichnet, der die gesellschaftlichen Widersprüche kritischer reflektiert und in einem tieferen antagonistischen Verhältnis zu seiner Zeit steht als die meisten jungdeutschen Schriften, vermittelt wohl die genaueste Kenntnis über die Situation der Frau in der Metternichschen Restaurationsepoche. Schon weil es sich hier sozusagen um aristokratische Durchschnittsfrauen handelt, die nicht das Privileg einer künstlerischen Sonderbegabung besitzen und sich in der Gesellschaft der Musen über die amusische Gesellschaft hinwegtrösten können, wird die emanzipatorische Fragestellung aus der konkreten Alltagssituation entwickelt und gewinnt dadurch exemplarische Bedeutung.

Wie schon in *Faustine* und *Cecil,* verwendet die Autorin auch hier das Motiv zweier ungleicher Schwestern, um völlig verschiedene Frauenschicksale komplementär zueinander darstellen zu können. Während dort – wie auch in der Mehrzahl ihrer anderen Romane – die gescheiterten Ehen der Hauptgestalten bereits der Vergangenheit angehören und nur aus der Retrospektive noch einmal beleuchtet werden, ist das Zentralthema von *Zwei Frauen* der Verlauf dieser beiden Ehen selbst. Das Motiv der ›rechten‹ Partnerwahl, die Frage, wie Mann und Frau ihre Eignung füreinander erkennen können, die in ihren ersten Romanen dominierend war, ist in den Hintergrund getreten vor dem Problem, wie Mann und Frau miteinander leben können. Das hat zur Folge, daß äußere Handlungselemente wie Liebesjagd, Entführung, Flucht oder Duelle, ja selbst die sonst so beliebten Reisen und Gutsbesuche fast gänzlich ausgespart sind und die minuziös beschriebenen Alltagsszenen einen beträchtlichen Raum einnehmen. Aber gerade durch diese Reduzierung auf die konkrete häusliche Situation, in der die Eheleute völlig aufeinander angewiesen sind, lassen sich die kontradiktorischen Spannungen zwischen den Geschlechtern am deutlichsten aufzeigen.

Ebenso verschieden wie die beiden Schwestern Cornelie und Aurelia sind auch ihre Ehemänner und deren Ehevorstellungen.

> Graf Sambach ... wollte ein Patriarchenleben führen und sich friedlich verheirathen. Er ging nach Berlin. Ein so junges, kindliches, unerfahrnes Mädchen wie Cornelie mußte grade ihm besonders gefallen; dazu war sie so hübsch, daß er sich einigermaßen in sie verliebte, und da er sich noch nie mit einem so unschuldigen Wesen beschäftigt hatte, erschien sie ihm wahrhaft pikant und anziehend, und er hofte von dieser ›Sainte-N'y-touche‹, wie er sie nannte, das Glück seiner Zukunft. Dieses bestand in ein Paar Kindern und in unbedingter Freiheit und Herrschaft auf seiner – in unbedingtem Gehorsam auf ihrer Seite. [178]

Mit solchen Ansprüchen dekuvriert er sich als ein unbekümmerter Nutznießer jener doppelten Moral, wie sie in diesen Kreisen seit eh und je die Regel war. Doch die Autorin beläßt es nicht bloß bei dieser Denunzierung der männlichen Herrschaftsansprüche, sondern versucht gleichzeitig, etwas Licht auf dessen mögliche Entstehung zu werfen. Sie vermittelt daher dem Leser einige Einblicke in Sambachs Vergangenheit und entlarvt bereits seine Herkunft als eine äußerst zwielichtige. Da der Lebenswandel seiner schwedischen Mutter ein recht zweifelhafter war, konnte sein leiblicher Vater niemals mit Sicherheit genannt werden. »Aber«, so argumentiert Hahn-Hahn, »war Eustach ein unächter Sohn, so war er wenigstens das ächte Kind jener vornehmen Verderbniß.« [179] Damit wird bereits angedeutet, daß sein erster Eindruck vom weiblichen Geschlecht –, der durch seine »leichtsinnige« und »sittenverderbte« Mutter geprägt wurde – ein höchst negativer war. Das zweite Erlebnis mit Frauen erweist sich als nicht weniger demoralisierend. »Sein eigentliches Debüt als selbständiger Mensch« bestand darin, »daß er von einer französischen Dame«, die sich lebhaft für seine pekuniären Potenzen interessierte, entführt und gehörig ausgeplündert wurde. [180] »Von hundert Männern«, schaltet sich die Autorin ein, »lernen neunundneunzig das Weib und die Liebe in der tiefsten Verworfenheit und als die gemeinste Frechheit kennen, und auf lange, zuweilen auf immer, bestimmt der unauslöschliche Jugendeindruck Urtheil und Handlungsweise hinsichtlich beider.« [181]

Durch eine solche Einbeziehung negativer Einflüsse auf die Entwicklung des männlichen Charakters erweist sich Hahn-Hahn im Vergleich zu Sand als die progressivere Autorin. Anders als ihre französische Kollegin läßt sie sich nicht dazu verleiten, die eminente Benachteiligung der Frau einzig der Unzulänglichkeit des Mannes in die Schuhe zu schieben. An keiner Stelle ihres Werkes findet sich eine so einseitige Verurteilung der emotionalen Beschaffenheit der Männer wie bei Sand. Niemals verteidigt sie die überlegene Liebesfähigkeit der Frau als quasi apriorische Mitgift. Schon in ihrem ersten Roman *Aus der Gesellschaft* ist die Herzenskapazität nicht nach Geschlechtern aufgeteilt. Polydor vermag ebenso ausschließlich zu lieben wie Ondine, wogegen sich Regine geradeso à l'occasion verliebt wie Fürst Casimir. Und im Fall von Graf Sambach waren es die Frauen selbst, die ihm einen ersten Hauch von Frivolität zuwedelten. Mit Recht hat sich Hahn-Hahn immer wieder gegen den Vorwurf gewehrt, daß sie die Frauen auf Unkosten der Männer verherrliche. Denn schließlich sollte man nicht vergessen, daß sich ihre sogenannten ›superioren‹ Naturen – so verschroben diese einem heute auch vorkommen mögen – in allen Romanen auf beide Geschlechter verteilen. Es ist deshalb niemals der Mann als Repräsentant seiner Gattung (wie Raymon de Ramière in *Indiana*), der in einem antagonistischen Verhältnis zum weiblichen Geschlecht steht und die Frau als Beute versteht, sondern lediglich der individuelle Bösling (wie Casimir, Sambach oder Ignaz Adlercron). Im umgekehrten Verhältnis ist es niemals die Leichtfertigkeit der Frau schlechthin, sondern die einzelne Kokette, die den Männern zum Verderben wird. Gerade weil die deutsche Autorin an keine gattungsbedingte emotionale Minderwertigkeit des Mannes glaubt, beleuchtet sie Sambachs Vergangenheit und interpretiert ihn als ein Produkt seines Milieus, das heißt als ein Opfer der gesellschaftlich sanktionierten doppelten Moral, nach welcher der Ehebruch des Mannes lediglich als Kavaliersdelikt beurteilt wurde.

Doch sind diese unterschiedlichen Betrachtungsweisen überhaupt von so entscheidender Bedeutung? Bleiben nicht letztlich bei beiden Autorinnen die Frauen auf den Hinterhöfen der Freiheit und der untersten Stufe der Selbstverwirklichung? Ist es nicht nebensächlich, ob sie an gattungs- oder gesellschaftsimmanenten Unterdrückungsmechanismen scheitern? So beiläufig diese Unterschiede auf den ersten Blick erscheinen mögen, als so grundsätzlich erweisen sie sich bei näherer Betrachtung. Wenn die männliche Gefühlsinsuffizienz und die weibliche Liebeskapazität, das heißt die Charaktereigenschaften der Geschlechter, nicht als gesellschaftliche Bedingtheiten, sondern als biologische Konstanten gesehen werden, sind alle Verbesserungskonzepte zur Situation der Frau von vornherein zum Scheitern verurteilt. Chromosomenstrukturen lassen sich nun einmal nicht durch Aufklärungskampagnen verändern. Sands Heldinnen können nur darauf hoffen, daß sie an gutwillige und brüderliche Männer geraten, die keinen Gebrauch von ihren Erbrechten machen. Die Frauen der Hahn-Hahn haben in dieser Hinsicht entschieden die besseren Aussichten. »Schickt die Mädchen auf die Universitäten und ihr werdet sehen«, hatte schon Catherine gerufen und die Gesellschaft nicht mehr als etwas schlechthin Numinoses, sondern als von *Männern* Gemachtes und damit Veränderbares erkannt.

Wenn Hahn-Hahn, trotz ihrer größeren Progressivität bezüglich der Rollenfixierung, in der Literaturgeschichte als die »abgeschwächte«, »verwässerte« oder »zahme« George Sand eingegangen ist, so lag das – von ihren geringeren poetischen Potentialitäten einmal abgesehen – vor allem an der prätentiösen Drapierung ihrer emanzipatorischen Ideen. Die »hohe geistige Schönheit« ihrer Frauengestalten, ihr »magnifikes Lächeln« und ihre »sibyllinischen Augen«, die Gewänder aus »rosa Musselin« oder »mattweißem Cachemir«, die »Coloretten« und »Foulards« und die distinguierten Causerien in Park und Salon lenkten die Aufmerksamkeit vorerst auf den schönen Schein des aristokratischen Farniente. So wie bei Mühlbach die Freiheitsimpulse häufig in einer barocken Handlungsfülle untergehen, laufen sie bei Hahn-Hahn Gefahr, in Seide zu ersticken. Man muß schon durch das dekorative Rüschwerk hindurchblicken und die konkreten Äußerungen und Entscheidungen ihrer Personen beachten, um die Substanz ihrer Gleichheitsideen zu erfassen.

Aber auch die Konfliktkonstellation in einem Werk wie *Zwei Frauen* ist in dieser Beziehung moderner als die der frühen Romane Sands. Es geht Hahn-Hahn nicht darum, abgetakelte Eheleute im Wirbel neuer Leidenschaften zu zeigen, nicht um das Entstehen von Passionen und Ausbruchsversuchen, sondern um die Frage, wie solche mißproportionierten Ehen – in denen man unwissende, in ihrem Gefühlsleben noch eingepuppte junge Mädchen mit abgeklärten, ihnen in jeder Beziehung überlegenen Männern kopuliert – im Alltag funktionieren. Auf die konkrete Romansituation hin gefragt: Wie gestaltet sich das Leben zwischen dem Pascha und der Sainte-n'y-touche? Zunächst einmal scheinen Sambachs Glücksansprüche ganz nach seinen Vorstellungen in Erfüllung zu gehen. Cornelie ist ein sanftes, anschmiegsames und unbedarftes Geschöpf, das in bewundernder Liebe zu ihrem »gescheuten Manne« aufblickt und es sich zur Aufgabe macht, ihm in allem zu Willen zu sein. Weniger aus eigenem Antrieb, als vielmehr aus Pflicht gegenüber ihrem geistreichen Ehemann, der so viel brillanteren Umgang als den ihren gewohnt war, beginnt sie, sich mit Lektüre zu befassen und um ihre eigene Bildung zu kümmern. Doch bei diesen geistigen Exkursionen entdeckt sie, daß sie selbst einen Willen hat. Eustach aber wird hellhörig und bezieht schleunigst patriarchalische Gegenposition:

›Halte-là! der Wille ist eine sehr gute Sache; indessen muß eine Frau ihn doch nur mit Maß üben. Der eigene Wille der Frau ist der Tod der Liebe und des Glücks des Mannes.‹

›Ich meine keinen *eigenen,* nur einen freien Willen, lieber Eustach.‹

›Und wie unterscheidest Du den so fein?‹

›Ich bin in Knechtschaft des eignen Willens; der freie Wille gehorcht mir.‹

›Hm! das ist gar nicht übel ... ist recht subtil, allzu subtil fast ausgedacht. Also Du denkst bereits?‹

Grade weil es ihr noch ziemlich selten geschehen mogte, fühlte sich Cornelie durch diesen Zweifel beeinträchtigt und erröthend sprach sie:

›Wie sollt' ich nicht denken? bin ich nicht Mensch?‹ [182]

Diese Frage kann Sambach zwar nicht platterdings verneinen, aber doch als unsachlich zurückweisen:

›Freilich, Liebchen, freilich bist Du das ... aber nur beiläufig; hauptsächlich bist Du Weib. Mensch, siehst Du, ist ein ganz abstracter Begriff, eine theoretische Person ohne Basis in der Wirklichkeit, ohne praktische Nutzanwendung auf anerkannte Zustände. Man muß sein Mann oder Weib, Beherrscher oder Diener, immer das, wozu man durch Organisation, Bedingungen und Verhältnisse bestimmt wird ... Aber weshalb, Liebchen, denkst Du eigentlich? ... Frage doch mich! das klärt Dir das Köpfchen auf und unterhält mich mehr als ich es sagen kann.‹ [183]

Voll liebender Bewunderung für den gewandter denkenden Gatten und im Bewußtsein ihrer eigenen geistigen Unsicherheit, läßt sich Cornelie von diesen Sophistereien überzeugen und bestaunt seine Herrenmoral als männliche Klugheit. »Wie gut und klug Du bist«, ruft sie emphatisch und spürt noch nicht die seidene Peitsche. Aber der Prozeß der Selbstfindung hat dennoch begonnen und läßt sich nicht mehr rückgängig machen. Trotz ihrer schrankenlosen Anerkennung von Sambachs Überlegenheit kann sie seinem Aufruf zur ›denkungslosen‹ Existenz nicht Folge leisten. Der Wille zur Erkenntnis hat Wurzel geschlagen.

In der Figur der Cornelie beschreibt Hahn-Hahn die Entwicklung einer Frau, deren verkrüppeltes, ängstliches Selbst sich allmählich entfaltet und zu geistiger Freiheit heranreift. Während sich Eustach bei ihren täglichen Gesprächen auf das beste unterhält, lernt Cornelie, seiner Warnung zum Trotz, ein erstes dialektisches Denken und beginnt, die Status-quo-Moral in Frage zu stellen. An *seiner* virilen Borniertheit entwickelt sich *ihr* weibliches Selbstbewußtsein. Und so vernimmt man plötzlich von derselben Frau, die es ganz natürlich gefunden hatte, den »Dienern« zugerechnet zu werden und bloß »im abstracten Sinne« Mensch zu sein, die folgenden aufrührerischen Worte:

Eine Frau, die jedes Unrecht, jede Härte, jede Verletzung mit Sanftmuth erträgt, die weder Groll noch Erbitterung in sich aufkommen läßt und immer dem Willen des Gatten nachgiebt – das ist die beste Frau! eine ganz vortreffliche, eine höchst tugendhafte, ach, welch eine fromme Frau! Ich behaupte, daß die Frauen mit diesen Maximen gründlich verdorben werden, denn – sie lernen heucheln und werden sclavisch niedrig gesinnt. Gleich und Gleich: so müssen sich die Geschlechter gegenüber stehen, und in einem Gleichgewicht, welches aus der sittlichen Basis der Selbstbestimmung und Selbsterkenntnis entspringt, den Vertrag der Ehe mit einander schließen – woraus hervorgeht, daß *nicht* Alles dulden, *nicht* Alles verziehen, *nicht* alle Selbständigkeit im Handeln und Denken aufgeben, ihre heilige Pflicht wird. [184]

Mit einer solchen Similes-inter-pares Gesinnung, die nichts mehr von ihrer früheren vertrauensseligen Totalaffirmation durchschimmern läßt, stellt sie sich in krassen Widerspruch zu der von Eustach geforderten Herrscher-Diener-Antithetik. Geradezu zur Frauenrechtlerin aber entpuppt sie sich, wenn sie fordert:

Aber auf Entwicklung *innerhalb* der eingebornen Grenzen des Individuums, sei es Mann oder Weib, beruht der Fortschritt der Menschheit; denn einzig und allein Hand in Hand mit ihr kann der Mensch zu jener innern Befriedigung gelangen, die zugleich sein Lohn, seine Ehrenkrone, seine Bestimmung ist. Sehen Sie wie dies Bewußtsein sich überall regt! sehen Sie wie man sich der Unterdrückten, der Beeinträchtigten annimmt! für die Polen, für die Irländer, für die Negersclaven, für die Juden sinnt man auf Herstellung ihres Rechts und auf Gleichstellung. Wer denkt an die Frauen? Niemand! So müssen sie denn selbst an sich denken – und das, und das allein führt zum besten Resultat. [185]

Das sind wohl die konsequentesten Einsichten, die in der Frauenliteratur zu diesem Thema bisher geäußert wurden. Gleichheit zwischen Mann und Frau nicht als Partialbedürfnis einiger allergischer ›Eliteseelen‹, nicht als Zugewinn lediglich für die ›feministische Sache‹, sondern als Voraussetzung für ein fortschrittlicheres mitmenschliches Zusammenleben, das beiden Geschlechtern zugute kommt. Daß es bei einer solchen Gleichheitsauffassung zur Krise kommen muß, als Cornelie während ihrer Schwangerschaft ein Liebesverhältnis ihres Mannes zu der Fürstin Orzelska entdeckt, ist nur konsequent. Sie kann sich den Standpunkt einer doppelten Moral nicht mehr zu eigen machen und drängt auf Trennung. »›Du gingst aus meinen Armen in die Arme einer anderen Frau‹, hält sie ihm vor, ›meiner Freundin, unsrer Gastfreundin. Wenn der umgekehrte Fall geschehen wäre, was würdest Du thun?‹ ›Ich würde den Liebhaber meiner Frau erschießen‹, entgegnete Eustach eiskalt, ›und womöglich ... sie dazu! ... wenn nicht das – dann sie verstoßen.‹ ›Das ist das Recht des beleidigten Gemahls, nicht wahr?‹ sprach Cornelie mit vibrirender Stimme ... ›Kann der Gatte tödtlich beleidigt werden, so kann der Gattin ein Gleiches widerfahren ... Du bist frei – aber ich, Eustach, ich bin es auch.‹ ›Ich ließ Dir stets volle Freiheit, Du warst Herrin des Hauses, Herrin Deiner Handlungen, Herrin im Gebiet geistigen Lebens, dessen Entwicklung ich auf jede Weise gefördert habe, Herrin als Mutter ...‹ ›Du mißverstehst mich, Eustach! Herrin sein ist nicht frei sein. Freiheit ist: der Schutz des Rechts. *Die* Freiheit begehr ich ... Du und ich ... wir sind Pairs: Das Recht des Einen ist das Recht des Andern.‹« [186]

Scharfsinnig erkennt Cornelie die Paradoxien der ihr zugestandenen ›Freiheit‹. Herrinnen-Freiheit bedeutet Freiheit von Mannes Gnaden, liegt ganz in der Beliebigkeit *seiner* Vorstellung und verkehrt sich in der Regel in eine samtene Sklaverei. Wie wenig ernst Eustach diese Herrinnenposition im Grunde nimmt, gibt er einem Freund gegenüber ganz offen zu:

Opfer ist der Mittelpunkt in der Existenz des Weibes ... Der Mann ist die Sonne um den sich das Planetensystem der Familie dreht. Er schafft die Familie, er giebt ihr einen Namen, ein Recht, eine Stellung, ein Ansehen. Was die Frau gilt, gilt sie nur durch ihn, denn sei sie schön wie Venus, klug wie Minerva, reich wie Rothschild – wenn sie keinen Mann hat und eine alte Jungfer wird, so gilt sie dennoch nichts. Dem Haupt der Familie gebühren andere Rücksichten, eine andere Handlungsweise, ein höheres Selbstvertrauen, ein ganz, aber ganz anderer Maßstab. [187]

Doch Cornelie hat sich endgültig aus dem Zustand ›der Schafspelzdemut‹ befreit. Sie kann nicht mehr länger die Rolle der patriarchalischen Handlangerin spielen. Ihr Emanzipationsprozeß ist so weit fortgeschritten, daß sie die traditionellen Frauentugenden nur noch als »jämmerlich« bezeichnet. [188] Wenn sie sich dafür von ihrem Mann als »die unweiblichste aller Frauen« [189] beschimpfen lassen muß, so ist ihr das inzwischen absolut gleichgültig geworden. Weil sie zu keinen Konzessionen in ihrem Gleichheitsanspruch bereit ist und Eustach weiterhin an seinem alten Glücksmodell festhält, zieht sie es vor – trotz größter materieller Entbehrungen –, sich von ihm zu trennen. Daß es bloß zu einer solchen Separation und keiner gerichtlichen Scheidung kommt, liegt an Sambachs übersteigertem männlichen Besitzanspruch. Die bloße Vorstellung von einer möglichen Wiederverheiratung Cornelies macht ihn »wahnsinnig«. Und so erkauft er sich ihr Versprechen, keine zweite Ehe einzugehen, durch die Drohung, ihr andernfalls den Sohn zu entziehen.

Cornelie verläßt ihr Haus, weil sie den Entwicklungsprozeß, den sie durchlaufen hat, nicht rückgängig machen kann und ihr Mann ihr ein Fremder geworden ist. In diesem Roman interessiert sich Hahn-Hahn nicht mehr für das klassische Konfliktmuster von Pflicht und Neigung, von Konvenienzehe und Leidenschaft, von Gesellschafts- und Herzensanspruch. Kein ›schlechter‹ Mann wird um eines besseren willen verlassen. Hier geht die Autorin über die ›Emanzipation des Herzens‹ hinaus und begnügt sich nicht bloß mit der Suche nach dem ›Rechten‹. Sie erzählt nicht mehr die ›uralte Geschichte‹, sondern beschäftigt sich mit der Entstehung weiblichen Selbstbewußtseins. Cornelie geht, weil sie sich aus der Larvenexistenz eines Weibchens zu einem weiblichen Menschen entwickelt hat und als Persönlichkeit ernst genommen werden will. Sie geht aus den gleichen Gründen wie 35 Jahre später ihre norwegische Schwester aus dem *Puppenheim*. Genau wie diese hat sie »andere, ebenso heilige Pflichten« wie die der Gattin, nämlich »die Pflichten gegen sich selbst«. [190] Und so gelingt es Hahn-Hahn – trotz aufgepfropft-harmonisierenden Schlusses –, in der Gestalt der Cornelie die erste ›deutsche Nora‹ zu schaffen, das heißt einen Frauentyp, der sich selbst gegenüber Verantwortung empfindet, auch dann, wenn das sogenannte ›heile Familienleben‹

dabei zerbricht. Wenn man sich vergegenwärtigt, daß Ibsen noch 1879 bei der Uraufführung seines Stückes in Kopenhagen, auf Drängen der Theaterleitung, eine geänderte Schlußfassung vorlegen mußte, nach der Nora ihrem Heim erhalten blieb, wird die massive Ablehnung erklärlich, die Hahn-Hahns »Evangelium der Freiheit« im konservativen wie liberalen Lager erfuhr. Mit diesem Werk war sie, was die Frauenfrage angeht, ihrer Zeit um Jahrzehnte voraus.

Doch wie steht es mit der zweiten Frau ihres Romans, mit der ganz anders gearteten Schwester Aurora? Wenn auch die besondere Sympathie der Autorin ganz offensichtlich bei Cornelie liegt – was sich formal schon daraus erkennen läßt, daß Hahn-Hahn ihre Geschichte selbst erzählt, Auroras hingegen durch Briefe vermittelt, die nur etwa ein Viertel von dem Raum beanspruchen, den die Erzählung der Schwester einnimmt –, so ist für diese Untersuchung die Gestalt der Aurora von gleich großem Interesse. Gerade weil sie weniger autonom und stärker von ihrer Umwelt abhängig ist, haben ihre Leiden exemplarischen Charakter. Als junges Mädchen war sie die aufgewecktere, wissensdurstigere und lebhaftere von beiden gewesen, die immer »mehr begehrte als was die Umstände ihr darboten und verlangten«. [191] Doch ebenso wie Cornelie hatte sie sich bereitwilligst dem frühen Heiratszwang gefügt und voller Erwartungen einem ihr fast gänzlich Unbekannten das Jawort gegeben. Die Probleme ihrer Ehe sind jedoch anders gelagert. Wenn Sambach als ein »verderbter Mann« beschrieben wird, so ist Friedrich von Elsleben, Auroras Gatte, »der Typus eines gewöhnlichen Menschen«, dessen geistiger Horizont bei seinen Viehställen endet und der es zufrieden ist, wenn die Kühe kalben, die Milchwirtschaft floriert und die Spinnräder in Bewegung sind. Die Abende verbringt er vorzugsweise in geruhsamer Kontemplation, das heißt in tabaksverqualmter Ungesprächigkeit. Alle Bemühungen Auroras, diesem Wohlbehagen ein wenig phantastischen Schwung beizumischen und Elsleben aus seiner geistigen Genügsamkeit herauszulocken, schlagen unweigerlich fehl. Die gemeinsame Lektüre von Coopers *Last of the Mohicans* regt ihn lediglich zum Gähnen an und verhilft ihm zu der unwiderlegbaren Erkenntnis, daß »ihn das Lesen am Denken hindere«. Und so entzieht er sich schnellstens den unbequemen Bildungsintensionen seiner Frau und kehrt bereitwilligst zur altbewährten Hausbackenheit zurück.

Aurora hingegen fühlt sich trotz ihrer Familie unausgefüllt und unzufrieden. Sie findet kein Genüge daran, mit den anderen Frauen die Sündenregister der Kinder und Dienstboten auszutauschen. »Du kannst Dir nicht vorstellen«, schreibt sie ihrer Schwester Cornelie, »welchen Abscheu über gewissenlose Kindermägde und Wärterinnen, wie viel Dutzend Freuden über die ersten Zähne ich schon mit meinen Nachbarinnen getheilt habe. Gott! Liebe und Sorge für die Kinder ist ja so natürlich, so mit dem Dasein verwebt; aber eben deshalb widert mich das ewige Geträtsch über sie an ... Ich würde selig sein, ein Gespräch zu finden, bei dem ich ein wenig mich selbst und meine Angelegenheiten vergessen könnte. So einseitig wird man, so beschränkt, so kurzsichtig, so intolerant, so kleinlich, so stumpf ... Sollen wir mit unseren vielfachen Fähigkeiten, welche durch unsre Erziehung angeregt werden, ganz verzichten auf geistigen Verkehr, auf Freude am Wissen und Lernen? Soll dies Streben, das bis zu unserem zwanzigsten Jahr in uns ausgebildet und gepflegt ist und uns zum Lobe gereicht hat, plötzlich ein verkehrtes und überflüssiges sein, von dem wir uns wie von albernen Kinderspielen abzuwenden haben?« [192]

Solche Klagen sind nicht nur der Ausdruck temporärer ehelicher Mißlaunigkeit oder stimmungsgebundener Unzufriedenheit. Worunter Aurora leidet, sind vor allem die Gefühle der Enge, der Beschränkung, der Borniertheit und Provinzialität. Was sie erbittert, ist die Diskrepanz zwischen ihren geistigen Möglichkeiten und der Unmöglichkeit, sie praktisch verwirklichen zu können, sowie die ambivalente Bildungseinschätzung, nach welcher intellektuelle Fähigkeiten bei Frauen, je nach Familienstand, einmal als notwendiges Lebenselixir und ein anderes Mal als entbehrliches Abfallprodukt eingeschätzt werden. Anstatt wie ihre Nachbarinnen ›in all's geduldig‹ zu sein und ihr schlichtes Genüge in den Kleinstereignissen des Tages zu finden, drängt es Aurora nach Aufgaben und Taten. Doch was sollte sie tun in einer Zeit, die gerade die aristokratischen Frauen von den Aufgaben fernhielt und zu permanenter Untätigkeit verdammte? In der die Langeweile die verbreiteteste Damenkrankheit war und ganze Zirkel dem »Cultus des Magnetismus« huldigten [193], bloß um der gesicherten Dauermonotonie zu entkommen. Wo konnte Aurora ein Wirkungsfeld finden, das sie gesellschaftlich nicht diskriminierte?

Da der geringe Bildungsstand ihres Mannes ein Großteil ihrer täglichen Leiden ausmachte, »so beschloß sie die Menschen zu bilden so weit sie ihrer habhaft werden konnte um Anderen dies Leid zu ersparen«. [194] Sie macht sich also zunächst einmal daran, für die Verbesserung der Schulsituation Sorge zu tragen und vor allem, den Katechismusunterricht zu reformieren. Dabei erweist sie sich von erstaunlicher pädagogischer Progressivität. Sie hält das »Nachdenkenlernen« für »die Hauptsache« am Unterricht und wendet sich entschieden gegen einen bloßen Faktenfetischismus sowie das Auswendiglernen von Sachverhalten, die über den Verständnishorizont der Kinder hinausgehen. »In meinen Augen bleibt es der größte Unsinn, Kindern Sachen beizubringen, die sie platterdings nicht verstehen« [195], verteidigt sie ihre Erneuerungsbemühungen vor ihrem aufgebrachten Gemahl. Der Prediger, ein »am alten hängender Mann«, dem Auroras pädagogische Schützenhilfe zutiefst verdächtig ist, hatte sich nämlich auf seine Amtspflicht berufen und bei Elsleben über sie Beschwerde geführt. Und das verfehlt nicht seine Wirkung. Mit einem lautstarken Veto untersagt dieser seiner Frau fernerhin jeglichen schulinnovatorischen Ehrgeiz, und der herkömmliche Stumpfsinn wird wieder hergestellt.

Damit ist der erste Versuch Auroras, sich in ihrer provinziellen Enge für etwas anderes als die Abfütterung von Kindern und Haustieren zu engagieren und ihr Leben unter eine Aufgabe zu stellen, an der regressiven Beschränktheit von Pfarrer und Ehemann gescheitert. Dennoch gibt sie nicht auf. So schnell kann sie »den Gedanken«, daß in ihrem »aufrichtigen Streben mehr Fortschritt liegt als in Elslebens Unwandelbarkeit« [196] nicht loswerden. »Sie wollte durchaus etwas stiften, etwas gründen, den Geist in Umschwung bringen helfen« [197] und verfällt daher auf den Gedanken, eine Lesegesellschaft ins Leben zu rufen. Aber auch dabei gerät sie in Konflikt mit den Torhütern des Status-quo. In Unkenntnis der ackerbäuerlichen Gefühlsausstattung ihrer Mitglieder und voll spontaner Begeisterung für die neuen Tendenzen der Literatur, scheut sie sich nicht, Sands Lélia zu verteilen. Doch damit ist der Untergang ihres Unternehmens bereits besiegelt. Eine solche Lektüre muß notwendig zu einer Totalempörung der Spießernaturen führen. Und so scheitert auch der zweite Versuch, ihre individuelle Energie in den Dienst einer kollektiven Sache zu stellen, an dem hausbackenen Innenleben ihrer Nachbarschaft.

Was bleibt Aurora nach diesen Erfahrungen schon übrig? Wo findet sie noch eine Sphäre für ihre Wirksamkeit? Wie kann sie als Frau dazu beitragen, ihrer Gegenwart Profil zu geben? Die Antwort darauf lautet ganz prosaisch: durch eine Nähstube. Resigniert über das beständige Mißlingen ihrer Vorhaben, sieht sie ein, daß ihr tatsächlich nicht viel anderes übrig bleibt als für »die artigsten kleinen Mädchen ihres Dorfes ... eine Schule für Nätherinnen« einzurichten, die ihnen »ein gutes Fortkommen begründen« soll. [198] Dieser Versuch »gerieth«, und »Elsleben lobt seine Frau herzlichst wegen der praktischen Richtung, die sie genommen«. [199] Aber Auroras beweglicher Geist kann in der Nähstubensphäre keine permanente Befriedigung finden. Und da ihr alle anderen Wirkungsbereiche verschlossen bleiben, klammert sie sich an den, der die Frauen schon immer eingelassen hatte: nämlich den religiösen. Sie verfällt der pietistischen Schwärmerei. Nichts sollte mehr gelten als die Liebe zum Heiland. Doch auf die Dauer hält diese Selbsttäuschung nicht stand. Auch die beflissensten Betübungen können sie nicht darüber hinwegtrösten, daß ihre Energie entbehrlich ist. Kurz vor ihrem Tode, dem sie keinen inneren Widerstand mehr entgegensetzt, schreibt sie ihrer Schwester:

> Mir ist im tiefsten Innern zu Muth als hätte ich ganz umsonst gelebt, liebe Cornelie, das heißt, nichts von dem Allen erreicht und durchgeführt, weder für mich noch für Andere, was ich mir als Aufgabe meines Lebens gestellt. Und doch war ich keine schlechte, leichtsinnige, pflichtvergessene Frau! im Gegenteil ... Ich wollte durchaus etwas leisten, wirken, schaffen ... [200]

Wenn man eine Figur wie Aurora schnurstracks in das Lager der unverstandenen und unbefriedigten Frauen abschiebt, wie Gottschall und andere Literarhistoriker das getan haben, übersieht man ganz einfach die kulturpolitische Situation. Als »Unverstandene« kann man sie schließlich nur dann einstufen, wenn man sich dazu entschließt, den Tätigkeitstrieb ganz allgemein zu den unverstehbaren menschlichen Eigenschaften zu rechnen, und das zufriedene Farniente oder die verinnerlichte Kontemplation als normative Kategorie ansieht. Aurora scheitert nicht etwa, weil sie eine empfindliche und verzärtelte Mimosenseele oder eine verschroben überspannte Salonnatur besitzt. Sie gerät in eine Identitätskrise, weil sie sich durch die Umstände zu einer Schwundexistenz gezwungen sieht, weil ihr Teilnahmebedürfnis kontinuierlich abgewürgt wird und die Zeit keine Aufgaben für sie bereit hat. Sie resigniert, weil der ihr als Frau von der Gesellschaft zugebilligte Aktionsraum so schmal ist, daß man lediglich eine Nähstubenfreiheit darin aufbauen kann. Während sich die Männer aus ihrem ›verordneten Winterschlaf‹ herausarbeiten und zumindest in Paris – oder wie Laubes »Poeten« in Polen – politische Erfahrungen sammeln konnten, verwies man die erwachenden Frauen beständig in die Schranken ihres Geschlechts. Aurora scheitert, weil sie statt der geforderten Affirmation Veränderungswünsche entwickelt und den Betätigungsdrang für eine menschliche Eigenschaft hält.

Doch muß man nicht im Hinblick auf Cornelies Schicksal fragen, ob solche Resignation tatsächlich unumgänglich war? Bot nicht gerade *ihr* Verhalten das Gegenbeispiel zu dem der Schwester? So sehr sich dieser Vergleich auch anbietet, so wenig Vergleichbares enthält er. Und zwar liegt das an der offensichtlichen Inkonsequenz der Autorin selbst, die hier mit doppeltem Maßstab arbeitet. Während sie Aurora durchaus als ›Zoon politikoon‹ ernst nimmt und sie in ihrer sozialen, politischen und ökonomischen Abhängigkeit zeigt, klammert sie bei der Schwester diese Faktoren ganz unbekümmert aus. Cornelie entwickelt sich allein aus der Autonomie ihres Ich, ganz aus der Tiefe ihrer innersten Willensentscheidung, die von keinerlei Umwelteinflüssen verunsichert werden kann. Es geht ihr daher nicht – wie Aurora – um Wirkung und Tätigkeit, sondern um Selbstverwirklichung. Sie leidet weniger an Entfremdung vom gesellschaftlichen Ganzen, als vielmehr an Selbstentfremdung. Die Aufgabenlosigkeit ihrer postehelichen Einsiedlerexistenz belastet sie nicht. Sie hat als einzelne ein diskriminierendes Eheverhältnis gelöst und damit ihren individuellen Auftrag geleistet. Doch im Vergleich mit der Schwester wird deutlich, wie sehr Cornelie auf doppelte Weise im idealistischen Niemandsland steht. Einerseits hatte sich ihr Emanzipationsprozeß auf rein voluntaristischer Basis vollzogen, und zum anderen war das intendierte Ziel dieser Entwicklung die harmonische Persönlichkeit. Insofern exemplifiziert die Autorin an Cornelie eine Emanzipation, die sich gewissermaßen neben der Gesellschaft abspielt und lediglich um das verinnerlichte Ich bemüht ist. Ein solches Befreiungskonzept rekurriert letztlich auf einen klassisch-romantischen Individualismus, der sämtliche Menschheitsprobleme durch die Einzelleistungen des Ich lösen zu können glaubt.

Aurora dagegen steht ganz auf dem Boden ihrer Zeit. Sie ist die ›Jungdeutsche‹ der beiden Frauen, die in der Gegenwart »leisten, wirken, fühlen und schaffen« will und welcher der Rückzug auf die eigene Innerlichkeit kein befriedigendes Äquivalent mehr bietet. Sie scheitert an der geistigen und moralischen Provinzialität ihrer Umgebung. Doch selbst diese verunglückten Befreiungsversuche enthalten größere Progressivität als die zielsichere Ich-Findung ihrer Schwester. Mit der Figur der Aurora entwickelt Hahn-Hahn zum ersten Mal den Typus der jungdeutschen Frau, der von den Jungdeutschen selbst noch nicht gestaltet wurde und vorher nur in Fanny Lewalds *Jenny* (1843) zu finden war.

## *Ein Mädchen wartet. Fanny Lewalds Leidensjahre*

**Stundenzettel**
für
**Fanny Marcus.**
entworfen Ende September, gültig bis zur veränderten Jahreszeit und bis andere Lehrstunden eintreten.

Allgemeine Bestimmung:
Des Morgens wird spätestens um 7 Uhr aufgestanden, damit um 7½ Uhr das Ankleiden völlig beendigt sei.

Montag

von 8–9 Clavierstunde. Uebung neuer Stücke.
„ 9–12 Handarbeit, gewöhnliches Nähen und Stricken.
v 12–1 Nachlesen der alten Lehrbücher, als: Französisch, Geographie, Geschichte, Deutsch, Grammatik u. s. w.
„ 1–2½ Erholung und Mittagessen.
„ 2½–5 Uhr Handarbeit gleich oben.
„ 5–6 Uhr Clavierstunde bei Herrn Thomas.
von 6–7 Uhr Schreibeübung.

Dienstag

„ 8–9 Uhr Uebung neuer Clavierstücke.
„ 9–10 häusliche Handarbeit.
„ 10–12 Unterricht im Generalbaß.
„ 12–1 gleich Montag.
„ 1–2½ dito.
„ 2–5 dito.
„ 5–6 Uebung alter Clavierstücke.
„ 6–7 Schreibeübung wie Montag.

Mittwoch

gleich Montag; von 5–6 Uhr Uebung der alten Musikstücke am Clavier.

Donnerstag, Freitag und Sonnabend gleich den drei ersten Wochentagen.

Dieser von 1824 datierende Tagesplan der Fanny Lewald, die damals noch den jüdischen Familiennamen Marcus trug, ist ein beredtes Dokument für die geregelte Monotonie der heranwachsenden Mädchen aus bürgerlichem Mittelstand. 1811 als erstes Kind eines mäßig begüterten Königsberger Kaufmanns geboren, hatte sie sieben Jahre lang einen kontinuierlichen Schulunterricht genossen, der seine Abrundung in der standesüblichen höheren Mädchenschule erfuhr. Doch als sie zwischen ihrem dreizehnten und vierzehnten Lebensjahr die Schule verlassen hatte und plötzlich ganztägig zu Hause war, »wußte niemand so recht«, was Fanny in diesem neuen Lebensabschnitt »eigentlich tun sollte«. [1] Und um das »planlose in den Stuben Umhergehen« zu unterbinden, hatte der Vater den obigen Stundenzettel entworfen. »Fünf Stunden an jedem Tag saß ich in der Wohnstube, an einem bestimmten Platz am Fenster«, kommentiert die Autorin später in ihrer *Lebensgeschichte* diese ›Hochzeit der Handarbeiten‹, »und erlernte Strümpfe zu stopfen, Wäsche auszubessern, und beim Schneidern und anderen Arbeiten Hand anzulegen. Zwei Stunden brachte ich am Klavier zu, eine Stunde langweilte ich mich mit dem Inhalt meiner alten Schulbücher, den ich damals von A bis Z auswendig konnte, eine andere Stunde schrieb ich Gedichte zur Übung meiner Handschrift ab. Dazwischen ging ich Gänge aus der Küche in die Speisekammer, und aus der Wohnstube in die Kinderstube ... und hatte am Abend das niederschlagende Gefühl, den Tag über nichts Rechtes getan zu haben, und einen brennenden Neid auf meine Brüder, welche ruhig in ihr Gymnasium gingen ... und mit der Sehnsucht nach der Schule regte sich in mir das Verlangen, womöglich Lehrerin zu werden, und so zu einem Lebensberuf zu kommen, bei dem mich nicht immer der Gedanke plagte, daß ich meine Zeit unnütz hinbringen müsse. Diese Ideen gegen meine Eltern auszusprechen, hätte ich aber nicht gewagt, denn sie würden darin eine Bestätigung für die alte Ansicht meiner Mutter gefunden haben, daß mir der rechte weibliche Sinn für die Häuslichkeit und für die Familie fehle, daß ich viel mehr Verstand als Herz hätte, und daß meine Neigung für geistige Beschäftigug ein Unglück für mich wie für sie sei.« [2]

Bei einer solchen Abwertung der weiblichen Intellektualität fühlt man sich unwillkürlich an voraufklärerische Bildungskonzepte erinnert, an die Vorhaltungen des Moralenzyklopädisten Moscherosch, daß eine Jungfrau, die mehr weiß als Beten und das Hauswesen-Verstehen »bey Verständigen Ehrliebenden Leuten nicht angenehm, sondern veracht« ist. [3] Wenn auch nicht direkt »veracht«, so war in den Augen der Mutter die geistige Strebsamkeit der Tochter doch stets etwas höchst Dubioses und Gefährliches. »Wenige Tage vergingen«, liest man in den Lebenserinnerungen, »an denen mir die Mutter nicht vorhielt, daß Nichts widerwärtiger und unbrauchbarer sei, als ein gelehrtes unpraktisches Frauenzimmer, und daß ich alle Aussicht hatte, ein solches zu werden.« [4] Es war deshalb ein großes Glück für sie, daß wenigstens der Vater ihrer Leseleidenschaft Vorschub leistete und ihr – mit Ausnahme von Romanen – alle Bücher zukommen ließ, die sie verlangte, und gemeinsam mit ihr durchnahm. Diesem Umstand hatte sie es zu verdanken, daß sie trotz oktroyierter Handarbeiten eine für Mädchen ihres Standes überdurchschnittliche Bildung erhielt.

Alle diese Dinge sind uns bekannt, weil sie neben einem umfangreichen Roman- und Novellenwerk eine Fülle von Memoirenmaterial hinterlassen und fast jede Phase ihres Lebens schriftlich festgehalten hat. In diesem Zusammenhang ist vor allem ihre sechsbändige *Lebensgeschichte,* welche die Zeit von 1811 bis 1845, also ihre Kindheit bis zu ihrer frühen schriftstellerischen Tendenzperiode, umfaßt, von größtem Interesse. Während von Hahn-Hahn gar nichts Autobiografisches und von Mühlbach und Otto-Peters nur recht Spärliches vorliegt, besitzen wir in Lewalds *Lebensgeschichte* ein höchst aufschlußreiches Dokument über die Situation der bürgerlichen Mädchen und Frauen zur Zeit der Metternichschen Restaurationsepoche. Gerade die für sie so spezifische, an Rahel erinnernde Wahrheitsliebe, die ihr gelegentlich sogar den Vorwurf der Poesielosigkeit eingetragen hat, ist für diese Untersuchung von unschätzbarem Wert. Die Autorin läßt keinen Augenblick einen Zweifel daran, daß ihr die Evokation ihrer Kindheit und Jugend keine nostalgische Feierabendbeschäftigung, kein schwelgerisches Zurück in die gesicherte Familienatmosphäre bedeutet, sondern von Anfang an unter dem Postulat der Aufklärung steht. Lewald empfindet ihr Jugendschicksal, ihre »Leidensjahre« – wie sie es im zweiten Teil ihrer Erinnerungen nennt – nicht bloß als individuelles Unglück, sondern als ein für Mädchen aus bürgerlichem Mittelstande exemplarisches und möchte ihren Teil dazu beitragen, diese Situation zu verändern. Leitmotivisch durchziehen daher das ganze Erinnerungsbuch die Appelle zum Verantwortungsbewußtsein und zu ernster Pflichtübernahme der Frauen, das heißt zur Emanzipation durch Arbeit.

> Wem man das Gefühl seiner Verantwortlichkeit nimmt, dem nimmt man das Gefühl seiner Bedeutung ... und so komme ich denn immer wieder darauf zurück, für die Frauen jene Emancipation zu verlangen, die ich in diesen Blättern schon vielfach für uns begehrt: die Emancipation zu ernster Pflichterfüllung, zu ernster Verantwortlichkeit und damit zu der Gleichberechtigung und Gleichstellung, welche ernste Arbeit unter ernsten Arbeitern erwerben muß. [5]

Gerade weil die Autorin nicht irgendwelche spektakulären Schicksalsschläge erlitten hatte, sondern in der sogenannten ›heilen‹ patriarchalischen Biedermeierfamilie aufgewachsen war, welche die sorgfältige Erziehung der Kinder in den Mittelpunkt ihrer Interessen stellte und das häusliche Leben zum Leben schlechthin stilisierte, weisen ihre »Leiden« exemplarischen Charakter auf. Sie waren die Kehrseite dieser betonten Familienseligkeit, der Preis, den der aufgeweckte einzelne zu zahlen hatte, damit das gemeinsame Ganze in konfliktloser Harmonie bestehen konnte. Denn wie der Landesvater sein restauratives Status-quo-Idyll nur durch eine weitreichende Entmündigung seiner Landeskinder gewährleistet sah, hielt der Familienvater die häusliche Eintracht am besten durch die längstmögliche Unmündig- und Hörigkeit seiner leiblichen Kinder gesichert. [6] Und so fühlte sich Fanny Lewald immer wieder ans Gängelband der aufgezwungenen Kindlichkeit gefesselt und auf den Stand der Unmündigkeit zurückgewiesen, wenn es sie drängte, ihre Geisteskräfte zu üben. »Überhaupt fand ich mich bald von lauter Repressivmaßregeln umgeben«, schreibt sie rückblickend, »denn mein Fortschreiten war den Eltern zu schnell, und ich sollte noch ein Kind bleiben.« [7] Eine solche Prolongierung der Kindheitsstufe gehörte zu den Hauptmaximen des Paterfamilias, denn schließlich war seine Vaterfunktion nur solange motiviert, wie es Kinder gab. Jede Verselbständigung eines Familienmitgliedes bedeutete potentielle Demokratisierung und Abbau der monarchischen Struktur, das heißt die Entbehrlichkeit der väterlichen Führungsposition. Lewalds Beobachtung, daß der Vater seit dem Auszug seiner Kinder aus dem Elternhaus – das für sie so bezeichnend das Vaterhaus hieß – zusehends an Kräften verlor, sowie die vermutete Korrelation zwischen seiner plötzlichen Aufgabenlosigkeit und seinem unvermuteten Tod sind ein weiterer Beleg für die Starrheit der Positionen, die nur ein Oben oder

Unten, nur Befehlen oder Gehorchen und niemals ein wirkliches Miteinander zuließ. Und so hat die Tochter fast ein halbes Menschenleben warten müssen, bis sie zum ersten Mal das Gefühl jener Freiheit erlebte, die in der uneingeschränkten Eigenverantwortung liegt. »Die Zeit meiner Hörigkeit war vorüber, die Zeit meiner Freiheit dämmerte vor mir auf! Ich hatte es in meiner Hand, was ich aus meiner Zukunft machen wollte!« [8] Als diese Freiheit aufdämmerte, war Fanny Lewald 34 Jahre alt.

Die ungetrübtesten Jahre der Autorin waren jene, in denen sie gemeinsam mit ihren Brüdern täglich sechs Stunden die Schule besuchen durfte und noch von Lehrern und Vater zum Lernen animiert wurde. Als besonders günstig erwies sich die Tatsache, daß diese Anstalt sowohl Mädchen als auch Knaben aufnahm und Fanny sich dadurch nicht bloß im Wettstreit mit ihrem eigenen Geschlecht befand. Aus ihrer *Lebensgeschichte* erfährt man, daß sie sich bald an die Spitze sämtlicher Kinder vorarbeitete und nur von *einem* Jungen, nämlich Eduard Simson, dem späteren Präsidenten des ersten deutschen Parlaments im Jahre 1848, übertroffen wurde. Doch selbst in diese Zeit der zugebilligten Kenntniserweiterung drangen bereits die ersten Mißtöne. Kaum neunjährig mußte sie sich anhören, daß ihr »Kopf eigentlich besser auf einem Jungen gesessen hätte« [9] und daß ihre Fähigkeiten nie ohne den bedauernden Zusatz gelobt wurden, daß sie leider bloß ein Mädchen sei. Und so begann sich schon frühzeitig in ihr das Bewußtsein einer geschlechtsgebundenen Zurücksetzung zu entwickeln. Eine weitere Belastung bedeutete ihre jüdische Herkunft.

Daß wir Juden wären, und daß es schlimm sei, ein Jude zu sein, darüber war ich aber mit fünf Jahren, noch ehe ich in die Schule gebracht wurde, vollkommen im Klaren. So hübsch wir in unseren seidenen Pelzchen auch angezogen waren, und so gut unsere stattliche Kinderfrau uns auch spazieren führte, so erlebten wir es doch manchmal, daß ganz zerlumpte, schmutzige Kinder uns im Tone eines Schimpfes: ›Jud‹! nachriefen, und die Kinderfrau sagte dann immer, daran sei nur ich mit meinem schwarzen Haare schuld. [10]

Solche Diffamierungen häuften sich nach der Judenverfolgung von 1819. In der Schule wurde es ihr immer deutlicher gemacht, daß sie nicht der Allgemeinheit angehörte und daß ihr Umgang mit den Mitschülerinnen nicht mehr überall erwünscht war. »Von da ab hatte ich den vollständigen Begriff von der Unterdrükkung der Juden«, liest man in ihrer *Lebensgeschichte,* »von der Ungerechtigkeit, welche man gegen sie begehe. Auch das Bewußtsein der gebildeten Juden, aufgeklärter und besser zu sein als ihre Verfolger, hatte bereits angefangen sich auf mich zu übertragen, und die Juden hatten damals ihr starkes Selbstgefühl, das man ihnen so oft als Anmaßung und Arroganz vorgeworfen hatte, sehr nöthig, wenn sie selbst sich aufrecht erhalten und ihre Kinder tüchtig machen wollten, an der allmählich Emancipation des Volkes mitzuarbeiten.« [11]

In diesen Äußerungen kündigt sich bereits das Dilemma der doppelten Unterdrückung an, das Lewald jahrzehntelang zu schaffen gemacht hat. Als Jüdin gehörte sie zu den Opfern der Rassendiskriminierung und als Tochter eines zutiefst patriarchalischen Vaters zu denen des häuslichen Despotismus. Sie erhielt zwar ebenfalls die für jüdische Mädchen der damaligen Zeit bezeichnende sorgfältige Erziehung, durfte aber, anders als Rahel Levin oder Henriette Herz, die beide bereits mit 19 Jahren einen eigenen Salon führten, keinen Gebrauch davon machen. Und so wurde ihr die wirksamste Möglichkeit, auf Grund ihres Bildungsvorsprungs für die Emanzipation ihrer Rasse und ihres Geschlechts einzutreten, von vornherein vorenthalten. Daß es in ihrem Fall weniger die jüdische Familientradition, als vielmehr die preußisch-patriarchalische Haltung ihres Vaters war, die sie zu diesem weiblichen Scheuklappendasein verurteilte, wird deutlich, wenn man daneben einmal die liberale Atmosphäre im Hause ihres Breslauer Onkels betrachtet. Während ihr Vater den ihm als zu freizügig und für heranwachsende Mädchen als unpassend erscheinenden Gesprächen »ohne alle Umstände mit der Erklärung ein Ende machte, daß er davon nicht gesprochen haben wolle« [12], unterhielt man sich bei dem Onkel auch in Fannys Gegenwart freimütig über Politik, Literatur, soziale und religiöse Fragen. Hier war sie zum ersten Mal des bedrückenden Zwiespalts enthoben, in den sie durch die ambivalente Erziehungshaltung ihres Vaters geraten war. In dem liberalen Hause der Verwandten pflegten sich auch die Frauen ihres Verstandes zu bedienen, ohne daß man um ihre Weiblichkeit besorgt war. Das Wissen wurde nicht nur gestapelt und gehortet, sondern angewandt und ausgetauscht. Man beschäftigte sich lebhaft mit den Ereignissen des Tages, las Heines *Reisebilder,* Börnes *Briefe aus Paris,* Gutzkows *Briefe eines Narren an eine Närrin* und hatte stets die *Revue de Paris* und die *Revue des deux mondes* bei der Hand. Es gab kein für junge Mädchen vorgekautes und abgeschmecktes Literaturragout wie bei den Lewalds in Königsberg, sondern eine engagierte gemeinsame Auseinandersetzung mit den Fragen der Zeit. In diesem Breslauer Winter von 1832/33 spürte die einundzwanzigjährige Fanny zum ersten Mal den neuen Geist einer neuen Epoche und den Willen, dieses Neue in sich aufzunehmen.

Eine solche Wirkung war allerdings nicht das, was ihr Vater mit dieser Reise beabsichtigt hatte. Der eigentliche Anlaß zu dem Unternehmen, wie Fanny gleich anfangs mit der größten Bestürzung erfuhr, war, »eine passende Partie« für die Tochter zu finden. »Ich hätte vor Scham und Zorn aufschreien mögen in dem Augenblick. Ich kam mir wie eine elende Waare vor, die man auf den Markt führte, weil sich zu Hause kein Käufer dafür gefunden hatte« [13], erbittert sich die Autorin noch nachträglich. Und bereits auf der ersten Station der Fahrt, in Berlin, fühlten sich die eingeweihten Verwandten bemüßigt, das ihre zu dieser Vermarktung zu tun, das heißt, ihre ungebetene Kritik an Fannys Verhalten zu äußern. »Ich sollte zuvorkommender, sollte naiver, gelegentlich auch verlegener sein«, schreibt sie rückblickend, »denn so wie ich wäre, so ernsthaft und sicher und bestimmt, könne ich den Männern nicht gefallen, und zu gefallen müsse ich suchen, da sich sonst nicht leicht Jemand finden dürfte, der sich ein Mädchen mit so viel unversorgten Geschwistern aus einer nicht bemittelten Familie zur Frau wählen würde.« [14]

So wie die Verhältnisse nun einmal aussahen, war die Verheiratung der Töchter allerdings eine ökonomische Notwendigkeit. Für den durchschnittlich bemittelten Familienvater war die lebenslange Versorgung mehrerer Töchter platterdings unmöglich. »Wie Eltern bei der Geburt einer Tochter nicht erschrecken, wenn sie dieselbe als ein durch ihr Geschlecht zu ewiger Abhängigkeit und Unterstützung bestimmtes Wesen betrachten ist mir immerdar ein Räthsel geblieben« [15], wundert sich Lewald.

Man weinte über Onkel Tom in seiner Hütte, und sagte seiner Tochter, die vielleicht ein medicinisches Genie oder ein großes kaufmännisches Talent war: Du strickst Strümpfe, Du lernst den Haushalt führen; Du bekommst Unterricht, der so weit langt, daß Du einsehen kannst, was für Dich wünschenswerth und zu erreichen wäre, wenn man es Dir möglich machte, Deine Fähigkeiten zu entwickeln, aber entwickeln darffst Du sie nicht – denn Du bist ein Weib. Du brauchst Dich aber darüber nicht zu beklagen, es ist Dein Beruf. So lange ich lebe, gebe ich Dir auch Obdach, Kleidung und Nahrung: findet sich Jemand, der Dich haben will, so gebe ich Dich dem, der Dir auch Obdach, Kleidung und Nahrung geben wird; und wenn nicht – und wenn ich sterbe und es hat sich Niemand gefunden, der sich mit Deiner Ernährung belasten will – nun? – Nun? so fragen auch die Frauen; und als Antwort erfolgte dann stets ein geseufztes: Nun! so hast Du ja Allerlei gelernt und wirst Dir schon helfen! – Aber wie? aber womit! aber was habe ich denn gelernt? – – [16]

Da die Erwerbstätigkeit der Mädchen nach dem Moralkodex des bürgerlichen Mittelstandes als etwas Unzulässiges, ja geradezu Anrüchiges galt, war die rechtzeitige Auffindung eines Ehemanns eine ernährungstechnische Notwendigkeit. »Das zur Liebe vorzugsweise geschaffene Geschlecht soll gar nicht lieben, sondern vor allen Dingen sich verheirathen« [17], heißt es lakonisch in der *Lebensgeschichte*. Entsprechend dieser Maxime hatte man auch Lewald seit ihrer frühesten Jugend auf eine solche Konvenienzehe abzurichten versucht. Mit Standardwendungen wie »jede Frau muß sich verheirathen«, »eine nicht ganz glückliche Ehe ist immer noch besser als ein altes Mädchen« und »ist erst einmal der Freier gefunden, so stellt sich auch die Liebe ein« hielten die Eltern den Töchtern beständig den Heiratszwang vor Augen. Ja, selbst bei der Gestaltung des Literaturprogramms waren ehedidaktische Maßnahmen im Spiel. Die Vorliebe des Vaters für Goethes *Natürliche Tochter* – so argwöhnte Fanny – war hauptsächlich durch Eugenies stille Resignation zu bürgerlicher Ehe motiviert. [18]

Aber noch in anderer Hinsicht hatte der Breslauer Aufenthalt Folgen, die den Ehestrategien der Eltern diametral zuwiderliefen. Denn anstatt sich zu verheiraten, verliebte sich Fanny, und zwar in ihren geistreichen und fortschrittlich gesinnten Vetter Heinrich Simon, ein führendes Mitglied der späteren liberalen Partei und Vorkämpfer des Rechtsstaates [19], denselben Mann, den drei Jahre später eine heftige Leidenschaft mit Ida Hahn-Hahn verband und der für seine Königsberger Cousine wohl wärmste Sympathie, jedoch keine Liebe empfand. Fanny Lewald hingegen hat mehr als sieben Jahre gebraucht, um diese unglückliche Liebe zu überwinden, ein Faktum, das sie für die elterliche Heiratspolitik noch unbrauchbarer machte. Doch dessenungeachtet hatte der Entschluß, sich niemals zu einer Konvenienzehe überreden zu lassen, seit ihrem 15. Lebensjahr, und zwar genau gesagt seit jener Pflichtlektüre von Goethes *Natürlicher Tochter,* unerschütterlich in ihr festgestanden. Was Hahn-Hahn erst während ihrer Ehe als »die größte Schmach des Weibes« zu empfinden lernte, nämlich einem ungeliebten Mann zù Willen zu sein, das erkannte Lewald schon als junges Mädchen als unvereinbar mit ihrer menschlichen Würde. Ein ähnliches »Ja, gern«, welches die mecklenburgische Kollegin in töchterlicher Artigkeit den Wünschen ihrer Familie entgegengebracht hatte, wäre Lewald als eine Einwilligung zur Prostitution erschienen. Als der Vater die damals Fünfundzwanzigjährige zwingen wollte, einem ihr gänzlich unsympathischen Assessor ihr Ja-Wort zu geben, erklärte sie mit aller Entschiedenheit, daß »nichts sie bestimmen könne, eine Heirath ohne Neigung einzugehen«, und daß ihr »eine Dirne, die sich für Geld verkaufe, wenn sie Nichts gelernt habe und ihre Familie arm sei, nicht halb so verächtlich vorkomme als ein Mädchen, das genug gelernt habe, um sich zu ernähren, und sich für Haus und Hof verkaufe«. [20]

Für Fanny Lewald bedeutete dieser väterliche Befehl, einen ihr widerwärtigen und auf sämtliche Familienmitglieder höchst lächerlich wirkenden Menschen als Ehemann zu akzeptieren, eine schwere psychische Krise. »Wie überlästig muß ich in unserm Hause sein, wie wenig muß selbst der Vater mich kennen, wenn er mich fortstoßen, mich zwingen will, unglücklich zu werden, nur um mich nicht mehr versorgen zu müssen.« [21] Das Gefühl, für ihr fortdauerndes Vorhandensein in der Familie gleichsam um Entschuldigung bitten zu müssen, hat sie in den darauffolgenden Jahren stark deprimiert. Ihr Alternativvorschlag, sich als Gouvernante oder Erzieherin selbst ihr Brot zu verdienen, scheiterte an dem hartnäkkigen Vorurteil des Vaters, daß Frauen nicht erwerben dürfen und daß »der keusche Dämmer des Hauses die eigentliche und einzige Heimath des Weibes sei!« [22]

Wie tief eingewurzelt diese Vorstellung von der Ehrenrührigkeit weiblicher Erwerbstätigkeit war, verdeutlicht die Tatsache, daß Lewalds Vater auch dann noch, als die Tochter im Alter von 34 Jahren in der Lage war, sich durch ihre schriftstellerische Tätigkeit allein zu unterhalten, strengstens darauf bestand, daß dies heimlich geschah. [23] Ja, sogar Fanny selbst empfand es als »äußerst widerwärtig«, den Betrag ihres ersten Honorars anzunehmen. »Aufgezogen in einer Umgebung«, berichtet sie über diese Episode, »in der alle Frauen es gewohnt waren, von ihren Männern oder Vätern versorgt und unterhalten zu werden, und sich vornehmer dünken, je reichlicher dieses geschah, kam ich, die doch seit Jahren gar kein höheres Verlangen als das nach Selbständigkeit gehabt hatte, mir plötzlich wie herabgesetzt, wie aus meiner angestammten Kaste ausgestoßen vor, als ich mit diesen acht Thalern die Gewißheit vor mir hatte, daß ich von diesem Tage an beginnen werde, für Geld zu arbeiten, um mir mein Brot einmal selber zu erwerben.« [24] Solche Empfindungen lassen die Schwierigkeiten erkennen, die allen Veränderungen des Gewohnten, Üblichen und scheinbar Bewährten selbst bei den Veränderungswilligen im Wege standen.

Da sich Lewald mit aller Entschiedenheit gegen die für sie in Aussicht gestellte Ehe zur Wehr gesetzt hatte, blieb ihr nichts anderes übrig, als sich von neuem in Warteposition zu begeben und das Leben zu führen, welches fast überall das Los der Mädchen in bürgerlichen Familien war, das heißt, sie überließ sich auch weiterhin dem schicklichen Charme des Tapisseriestickens sowie der Traulichkeit des Strümpfestopfens und nähte fünf Stunden des Tages am Fenster.

> Wir Frauen sitzen und sitzen von unserm siebzehnten Jahre ab, und warten und warten, und hoffen und harren in müßigen Brüten von einem Tage zum andern, ob denn der Mann noch nicht kommt, der uns genug liebt, um sich unserer Hülflosigkeit zu erbarmen und den auch wir (hätte sie für ihren Fall hinzufügen müssen) in der Lage sind zu lieben ... [25]

Wenn im Folgenden etwas ausführlicher auf die Situation der ›wartenden Bürgermädchen‹ eingegangen werden soll, so deshalb, weil wir in den Jugenderinnerungen der Autorin ein sehr aufschlußreiches Dokument über das Los der weiblichen Mitglieder des Mittelstandes besitzen und weil zwischen Lewalds Jugenderlebnissen und ihren Appellen zur Frauenberufstätigkeit ein enges Kausalitätsverhältnis besteht. Konkret gesehen war diese bürgerliche Mädchenerziehung nicht nur etwas Paradoxes, sondern geradezu Selbstmörderisches, wenn man sich vergegenwärtigt, daß mehr als ein Drittel der Bevölkerung bis weit über die Mitte des 19. Jahrhunderts hinaus unverheiratet blieb. [26] Lewald hatte richtig beobachtet, als sie feststellte, daß es sich dabei gewissermaßen um ein Va-banque-Spiel, ein einseitiges Kalkül auf die Glücksfälle des Lebens handelte, da die Mädchen nicht nur für die Ehe schlechthin, sondern für eine *materiell* gesicherte Ehe erzogen wurden. »Unser ganzes Schicksal wurde auf einen Zufall gestellt; auf den Zufall, ob unsere Liebenswürdigkeit oder unsere Schönheit einen Mann so weit zu reizen und zu fesseln im Stande wären, daß er uns zu besitzen wünsche, und sich deshalb mit der Sorge für unsern standesmäßigen Unterhalt beladen würde.« [27] Aber selbst dann, wenn der Zufall einen solchen Ritter in der Not herbeigeführt hätte, mußte man weiter hoffen, daß keine Schicksalsschläge die pekuniäre Basis der Ehe gefährdeten, da die Mädchen der gebildeten Mittelstände in der Regel gar nichts gelernt hatten, was in Krisenzeiten brauchbar war. Daß die Kehrseite einer solchen Bildungsideologie das Aufblühen von Prostitution und Dirnenwesen war, kann daher nicht verwundern. Ernst Dronke kommt in seinem Berlin-Buch zu dem erschütternden Ergebnis, daß in den Vierziger Jahren in den großen Städten »sich auf jedes achte Frauenzimmer eine Prostituierte« [28] ergebe, wobei er nur von »den polizeilich inskribierten« spricht und die sogenannten »Winkeldirnen« außer acht läßt.

Es gehört zu den Paradoxien der bürgerlichen Ideologie, daß dieser vitale, aufstrebende, sich immer stärker der Aristokratie gegenüber durchsetzende Stand, der sich letztlich nur durch sein eigenes Arbeitsethos behaupten konnte, dasselbe nicht für seine Frauen und Mädchen gelten ließ. Während er für seine Söhne ein vorwärts gerichtetes Bildungskonzept entwickelt hatte und sie frühzeitig zu selbständiger Erwerbstätigkeit heranbildete, versteifte er sich bei der Töchtererziehung auf absolut returnistische Ideale. Denn das Leitbild hierzu war tief in der aristokratischen Tradition verwurzelt. Das Postulat des weiblichen Müßiggangs und die Entwicklung vornehmlich dekorativer Fertigkeiten, wie Klavierspiel, Französisch, Schönschreiben und Tapisserienähen, deckte sich mit der Ideologie des Adels, derzufolge das *wirkliche* Arbeiten als deklassierend galt. Das Bürgertum adaptierte dieses Konzept allerdings nur für die weibliche Hälfte seines Standes. »Während man es für einen jungen Mann als eine Sache der Ehre ansieht, sich sein Brod zu erwerben, betrachtet man es als eine Art von Schande, die Töchter ein Gleiches thun zu lassen, wie das auch in meinem Vaterhause so geschah« [29], berichtete Lewald, die als aktive Natur schwer unter diesem auferzwungenen Müßiggang gelitten hatte. »Das war das Schlimmste«, liest man in ihrer *Lebensgeschichte,* daß ihr von ihrem 15. bis 33. Lebensjahr im Grunde nichts zu tun oblag. »Nicht einmal die Wirthschaft hatte ich zu führen . . ., da die Haushaltsbesorgungen« im monatlichen Wechsel mit den Schwestern erledigt wurden und genügend Dienstpersonal vorhanden war. [30] Wie hoffnungslos überflüssig und fehl am Platz sich Lewald in dieser Situation gefühlt hatte, veranschaulicht der folgende klägliche Versuch, wenigstens auf dem ihr zugebilligten Betätigungssektor irgendwie produktiv zu sein:

> Etwas thun, etwas Ersprießliches vornehmen und die Überzeugung gewinnen, daß ich Etwas für den Vater und für die Familie schaffe, wollte ich doch um jeden Preis, und so kam ich eines Tages auf den Einfall, mir ein kleines Buch zu machen, in welchem ich mit peinlicher Sorgfalt verzeichnete, wie viel Taschentücher ich an dem Tage gesäumt, wie viel Paar Strümpfe ich gestopft, was ich überhaupt für die Familie mit Nähen, Schneidern, Musikunterricht geben geleistet hatte, und mir dies nach seinem Geldwerthe am Ende des Monats zu berechnen. Klein wie die Summen waren, verschafften sie mir doch eine gewisse Genugthuung. [31]

Was ihr hingegen in unerbittlicher Regelmäßigkeit verordnet wurde, war das Klavierspielen – eine Pflicht, die ihr um so schwerer ward, als sie absolut unmusikalisch und ohne jede Neigung zur Musik war. »Fünfundzwanzig Jahre, von meinem siebenten bis in mein zweiunddreißigstes Jahr hinein, habe ich unausgesetzt Musikunterricht nehmen, und täglich üben müssen. Nahe zu tausend Taler, und eine unverantwortliche Masse von Zeit sind darauf verschwendet worden. [32]

Dieses Festhalten an den Kulturvorstellungen des Adels und besonders die Übertragung des Müßigkeitsideals auf das weibliche Geschlecht lassen schwerwiegende Rückschlüsse auf das bürgerliche Selbstverständnis zu. Die Tatsache, daß dem Bürgertum ein solches Untätigkeitsreservat überhaupt nötig erschien, spiegelt letzlich sein ambivalentes Verhältnis zur Tätigkeit wider. Indem der Bürger hartnäckig darauf bedacht war, wenigstens ›der anderen Hälfte‹ seiner Klasse das Dolcefarniente der Aristokratie zu erhalten, bezweifelte er doch selber die progressive Ideologie des neuen Arbeitsethos, die in der Überwindung des ausbeuterischen Feudalismus lag. Mit solchen Vorbehalten wurde die Arbeit zu einem notwendigen Übel, zu einem lästigen Faute-de-mieux abqualifiziert, das heißt nicht mehr als eine Chance, sondern als eine Pflicht verstanden. Wo der bürgerliche Leitspruch »Arbeit adelt« nur noch partielle Gültigkeit besitzt, ist der progressive Impuls bereits stark abgeschwächt. Gerade dieser Widerspruch ist nicht ohne Folgen für den Niedergang des Bürgerstandes geblieben. Für ein demokratisches Zusammenleben von Mann und Frau, von Eltern und erwachsenen Töchtern und überhaupt für die ganze Frauenemanzipation hat diese Ideologie die verheerendsten Folgen gehabt. Zu größerer Unmündigkeit als die Frauen des Bürgertums waren weder die Frauen des Adels noch der Arbeiterklasse verdammt. Und gerade deshalb ist Lewalds *Lebensgeschichte* so aufschlußreich, weil sie davon Zeugnis ablegt, wie lähmend sich die väterliche Autorität auswirkte und wie schwierig es für die erwachsenen Töchter war, auch nur die geringste Selbständigkeit zu entwickeln. Als Fanny Lewald endlich durch die Fürsprache ihres Onkels August Lewald die Erlaubnis zur Schriftstellerei erhalten hatte und mit 33 Jahren ihren ersten Winter allein in Berlin verbrachte, sah diese neu erworbene Freiheit in Wirklichkeit so aus, daß sie bei Verwandten in einem Durchgangszimmer wohnen mußte und sich auf Anweisung ihres Vaters einen Diener engagieren sollte, um nicht allein ausgehen zu müssen. Daß sie einen solchen Diener, entgegen der Anordnung ihres Vaters, nicht einstellte, war eine ihrer ersten emanzipatorischen Unterlassungen. Schwieriger war es für sie, von den alten, jahrelang befolgten Stundenzettel-Vorschriften des Vaterhauses endgültig abzugehen. »An Abhängigkeit und Unterordnung mehr gewöhnt als ich es selber wußte, ... sah ich meine literarische Beschäftigung immer noch wie ein mir Zugestandenes gleichsam auf Widerruf Erlaubtes an, [so] daß ich mich für verpflichtet hielt, eine Menge von Handarbeiten zu verrichten, weil es früher meine Aufgabe gewesen war.« [33]

Und noch als Vierunddreißigjährige, als sie auf Wunsch des Vaters wieder einige Zeit daheim verbrachte, mußte sie während ihrer schriftstellerischen Arbeit beständig daran denken, ob der Vater wohl damit zufrieden sei.

> Während ich keine Menschenfurcht hegte, wo es galt, meine Überzeugungen durch die Presse kundzugeben, fühlte ich mich vor dem Vater stets wie ein Kind befangen, denn sein Mißfallen oder sein Beifall waren noch immer Dasjenige, was ich am meisten fürchtete und ersehnte. [34]

Daß es sich in ihrem Fall nicht etwa um einen extrem autoritären Vater und somit um eine Ausnahmesituation gehandelt hat, kann man den erstaunten Reaktionen ihrer Berliner Bekannten auf ihre plötzliche Unabhängigkeit entnehmen. Man fand »es sehr merkwürdig, daß der Vater [ihr] schon jetzt die Erlaubniß gegeben habe, allein zu wohnen«. [35]

Bei Lewalds Befreiungsprozeß handelte es sich um eine Emanzipation in der ursprünglichen Bedeutung des Wortes, nämlich um die »Emancipatio«, was nach römischem Recht die Entlassung der Kinder aus der väterlichen Gewalt bezeichnet. Die Autorin hat die Konsequenzen aus dieser dreiunddreißigjährigen Abhängigkeit selbst gezogen: was sie fordert, ist eine gleiche Ausbildung für Mädchen und Knaben und für die Frau ebenfalls das Recht auf Erwerbstätigkeit, das heißt die Emanzipation zur Arbeit. Mit nüchterner Vorurteilslosigkeit sieht sie darin die Voraussetzung für jede weitere Befreiung. Gerade die Berufslosigkeit und das dadurch bedingte erzwungene Warten auf die Verheiratung – so meint die Autorin – hat »den Charakter der Frauen heruntergebracht« und sie »zu Schmeichlerinnen«, zu »Sklavinnen des Mannes« und unfähig zu eigenen Entscheidungen gemacht. [36] In ihrem Aufsatz zu Lewalds hundertstem Geburtstag würdigt Gertrud Bäumer diese Appelle an die weibliche Eigenverantwortlichkeit als den eigentlichen Anfang der Frauenbewegung:

Das war doch wohl auch eigentlich der Anfang für alles andere: daß die Frauen einmal lernten, ihr Dasein nicht als gegeben Stück für Stück hinzunehmen und, Süßes und Bitteres, sozusagen unbesehen herunterzuschlucken. Daß sie lernten, jedem Tag und jedem Ereignis und jeder Aufforderung gegenüberzustehen als Wählende, Prüfende, Wollende, im höchsten Sinn, sich nicht schieben ließen, sondern selbst Ziele setzten und Wege wählten. Darin ist Fanny Lewald vorbildlich. [37]

Daß die Berufstätigkeit der Frau der erste entscheidende Schritt zu ihrer vollen Unabhängigkeit war, wurde auch von konservativer Seite gesehen und entsprechend bekämpft. »Selbständig wirkend und erwerbend«, mahnt Riehl, einer der Begründer der deutschen Soziologie, steht die Frau »nur halb unter dem Hausregiment ihres Mannes.« [38] Diese Haltung ist um so unverständlicher, da Riehl, als Soziologe, durchaus nicht blind ist für die von Lewald beschriebenen Mißstände. In seiner Analyse über *Die Familie* verweist er ausdrücklich auf die sich »in geometrischer Steigung« vermehrende Zahl der unversorgten Frauen. »Sie sind berufslos, mittellos, familienlos. Das geht durch alle Stände. Vom Stricken und Spinnen kann auch das genügsamste weiblichste Wesen kaum mehr leben.« [39] Es klingt daher wie barer Hohn, wenn er trotz dieser Beobachtungen selbst die bescheidenen Ansätze zu institutionalisierter Mädchenerziehung, die doch immerhin die erste Möglichkeit zur Überwindung einer solchen Mittellosigkeit bot, wieder rückgängig machen möchte. »Man bilde die jungen Mädchen wieder zu Hüterinnen der Sitte, man lehre sie wieder Selbstbeschränkung im Hause finden, man gebe ihre Erziehung, die viel zu viel der Schule zugefallen ist, der Familie wieder mehr anheim.« [40] Um sich dann vom »Stricken« und »Spinnen« nicht mehr ernähren zu können? Diese Frage bleibt offen. Doch Riehl geht es ganz offensichtlich um ›Höheres‹. Er sieht »die Unterordnung der weiblichen Persönlichkeit unter die männliche« im Zusammenhang mit der Menschwerdung schlechthin und die Ungleichheit der Geschlechter als ein ewiges, tief im Mythologischen verankertes Naturgesetz. [41] Und um den Mythos zu retten, nimmt er es mit der konkreten Gegenwart nicht allzu genau. Selbst wenn das Einzelwesen ›Weib‹ darüber auch zugrunde geht, so bleibt das »Ewigweibliche« hingegen doch bestehen.

Damit verglichen ist selbst der konsequente Weiberverächter Schopenhauer noch erfinderischer. Er bietet den Frauen wenigstens Alternativen. Auch er erkennt, daß »die Frist ihrer Unterbringbarkeit« sehr kurz und die Gefahr, »entweder einem ihr widerwärtigen Manne ehelich angehören zu müssen oder als alte Jungfer zu vertrocknen« [42], sehr groß ist. Als Ausweg aus dieser Misere empfiehlt er deshalb die männliche Polygamie.

Da folglich jeder Mann viele Weiber braucht, ist nichts gerechter, als daß ihm freisteht, ja obliege, für viele Weiber zu sorgen. Dadurch wird auch das Weib auf ihren richtigen und natürlichen Standpunkt, als subordiniertes Wesen zurückgeführt, und die Dame, dies Monstrum europäischer Zivilisation und christlich-germanischer Dummheit mit ihren lächerlichen Ansprüchen auf Respekt und Verehrung kommt aus der Welt, und es gibt nur noch *Weiber,* aber auch keine *unglückliche[n] Weiber* mehr, von welchen jetzt Europa voll ist. [43]

In ihrer Untersuchung über *Die Frau im 19. Jahrhundert* weist Minna Cauer darauf hin, daß »die Art, wie die Philosophen über die Frauen geurteilt haben, von ganz bedeutendem Einfluß auf die deutschen Männer gewesen ist«. [44] Besonders »Schopenhauers Ausfälle« gegen »das unästhetische Geschlecht« [45], »den geistigen Myops« [46], wie er die ›Weiber‹ nannte, haben – gerade weil sie von einer philosophischen Autorität kamen – der Frauenemanzipation großen Schaden zugefügt. In solchem spekulativen Unsinn fand so mancher bornierte Hausvater das Alibi für seinen Herrschaftsanspruch. Lewald dagegen hatte klar erkannt, daß sich »die Verbesserung der Weiber« schwerlich auf philosophischer Ebene durchführen ließ. Nicht die Frau an sich oder als Idee galt es zu definieren, sondern sich mit ihrer konkreten Gegenwartssituation auseinanderzusetzen und ihr eine mündigere Existenzmöglichkeit zu schaffen. Mit Recht kann sie daher für sich in Anspruch nehmen, »zu denen zu gehören, die in Deutschland am frühesten auf die unerläßliche Emancipation der Frauen zur Arbeit hingewiesen haben«. [47]

Aber noch in anderer Hinsicht ist ihre Autobiographie ein wichtiges Dokument in der Entwicklungsgeschichte der deutschen Frau. Sie enthüllt nämlich mit schonungsloser Offenheit die Kehrseite der viel gepriesenen Familie, diesem Hort der Sittlichkeit und Geborgenheit, der sich nach Immermann gerade »in Deutschland zur höchsten Gestalt durchgebildet hat«. [48] Sie zeigt, daß diese institutionalisierte Gemeinsamkeit nicht nur der Nährboden für die Entwicklung neuer Kräfte, sondern gleichzeitig der Morast ist, in dem vieles Gedeihliche untergeht, und daß der hochgelobte Familiensinn sich häufig bloß als Familienegoismus erweist. »Die Töchter der Mittelstände, die über die Jahre der Kindheit und Jugend hinaus zum nutzlosen Hinleben in den Banden der Familie verdammt« waren [49], wurden hier tatsächlich zu »geistigen Myops« und seelischen Krüppeln. Ganz bewußt hat die Autorin ihre zwanzig Jugendjahre, die sie in der Familie verbracht hat – in Analogie zu Goethe – als ihre »Leidensjahre« bezeichnet. Das gleiche Bestreben, die Anlagen in sich »immer mehr zu entwickeln und auszubilden«, das Wilhelm Meister in die Welt getrieben hatte, mußte sie in Stopf- und Handarbeit ersticken, denn die Lehrjahre des Mannes waren die Leidensjahre der Mädchen.

## *Die Tendenzschriftstellerin Lewald*

In der »Vorrede« zur Zweitauflage (1872) ihrer Romane *Clementine* (1842) und *Auf rother Erde* (1850) drückt Fanny Lewald ihre Überraschung darüber aus, retrospektiv feststellen zu müssen, »in welchem Grade« ihre frühen Werke »Tendenzschriften gewesen sind. Damals, als man bei ihrem ersten Erscheinen gegen sie von einer und der andern Seite den Einwand erhob, daß die Tendenz sich in der Dichtung zu sehr geltend mache, verstand ich kaum, was man damit meinte, so ganz und gar war ich hingenommen von den Bestrebungen jener Zeit, so ganz und gar war ich darauf gestellt, so viel an mir war, mitzuarbeiten an der Lösung der Fragen, mit denen damals in unserm Vaterlande die besten Kräfte sich beschäftigten«. [50] Damit liefert die Autorin selbst das Stichwort. Nicht ihr gesamtes schriftstellerisches Schaffen hat unter dem gleichen Credo gestanden. Ihre eigentliche Tendenzperiode belief sich auf die Jahre zwischen 1842 und 1850. Als Belege dafür führt sie die Romane *Clementine, Jenny* (1843), *Eine Lebensfrage* (1845) und *Auf rother Erde* an, denen man unbedingt die Tendenznovelle *Der dritte Stand* (1845) und ihre Reisebeschreibungen aus Frankreich, die *Erinnerungen aus dem Jahre 1848,* hinzufügen muß. Sie werden den Gegenstand dieser Untersuchung bilden.

Wenn man Lewalds ersten Roman auf seine tendenziöse Qualität hin befragt oder gar mit Ida Hahn-Hahns Erstling *Aus der Gesellschaft* vergleicht, kommt man allerdings zu einem recht mageren Ergebnis. Ähnlich selbstbewußte Konzeptionen oder emanzipatorische Kampfansagen, wie man sie von Ilda Schönholm her kennt, sind nirgends zu finden. Im Gegenteil, die Heldin Clementine ist ein Musterbeispiel einer sich bescheidenden und nur für die Zufriedenheit ihres Mannes lebenden Ehefrau. Genau besehen enthält der gesamte Roman nur zwei emanzipatorische Stellen, die höchstwahrscheinlich über den absolut unemanzipierten Gesamttenor hinweggetäuscht haben. Und zwar handelt es sich dabei um folgende Aussagen Clementines bezüglich ihres Widerwillens gegen die Konvenienzehe:

> Aber was hat man aus der Ehe gemacht? Ein Ding, bei dessen Nennung wohlerzogene Mädchen die Augen niederschlagen, über das Männer witzeln und Frauen sich heimlich lächelnd ansehen. Die Ehen, die ich täglich vor meinen Augen schließen sehe, sind schlimmer als Prostitution. Erschrick nicht vor dem Worte, da Du mich zur That überreden möchtest. Ist es nicht gleich, ob ein leichtfertiges, sittlich verwahrlostes Mädchen sich für eitlen Putz dem Manne hingibt, oder ob Eltern ihr Kind für Millionen opfern? Der Kaufpreis ändert die Sache nicht; und ich gestehe Dir, ich würde das Weib, das augenblickliche Leidenschaft und heißer Sinnentaumel hinreißt, groß finden, gegen Diejenige, die das Bild eines geliebten Mannes im Herzen sich dem Ungeliebten ergibt, für den Preis seines Ranges und Namens. [51]

Nach solchen Sentenzen muß es den Leser einigermaßen erstaunen, daß Clementine kurz darauf in praxi genau das tut, was sie gerade theoretisch verdammt hat: Sie erklärt sich bereit, den angesehenen, dreiundzwanzig Jahre älteren Geheimrat von Meining zu heiraten, obwohl sie ihre Jugendliebe noch nicht überwunden hat. Allerdings muß man ihr zugute halten, daß sie es nicht um des »Ranges und Namens« willen tut, nicht aus Ruhmsucht und Unterbringungsangst, sondern weil ihr von der Verwandtschaft beständig vorgehalten wird, daß eine Eheverweigerung in diesem Falle nichts anderes als Selbstsucht und Egoismus wäre.

Der zweite emanzipatorische Satz des Romans fällt während eines Gesprächs über die Fähigkeit der Frauen zum Studieren und zur Ausübung von wissenschaftlichen Berufen. »Glaubst Du, Lieber«, wendet sich Clementine an ihren Mann, »daß ich dazu nicht vortrefflich wäre? Glaubst Du, wenn man mich von Jugend auf in all' den Wissenschaften unterrichtet hätte, mit denen man die jungen Leute so früh bekannt macht, ich hätte das nicht auch erlernen können?« [52] Hier fungiert Clementine ganz als das Sprachrohr der Autorin. Das sind Anliegen, die sie in ihrer *Lebensgeschichte,* ihren *Osterbriefen für die Frauen* und ihren Begründungen *Für die Gewerbthätigkeit der Frauen* immer wieder postuliert hat: gleiche Ausbildung für Jungen und Mädchen und die Aufwertung der weiblichen Berufstätigkeit. Doch direkt darauf angesprochen, was sie von der »Emancipation der Frauen« halte, fühlt sich Clementine bemüßigt, schleunigst in das Schneckenhaus der traditionellen Weiblichkeit zurückzukriechen und demütig zu beteuern, daß sie solche für sich selber »nie begehrenswert fand« und daß die Frau nur »durch die Liebe und in der Ehe emancipirt« werde. [53]

Wenn der Roman hier dennoch Erwähnung findet, so geschieht das aus folgenden Gründen: Anliegen dieser Untersuchung ist nicht nur, emanzipatorische Fertigprodukte vorzustellen, sondern ebenso den Prämissen und Kausalitäten nachzugehen, die für die literarische Tätigkeit von Frauen wirksam waren. *Clementine* ist vor allem für die Entwicklungsgeschichte der Autorin interessant. Aus den »Leidensjahren« war deutlich geworden, daß der Zwang zur Konvenienzehe zwanzig Jahre lang wie ein Damoklesschwert über ihr gehangen und daß ihre letztliche Verweigerung tiefe und schwer tilgbare Schuldgefühle in ihr hinterlassen hatte. Und so ist dieser Roman in erster Linie eine Bewältigung ihrer damaligen Entscheidung und demzufolge die letzte Auseinandersetzung mit ihrem Vater. An der Heldin dieses Romans probiert Lewald die von ihr selbst nicht akzeptierte Konvenienzehe aus. »Mir hatte oftmals vorgeschwebt, welches meine Lage geworden wäre, wenn man mich zu einer sogenannten Vernunftheirath überredet« hätte [54], schreibt sie in ihrer *Lebensgeschichte* im Hinblick auf *Clementine.* Insofern war die ethische Motivierung ihrer Protagonistin zur Ehe durchaus wichtig. Hätte sich Clementine lediglich aus Reputationsgründen verheiratet, hätte es zwischen ihr und der Autorin gar keine Vergleichsbasis gegeben. Was Lewald-Clementine bewegt, ist die Frage, inwieweit das Insistieren auf den eigenen Idealen Charakterfestigkeit oder bloße Selbstsucht ist. Clementine läßt sich davon überzeugen, daß es sich um das letztere handelt und verzichtet auf die Ansprüche ihres Ich. Doch wie gestaltet sich nun das ihr so angepriesene Eheglück?

Meining war ungemein beschäftigt, seine Kranken, seine Collegia ... nahmen seine ganze Zeit in Anspruch; während Clementine eigentlich ohne alle wirkliche Beschäftigung war ... Ihre Haushaltsangelegenheiten ließen sich in einer Stunde abthun ... Führte das Abendessen sie endlich doch zusammen, so war Meining so zerstreut, innerlich so sehr beschäftigt und so abgespannt, daß er oft um Entschuldigung bat ... ›Wenn Du mir beistimmst, leben wir Beide nur für uns allein.‹ Clementine willigte ein. Ihre geselligen Verbindungen lösten sich fast ganz auf, sie sah es ziemlich gleichgültig an, weil Meining's Zufriedenheit ihr letztes Ziel war. [55]

Hier fühlt man sich unwillkürlich an Wobesers Entsagungspathos erinnert, an ihre Vorstellung, von der »hohen Aufgabe« der Frau als Garantin der männlichen Zufriedenheit. Doch während Elisa diese Rolle noch mit eifriger Freudigkeit auszuführen vermochte und geradezu Vitalität im Entsagen entwickelte, spürt man bei Clementine deutlich die Resignation, was noch durch die Tatsache unterstrichen wird, daß sie sich vorzugsweise wie eine Herrnhuterin kleidet. Hier kann Entsagung ganz offensichtlich nicht mehr ins Produktive umgesetzt und gewissermaßen kompensiert werden, sondern wird zum Substanzverlust. Aus der »schönen Seele«, welche die Antonomien von Pflicht und Neigung mühelos überwinden konnte, ist eine traurige Frau geworden, die sich zur Pflichterfüllung gezwungen sieht. Und so sind auch Clementines einstige Lebhaftigkeit und Begeisterung für die jungdeutschen Ideen einer stillen Resignation gewichen. Robert, ihr Jugendfreund, beobachtet richtig, wenn er feststellt: »Mich dünkt... Sie hätten einst mit viel größerer Theilnahme den bewegenden Ideen unserer Zeit gehuldigt, und ich hätte Sie begeistert gesehen, als die Julitage uns eine neue Aera zu verkünden schienen. Was hat Sie denn unserer Fahne abwendig gemacht?« [56] Die wahrheitsgetreue Antwort auf diese Frage hätte eigentlich lauten müssen: die Entsagung. Und indirekt gibt Clementine diese Antwort auch, wenn sie gesteht, daß sie »damals glaubte«, daß für die Frauen »die Freiheit, nach der die Männer strebten ebenfalls ein unerläßliches Gut« wäre, von diesem Glauben aber abgekommen sei. [57] Da sie auf die Verwirklichung ihrer individuellen Zielvorstellungen verzichtet hat, muß sie auch den weiblichen Freiheitsanspruch verneinen, wenn sie ihre eigene Existenz nicht als absurd empfinden soll. Insofern hat die Figur der Clementine weniger Vorbild- als Warnfunktion, was noch verdeutlicht wird, als sie bei dem Wiedertreffen mit dem Jugendgeliebten erneut in den Konflikt von Pflicht und Neigung gerät und feststellen muß, daß sie nichts überwunden, sondern lediglich etwas verdrängt hat und ihre Einwilligung zur Vernunftehe das Falsche gewesen ist. Das aber war die entscheidende Antwort, die Lewald ihrem Vater geben mußte. Noch sah er ihr beim Schreiben zu sehr über die Schulter, als daß sie von seiner Person einfach absehen konnte. Indem sie ihm das traurige Los der entsagenden Clementine schilderte, fühlte sie sich ihm gegenüber gerechtfertigt, für sich selbst einen anderen Weg gewählt zu haben. Bevor sie diese Auseinandersetzung mit der väterlichen Autorität nicht vollzogen hatte, konnte sie keine freieren Konfliktlösungen finden.

Anders als Hahn-Hahn, deren aristokratisches Selbstbewußtsein ihre emanzipatorischen Ansprüche frühzeitig unterstützt hatte, mußte die Bürgertochter Lewald zunächst einmal ihr Schuldbewußtsein abbauen, bevor sie ihr eigenes Ich zu Wort kommen lassen konnte. Dadurch verzeichnen ihre Tendenzromane jedoch andererseits eine viel größere Entwicklungsspanne. Jeder Roman bedeutet einen weiteren Schritt nach vorn, eine vernehmlichere Absage an das alte Frauenideal und eine Abkehr von dem üblichen Entsagungspathos. Gleichzeitig läßt sich eine zunehmende Distanzierung von Goethe, insbesondere seiner Liebes- und Ehevorstellung aus dem *Werther* und den *Wahlverwandtschaften*, beobachten. Gerade diese beiden Bücher hatten eine enorme Auswirkung auf die jungdeutsche Frauenliteratur gehabt. In *Clementine* fallen diese Einflüsse sofort ins Auge. Das Ideal der Weiblichkeit ist ganz dem der Lotte nachgebildet, vor allem in der Art, wie sie in der Brotschneideszene auftritt. Auch für Robert erhöht sich der Reiz einer Frau durch die Beschäftigung mit Kindern. Auch für ihn offenbart sie sich hier in ihrer reinsten Weiblichkeit:

> Endlich sah ich Clementine. Sie lag in einer grünen Couchette, die vor dem Kamin stand, und hielt ein schönes, zweijähriges Mädchen in den Armen. Zwei ältere Mädchen, etwa fünf und siebenjährig, waren um sie beschäftigt... Es war ein wundervolles Bild. Clementine war schöner, als ich sie je zuvor gesehen... Die Kinder hatten ihr die Aermel zurückgeschlagen, das Tuch abgebunden und mit mancherlei Schmuck behängt, den sie ihnen zum Spiele gegeben hatte. Hände, Hals und Arme waren marmorklar in der Beleuchtung und das fein geröthete Gesicht bezaubernd in dem Ausdruck von Glück, der aus ihren Augen strahlte [...] Ich war so entzückt über die Scene, daß ich eigentlich Nichts begehrte, als sie anzusehen. [58]

Ebenso finden sich Anklänge an die *Wahlverwandtschaften*. In formaler Hinsicht entspricht sich die Unterbrechung der Handlung durch eingesetzte Briefe und Tagebucheintragungen. Für »Aus Ottiliens Tagebuch« steht »Aus Clementines Tagebuch«. Doch weit entscheidender ist die gleiche Auffassung von der Ehe als etwas Numinosem und daher Unauflöslichem sowie das Festhalten an der Idee der Entsagung. »Dein werde ich nie«, erklärt Clementine ihrem Geliebten und übertrifft damit sogar noch Ottilie, »auch dann nicht, wenn es mir beschieden wäre, meinen Gatten zu überleben... ich halte die Ehe, Du weißt es, für ein unauflösliches, ewig bindendes Band.« [59] Gerade weil sich Lewald in einem späteren Werk, nämlich der *Lebensfrage,* so ausgiebig mit Goethes Eheroman auseinandersetzt, ist es aufschlußreich, diesen ersten Romanversuch einmal dagegen zu halten.

Doch schon ihr zweiter Roman, *Jenny* (1843), bedeutet einen endgültigen Abschied von *Clementine.* Hier führt nicht mehr die sich rechtfertigende und Rücksicht nehmende höhere Tochter die Feder, sondern eine junge Frau, die »ganz und gar darauf gestellt« ist, »mitzuarbeiten an der Lösung der Fragen« ihrer Zeit, und welche ihre »höchste Aufgabe« darin sieht, »dichtend den Zwecken und Tendenzen zu dienen« [60], die zu einer Demokratisierung des menschlichen Zusammenlebens führten. Von entscheidendem Einfluß für die Verstärkung ihres sozialen Engagements waren die *Hallischen Jahrbücher.* »Die Bedeutung dieser Zeitschrift«, schreibt sie rückblickend, »das Verdienst der Männer, welche sich an ihr betheiligten, ist nicht hoch genug anzuschlagen... Ich sage nicht zu viel, wenn ich behaupte, daß die ganze tüchtige Jugend jener Zeit sich an den Jahrbüchern zum Denken gewöhnt, sich daran geschult, sich an ihnen erzogen hat... Wie ein Corps von Pionnieren gingen die Mitarbeiter der Jahrbücher der großen Schaar ihrer strebsamen Zeit- und Altersgenossen voran, das Gestrüpp des Vorurtheils niederhauend, Pfade bahnend für den Gedanken, Brücken schlagend aus der Vergangenheit in die Zukunft, und aufräumend und abbrechend zur Rechten und zur Linken, was dem freien Fortschritt irgendwo im Wege stand... War es mir nicht vergönnt, wie die Männer in meiner Nähe und wie die Mitarbeiter der

Jahrbücher, im offenen und entscheidenden Kampfe mitzufechten, so wollte ich ihnen wenigstens unter der Schutzwehr der Dichtung so gut ich es vermochte, die Kugeln zutragen helfen.« [61] Mit einem so expliziten Bekenntnis zur Tendenz ging Lewald bereits über den bürgerlichen Liberalismus der Jungdeutschen hinaus und reihte sich unter die Vertreter des Vormärz ein. Ebenso wie Herwegh, den sie zu einem ihrer Vorbilder zählte, plädierte sie für unbedingte »Parteilichkeit« und nicht mehr für distanziertes Darüberstehen, wenn es um Fragen der »Menschlichkeit« ging. Und so machte sie sich in *Jenny* zur Anwältin zweier unterprivilegierter Gruppen, nämlich der Juden und der Frauen, und demonstrierte an dem Geschwisterpaar Eduard und Jenny Meier auf exemplarische Weise die geradezu mittelalterliche Behandlungsweise, der diese beiden Schichten immer noch ausgesetzt waren. Dieser Roman erregte auch außerhalb Deutschlands Aufmerksamkeit, und man war besonders überrascht, daß sich hinter dem anonymen Verfasser eine Frau verbarg. Auf eine solche Anteilnahme an politischen, religiösen und gesellschaftlichen Fragen war man im Frauenroman bisher noch nicht gestoßen, ein Phänomen, das Laube zu dem Zugeständnis veranlaßte, »er freue sich, anzuerkennen, daß er der weiblichen Kraft zu wenig zugetraut«. [62]

Auseinandersetzungen mit dem Christentum, den kritisch historischen Argumenten eines David Friedrich Strauß oder den sensualistischen Erneuerungskonzepten des Saint-Simonismus kamen auch in anderen Romanen der Zeit, wie beispielsweise in Gutzkows *Wally* oder Mundts *Madonna*, vor. Doch dort hatten sie vorwiegend die Form von aufgepfropften Traktaten angenommen oder sich ins rein Spekulative verflüchtigt. Lewald hingegen entwickelt die religiöse Problematik ganz aus der Psyche ihrer Personen und verdeutlicht dabei die unterschiedlichen Verhaltensweisen, welche die Gesellschaft von Mann und Frau erwartet. Die Glaubenskrise, in die beide Geschwister geraten, hat daher für Jenny eine ganz andere Bedeutung als für Eduard, obgleich die Problemkonstellation eine ähnliche ist. Wie schon ihre Eltern, halten sie nichts vom orthodoxen Festhalten an überlieferten Zeremonialgesetzen und sind jedwedem Mystizismus abhold. Großgeworden im Skeptizismus des liberalen Judentums sind sie gewohnt, an alles den Maßstab der Vernunft zu legen. Von daher erscheint es der Mutter durchaus legitim, die Kinder, um sie vor der kontinuierlichen Diskriminierung ihrer Rasse zu bewahren, zum Christentum übertreten zu lassen. Für Eduard ist jedoch ein solcher Übertritt undenkbar. Was ihn mit dem Judentum verbindet, ist weniger die Verwurzelung in einem gemeinsamen Glauben, als vielmehr das Bewußtsein, einer diffamierten Minorität anzugehören und ein sich daraus herleitender starker Solidaritätswillen. Besonders die Judenverfolgungen von 1819 und die staatlichen Dekrete von 1822, die Juden von öffentlichen Ämtern ausschlossen, bestärkten Eduard in der Überzeugung, den Kampf für die Emanzipation seiner Rasse als die wichtigste demokratische Aufgabe zu verstehen, welche seine Zeit ihm stellt. So verzichtet er als Arzt auf seine persönliche Karriere, nämlich auf die ihm angetragene Leitung einer städtischen Klinik, weil sie nur um den Preis der Taufe zu erlangen ist. Er fühlt sich dazu verpflichtet, die Verfechtung einer Idee höher zu stellen als seinen privaten Erfolg.

In eine ähnliche Konfliktsituation kann Jenny als Frau gar nicht geraten. Von einer vergleichbaren Problematik kann man erst in dem Augenblick sprechen, wo sich beide in andersgläubige Partner verlieben, und es darum geht, um einer Ehe willen zum Christentum überzutreten. Bei diesem Anlaß wird deutlich, daß es nicht nur die hinlänglich kritisierte doppelte Moral, sondern auch eine doppelte Religion gab, nämlich eine für Männer und eine für Frauen. Dabei ist es aufschlußreich, daß es gerade der fortschrittlich denkende und handelnde Eduard ist, der diesen Unterschied formuliert und den Religionswechsel seiner Schwester als Tribut ihrer Weiblichkeit versteht. »Wen das Weib liebt, dem glaubt sie«, erklärt er emphatisch. »Jeder Mann ist seiner Geliebten der Verkünder eines neuen Glaubens; Liebe ist die Offenbarung, in der das Weib den Geliebten als gottgesandten Messias erblickt. Wenn Jenny wahrhaft liebt, wie ich gewiß bin, mag sie glauben, woran sie will! Sie wird glücklich machen, und das ist genug, auch glücklich zu sein.« [63] Mit einem solchen Männlichkeitswahn wertet er Jennys gesamte Erziehung, deren oberstes Prinzip Vernunft und Zweifel waren, mit einem Schlag als bloßen Dekor ab, der beiseite gelegt werden kann, sobald der Mann seiner nicht mehr bedarf. Obgleich er den kritischen Verstand sowie die Zweifelsucht seiner Schwester genauestens kennt und sie gelegentlich sogar als einen »weiblichen Freigeist« bezeichnet, befürwortet er ihren Übertritt zu einer Religion, die voller Mysterien und Offenbarungen ist, weil auch nach seiner Ansicht für eine Frau letztlich nichts anderes zählt als seine Heiligkeit der Mann.

Die gleiche Problematik gewinnt in bezug auf ihn selbst ganz andere Dimensionen. Vom Vater befragt, ob er geneigt sei, um seiner Liebe willen Christ zu werden, antwortet er ohne zu zögern: »Um keinen Preis ... selbst um Claras Besitz nicht.« [64] Es ist Ehrensache für ihn, seine Überzeugungen niemals für eine Geliebte aufzugeben. Ähnliche Ehrkategorien werden den Frauen nicht zugestanden. Bei ihnen scheint es lediglich auf die *eine*, konkret lokalisierbare Ehre anzukommen. Und so glaubt auch die siebzehnjährige Jenny, die anläßlich der ihr empfohlenen Konvenienzehe entschieden ihr Nein-Wort gesprochen hatte, sich im religiösen Bereich dem Geliebten anpassen zu müssen. Obgleich sie von Kindheit an daran gewohnt ist, »die Dogmen des Juden- als auch des Christentums bezweifeln und verwerfen zu sehn« und den Glauben wie eine »geistige Schwäche«, »wie ein leeres Märchen« oder eine »verhüllende Allegorie« [65] zu betrachten, fühlt sie sich durch die wachsende Neigung zu ihrem christlichen Lehrer veranlaßt, sich seinem Glauben anzunähern. »Aus Liebe zu ihm zwang sie sich, die Zweifel zu unterdrücken, die immer wieder in ihrem Geiste gegen positive Religionen aufstiegen« [66] und gleichzeitig seinem traditionellen Ideal von der anschmiegsamen, still wirkenden und demütigen Frau entgegenzukommen. Dadurch wird sie gezwungen, einen Teil ihrer Persönlichkeit zu verleugnen, denn was sie auszeichnet, sind ja gerade Witz, Lebhaftigkeit, Spottlust, Geist, Gedankenschärfe und eigene Urteilsfähigkeit – Eigenschaften, die Reinhard als unweiblich erscheinen und die auch sonst nicht gerade zu den fraulichen Tugenden zählten.

In der Figur der Jenny zeichnet Lewald zum ersten Mal den Typus der jungdeutschen Frau, welche das Tapisserienähen durch moderne Lektüre ersetzt, welche nicht mehr bloß wartend am Fenster hockt, sondern lebhaften Anteil an den Gesprächen der Männer nimmt und ein offenes Ohr für die Fragen ihrer Zeit hat. Reinhard hingegen ersehnt sich eine Frau biedermeierlicher Prägung. Was ihn anzieht – abgesehen von Jennys exotischer Schönheit –, sind »die fast anbetende Hingebung, die sie dem jungen Lehrer in den Stunden bewies« [67], die staunende Aufmerksamkeit für die Offenbarungen des Christentums und ihr stetes Mitgefühl für die Schwächeren und Benachteiligten. Es handelt sich im Fall von Jenny und Reinhard um das typische Mißverständnis der ersten Liebe, bei der sich die Liebenden, auf Grund ihrer gegenseitigen starken physischen Anziehung, darüber hinwegtäuschen lassen, daß ihre Charaktere überhaupt nicht zueinander passen. Selbst die Ahnung möglicher ernst zu nehmender Divergenzen wird aus der Überzeugung heraus zurückgedrängt, daß die Liebe die Kraft habe, auch diese zu überwinden. Daß Jenny mit ihren kaum siebzehn Jahren gar nicht in der Lage ist, die Konsequenzen einer solchen Anpassung abzuschätzen, versteht sich von selbst. Sie ist völlig ausgefüllt von dem Gefühl ihrer Liebe, und die Triebfeder, sich »von der Religion ihrer Väter« loszusagen und »zum Christentum überzutreten«, ist vor allem der Wunsch, »dem Geliebten einen überzeugenden Beweis ihrer Liebe zu geben« [68], einen Beweis, den – wie ihr Bruder es ausdrückt –, jedes liebende Weib dem Manne natürlicherweise darbringt. Doch während des Taufvorgangs beginnt sich ganz plötzlich ihr Gewissen zu regen. Sie erkennt, daß sie niemals etwas für wahr halten kann, wogegen sich ihre Vernunft zur Wehr setzt, daß sie nichts hinzunehmen vermag, was vor einer Überprüfung ihres Verstandes nicht standhält, daß nicht der Glaube selig macht, sondern der Zweifel. In diesem Augenblick setzt der Prozeß ihrer Emanzipation vom traditionellen Frauenbild ein. Nicht die Auflehnung gegen die erwartete Vernunftehe mit dem Vetter war in ihrem Fall die erste emanzipatorische Entscheidung. Jene Ablehnung glich eher der Reaktion eines verwöhnten, trotzköpfigen Kindes, das ein unerwünschtes und überflüssiges Spielzeug zurückweist. Ihr Schuldgefühl nach ihrem Übertritt zum Christentum macht deutlich, daß sie psychisch nicht mehr in der Lage ist, die Religion des Geliebten kritiklos zu ihrer eigenen zu machen. Ihre Selbstachtung zwingt sie dazu, ihrem Verlobten die qualvolle Wahrheit zu enthüllen. »Ich glaube nicht, daß Christus der Sohn Gottes; daß er auferstanden ist, nachdem er gestorben«, schreibt sie ihm. »Ich glaube nicht, daß es seines Todes bedurfte, um uns Gottes Vergebung und Nachsicht zu erwerben. Die Dreieinigkeit, die er lehrte, ist mir ein ewig unverständlicher Gedanke, der keinen Boden in meiner Seele findet. Ich glaube nicht, daß es ein Wunder gibt, daß eines geschehen ... Ich kann nicht anders! Diese Überzeugung ist stärker als meine Liebe, als ich!« [69]

Mit einem solchen Bekenntnis befreit sich Jenny von der gängigen Vorstellung, daß jeder Frau der Geliebte »als gottgesandter Messias« erscheint und daß es ihre höchste Aufgabe ist, sich seine Ansichten zu eigen zu machen. Insofern ist die Krise, in die sie gerät, eine andere als die der bisher behandelten Frauengestalten. Es geht nicht mehr um die Antithetik von Pflicht und Neigung, von Konvenienzehe und Liebesanspruch, von entstehender und erlöschender Neigung wie beispielsweise in *Faustine,* sondern um ein erwachendes Ideologiebewußtsein. Jenny erkennt, daß ihre geistigen Wurzeln im Rationalismus der Aufklärung liegen und daß ihr der Irrationalismus des Christentums immer etwas Fremdes bleiben wird. Während sie zu Beginn ihrer Neigung Reinhard »mehr als die Wahrheit liebte« und ihre »Überzeugung zwingen wollte« sich ihrer »Liebe zu fügen« [70], gelangt sie nach schweren inneren Kämpfen zu der Erkenntnis, daß sie ihre rationalistische Grundhaltung niemals verleugnen kann, und daß ihre Überzeugung stärker ist als ihre Liebe.

Gerade durch diesen religiösen Skeptizismus erweist sich Jenny als eine exemplarische Vertreterin der jungdeutschen Tendenzen, denn die Auseinandersetzungen mit Glaubensfragen gehörten zu den Hauptanliegen des Jungen Deutschland. [71] Was Gutzkow mit seiner *Wally* intendierte, erfährt erst bei Lewald eine überzeugende Verwirklichung. So gesehen ist nicht Wally, sondern Jenny die eigentliche »Zweiflerin« und damit der Typus der jungdeutschen Frau. Während Gutzkows Protagonistin daran zerbricht, daß sie im Religiösen keinen Rettungsanker mehr zu finden vermag und die tiefe Überzeugung hegt, daß das Leben der Menschen ohne den Glauben unendlich elend ist, geht Jenny aus ihrer Glaubenskrise gewissermaßen als Siegerin hervor. Sie verliert zwar – ebenso wie Wally – ihren Jugendgeliebten, da dieser ihren religiösen Treubruch niemals verzeihen kann, vermag aber das Defizit an Glauben und Liebe durch ein reges Interesse an den kulturellen und politischen Fragen ihrer Zeit und durch ein starkes soziales Engagement auszugleichen. Dabei schließt sie sich immer stärker ihrem Bruder und dessen Gesinnungsgenossen an und versucht, an der Befreiung der Juden mitzuwirken.

Um Jennys Emanzipationsprozeß noch deutlicher zu machen, stellt ihr die Autorin in der Figur der Clara Horn eine Freundin zur Seite, die den traditionellen Entwicklungsweg der Frau durchläuft. Bis zu dem Zeitpunkt, wo sich Clara zu einer Vernunftsehe mit ihrem Vetter entschließt, war das Leben der beiden aufgeweckten Mädchen recht ähnlich verlaufen. Doch mit Jennys Entschluß, ihren Überzeugungen treu zu bleiben und mit Claras Bereitwilligkeit, eine Familie zu gründen und glücklich zu machen, trennen sich ihre Wege, denn Clara folgt ihrem Mann mit nach England. Als sie sich nach Jahren wiedertreffen, finden sie keine gemeinsame Verständigungsbasis mehr. Clara war in dem Zustand der Anpassung stehengeblieben, gegen den sich die Freundin bereits als Siebzehnjährige entschieden zur Wehr gesetzt hatte. »Sie interessierte« sich für die Außenwelt nur insoweit, »als sie ihren Mann berührte und mit seinen Wünschen und Ansichten zusammmenhing.« [72] Jennys geistiger Horizont dagegen hatte sich erheblich geweitet. Sie nahm lebhaften Anteil »an den Erscheinungen der Außenwelt«, an der jungdeutschen Literatur sowie den neuen politischen Tendenzen und »interessierte sich« in erster Linie für »alles Große und Wichtige«. [73] Clara sah »auf dieses Treiben Jennys ... mit schmerzlichem Lächeln hin. Sie glaubte, in sich die Erfahrung gemacht zu haben, daß bei Frauen die lebhafte Teilnahme an den Erscheinungen der Außenwelt ein Zeichen innern Unbehagens sei, ein Surrogat, mit dem sie sich für ein Glück entschädigen, das ihnen nicht geworden. Jenny hingegen erschien Claras Wesen als eine Resignation, die sie bewunderte, ohne zu glauben, daß sie selbst imstande wäre, Glück oder Zufriedenheit darin zu finden«. [74]

Die Autorin exemplifiziert an den unterschiedlichen Lebenshaltungen der beiden Frauen gewissermaßen eine Dialektik des Glücks. Sie verzichtet auf die relativ simple Antithetik der ersten Mühlbach-Romane, in denen eine durch die Konvenienzehe geknickte Frauenseele einer durch Neigungsehe beglückten gegenübersteht. Es geht ihr tatsächlich um zweierlei Glück. Jenny steht – durchaus im Hegelschen Sinn – in einem antithetischen Verhältnis zu der wunschlosen, aber beschränkten Zufriedenheit, wie sie Clara als Gattin und Mutter erlebt. Hohes Reflexionsvermögen und starkes intellektuelles Engagement versagen ihr das statische Glück eines solchen Idylls. Doch das bedeutet keineswegs, daß sie ihrerseits glücklos ist. Clara hat Unrecht, wenn sie Jennys Leben »als Surrogat« für ein nicht erfülltes Familienglück versteht. Die Freundin entbehrt zwar der gesicherten Zufriedenheit im kleinen Kreis von Ehemann und Kind, aber durchaus nicht der Freundschaft und Liebe. Nur äußern sich diese eben nicht mehr in der üblichen weiblichen Anpassung an das als ›stärker‹ bezeichnete Geschlecht, das heißt nicht in der stereotypen Metapher von Eiche und Efeu. In Graf Walter besitzt Jenny einen ebenbürtigen und gleichgesinnten Freund, dem der weibliche Anpassungsdrang in höchstem Maße zuwider ist. »Sie glauben nicht«, gesteht er Jenny bereits zu Anfang ihrer Bekanntschaft, »wie müde ich dieser ewigen Eichen bin, an die sich zärtlich Efeu schmiegt, der Ulmen, an denen die Rebe sich vertrauend emporrankt ... das Gleichnis ist falsch.« [75]

Nicht die manngeschützte Zweisamkeit bestimmt daher den Charakter ihrer Freundschaft, sondern die Gemeinsamkeit zweier gleich stark ausgeprägter Individuen. Lewald läßt keinen Zweifel daran, daß sie Jennys Lebensverständnis als das fortschrittlichere und dem modernen Menschen einzig angemessene versteht. Claras Zufriedenheit ist eskapistische Zufriedenheit, bedeutet Glück um den Preis der Beschränkung und gelingt nur bei Ausschaltung der eigenen intellektuellen Ansprüche und dem Verzicht auf Individualität. Daß Walter durch seine Verbindung mit einer Jüdin im Duell getötet wird und Jenny an den Standesdünkeln ihrer Zeit zugrunde geht, spricht nicht gegen die Richtigkeit ihres Glücksanspruchs, sondern gegen eine Gesellschaft, die sich mit atavistischer Hartnäckigkeit noch immer an die Glücksvorstellungen des Mittelalters klammert. Und so schließt der Roman, trotz »des herzzerreißenden Endes« der Protagonisten, mit der emphatischen Hoffnung auf eine vorurteilslosere Zukunft. »Wir leben«, verkündet Eduard »mit der Begeisterung eines Sehers, um eine Zeit zu erblicken, in der keine solche Opfer auf dem Altare der Vorurteile bluten! Wir *wollen* leben, um eine freie Zukunft, um die Emanzipation unseres Volkes zu sehen!« [76]

Lewalds dritter Roman, *Eine Lebensfrage,* den sie als vierunddreißigjährige Frau in Berlin schrieb, bringt in zweierlei Hinsicht etwas Neues. Thematisch ist er nicht mehr durch ihr eigenes Schicksal angeregt, sondern durch einen Artikel aus den *Halleschen Jahrbüchern.* »Ich hatte dort«, berichtet sie in ihrer *Lebensgeschichte,* »in einem Artikel über das in Preußen beabsichtigte Ehescheidungsgesetz den Ausspruch gefunden ›Es giebt Fälle, in welchen die Trennung einer Ehe eine hohe sittliche That sein kann!‹ – Diese Ansicht hatte mich, weil sie mir zur Zeit als ich den Ausspruch las, noch befremdlich gewesen war, vielfach beschäftigt, und ich hatte mir, ohne den Gedanken an eine bestimmte Composition, Fälle auszumalen versucht, in welchen er zutreffend sein konnte.« [77] Lewald versteht dieses neue Werk als eine Weiterentwicklung der in *Clementine* geäußerten Ideen über die Unauflöslichkeit der Ehe. »In dem Roman ›Clementine‹«, schreibt sie rückblickend, »hatte ich darzuthun versucht, daß eine auf gegenseitige Achtung begründete Ehe, selbst dem Wiedererwachen einer frühern und berechtigten Liebe nicht geopfert werden dürfte. Jetzt wünschte ich es in dem Roman ›Eine Lebensfrage‹ zu beweisen, daß die große Anzahl von Ehen, welche ohne innere Nothwendigkeit geschlossen werden, nur zu häufig den Keim zu einer unheilvollen Entwicklung in sich tragen, und wie das eheliche auf die bloße Gewohnheit und die kirchliche Erlaubniß begründete Zusammenleben von Mann und Weib eine Unsittlichkeit wird, wenn dieser Verbindung die Liebe abhanden gekommen ist.« [78]

Gleichzeitig bedeutet die *Lebensfrage* eine erneute Auseinandersetzng mit den *Wahlverwandtschaften* und eine endgültige Absage an das Ethos der Entsagung. Dabei ist es auffallend, daß sich auch die Hauptgestalten im gewissen Sinne als die Gegenspieler des Goetheschen Romans empfinden. So enthüllt zum Beispiel der in unglücklicher Ehe lebende Alfred von Reichenbach der Jugendgeliebten Therese unumwunden seinen Widerwillen gegen jeden Verzichtsheroismus in der Liebe:

> Glauben Sie, daß es eine wahre Liebe gibt, die nicht nach gänzlicher Vereinigung strebt? Ich halte das für ihr Kennzeichen. Schelten Sie mich engherzig, eigensüchtig – ich muß es ertragen. Ich hasse alle Entsagungstheorien. Ich will besitzen, was ich liebe, es soll mein sein und müßte ich es der Welt abtrotzen. Ja! ich hasse sie tief, all die blasse verzichtende Entsagung, denn wir sind sicher zum Glück, nicht zum Entbehren auf der Welt. [79]

In einem solchen Bekenntnis spiegelt sich die ganze materialistische Lebensauffassung der progressiven Flügel der nachgoethischen Generation wider. Alfred will sich nicht mehr damit begnügen, auf die liebende Vereinigung im Jenseits zu warten, auf die Belohnung im Himmel zu spekulieren und die reine Idee über den realen Besitz zu stellen. Er haßt solche transzendenten Sublimierungstheorien und hält sich für berechtigt, schon »hier auf Erden« seine Geliebte zu besitzen. Aus diesem Grunde beschließt er, sich von seiner ihm fremd gewordenen Ehefrau zu trennen, um seine Jugendvertraute heiraten zu können. Er will nicht »selig«, sondern glücklich werden und distanziert sich bewußt von der Ansicht, »daß das einzelne eheliche Unglück« nicht zählt vor dem allgemeinen Glück, das die Ehe für die Kultur der Menschen bedeutet. »Denkst Du des Tages«, erinnert er seine Geliebte, »an dem wir über die Wahlverwandtschaften sprachen? Des Tadels, den ich auf Charlotte warf, weil sie nicht den Muth gehabt hatte, Bande zu lösen, die zu schmachvollen Fesseln geworden waren? In solchen Banden lagen wir, und auch wir konnten zögern, uns würdig zu befreien, auch wir standen am Rande des Verderbens.« [80]

Doch das entscheidend Neue drückt sich darin aus, daß in diesem Roman zum ersten Mal der Leidende der Mann ist. Während in den bisher behandelten Werken fast ausschließlich die Frauen als die in der Konvenienzehe Benachteiligten gezeigt wurden, oder in ihrem Emanzipierungswillen Gescheiterten waren, verhält es sich in der *Lebensfrage* gerade umgekehrt. Im Mittelpunkt steht nicht mehr die Frau, die an der ›Ackerbauernatur‹ ihres Ehemannes zerbricht, sondern der Mann, der an Hausbackenheit und Unemanzipiertheit seiner Ehefrau verzweifelt. Ähnlich wie Jenny in bezug auf Reinhard, erkennt auch Alfred schon während seiner Verlobungszeit, daß er und seine Braut nicht zusammenpassen. Doch trotz dieser Einsicht fühlt er sich dazu verpflichtet, sein Eheversprechen zu halten, da andernfalls seine mittellose Braut zu ›ewigem Warten‹ verurteilt wäre und er einem zur Berufslosigkeit erzogenem Bürgermädchen in ganz anderer Weise schaden würde, als Jenny das je Reinhard gegenüber getan hätte. Der Zwang zur Konvenienzehe wirkt sich also in diesem Fall ebenso auf den Mann aus. Eine solche Problemverschiebung ist mehr als eine bloße Umkehrung der Thematik. An ihr läßt sich die ganze Spannweite abmessen, die der Emanzipationsgedanke inzwischen durchgemacht hat. In diesem Roman demonstriert Lewald, daß die Befreiung der Frau nicht bloß ein feministisches Problem ist. In der Figur des Alfred von Reichenbach gestaltet sie die Leiden des sensiblen Mannes, der an der prosaischen Hausfrauenmentalität einer zur Ehe abgerichteten Bürgertochter beinahe zugrunde geht. Die Autorin macht deutlich, daß es bei der herrschenden Mädchenerziehung für den Mann fast unmöglich ist, eine gleichgesinnte, ebenbürtige Partnerin zu finden. Sie zeigt, daß nicht nur die Frau das Opfer dieser bürgerlichen Bildungsideologie ist, sondern indirekt ebenso der Mann. Damit versteht sie das Emanzipationsproblem nicht mehr wie Mühlbach und Hahn-Hahn als eine Angelegenheit für Frauen, sondern als eine Frage der Menschlichkeit. Humanes Zusammenleben zwischen Mann und Frau läßt sich nach ihrer Ansicht nicht durch die Antithetik von Befehlen und Gehorchen, von Bestimmen und Nachgeben oder Führen und Folgen erreichen, sondern einzig auf der Basis der Gleichheit.

Nach dieser Entwicklung der Autorin nimmt es nicht wunder, wenn in den folgenden Werken wie *Der dritte Stand* [81], *Auf rother Erde* und *Erinnerungen aus dem Jahre 1848* das rein feministische Anliegen vor der Frage einer allgemeinen sozialen und politischen Gleichheit immer mehr an Bedeutung verliert. In den genannten Werken geht Lewald weit über den Liberalismus der Jungdeutschen hinaus. Hier entpuppt sie sich als Autorin des Vormärz. Anläßlich der Pariser Achtundvierziger-Revolution bejaht sie sogar die Anwendung von Gewalt und meint, daß das »sehr unangenehme Todtgeschlagenwerden im Hinblick auf das Ganze durchaus gleichgültig wäre«. [82] Damit gerät sie bereits in auffallende Nähe zu den beiden radikalsten Frauengestalten dieser Ära, nämlich zu der Begründerin des *Allgemeinen deutschen Frauenvereins* Louise Otto-Peters und der heute fast vergessenen Barrikadenkämpferin Louise Aston, von der im folgenden Kapitel die Rede sein soll.

## V. Groteskes Finale

### *Louise Astons Ausweisung*

Zwei Gedichtbände (*Wilde Rosen,* 1846; *Freischärler-Reminiscenzen,* 1849), drei Romane (*Aus dem Leben einer Frau,* 1847; *Lydia,* 1848; *Revolution und Contrerevolution,* 1849) und eine Emanzipationsschrift (*Meine Emancipation, Verweisung und Rechtfertigung,* 1846) bilden das schmale Werk der Tendenzschriftstellerin Louise Aston (1814–1871), die in dem Ruf stand, »den Höhepunkt des damaligen feministischen Radikalismus« zu verkörpern. [1] Die Literarhistoriker wissen wenig über sie zu sagen, obgleich ihre Emanzipationsschrift zu den aufschlußreichsten Dokumenten der Vormärz-Ära zählen dürfte. Wenn Aston überhaupt in der Literaturgeschichtsschreibung Erwähnung findet, dann meist als »ungescheute Predigerin der freien Liebe«, als »cigarren-rauchende« Exzentrikerin oder überspannte Barrikadenkämpferin. Man hat sich nicht einmal die Mühe gemacht, ihr eine faktisch ›richtige‹ Vita zu erstellen. So führt zum Beispiel Heinrich Kurz in seiner *Geschichte der deutschen Literatur* die bei Halberstadt als Tochter des Consistorialrats Hoche geborene Schriftstellerin als »sächsische Dichterin« [2] an und nennt als ihr Geburtsdatum fälschlich das Jahr 1820 [3]. In Adolf Bartels *Handbuch zur Geschichte der neueren deutschen Litteratur* wird sie als eine geborene »Meier« geführt. [4] Gottschall, Prutz, Schmidt, Meyer oder Spiero haben ihr in ihren Literaturgeschichten nicht eine einzige Zeile gewidmet. Und doch war sie eine der interessantesten, aktivsten und meist diskutierten Frauen der Vierziger-Jahre, eine, die ihre emanzipatorischen Feder-Bekenntnisse in die Praxis umsetzte und während der Revolution selbst auf die Barrikaden stieg, um für die erhoffte Freiheit mitzustreiten. In dieser Hinsicht erlag sie der gleichen Vergessenheit, zu der auch die Geschichtsschreibung so häufig solche hochwirksamen Frauengestalten wie Olympe de Gouge, Madame Roland, Mary Wollstonecraft, Franziska Mathilde Anneke oder Emmeline Pankhurst verdammte –, was aus einer der jüngsten historischen Analysen von Bodo von Borries [5] über die männliche Standortgebundenheit der Geschichtsschreibung hervorgeht. Daß wir heute überhaupt noch Material über Louise Astons Wirkungsfeld besitzen, verdanken wir in erster Linie den beiden Frauenrechtlerinnen Franziska Mathilde Anneke (selbst eine berühmte Achtundvierzigerin, die 1850 mit ihrem Ehemann vor Zuchthaus und Tod nach Amerika floh) und Anna Blos (Verfasserin der Schrift *Frauen der deutschen Revolution 1848*).

Wer war nun diese berühmt-berüchtigte Aston? Zunächst einmal eine Pfarrers- und Gräfinnentochter, die das Pech hatte, Eltern zu besitzen, die selber die herrschenden Konvenienzehen mißachtet und gegen den Willen ihrer Kasten, ohne jede ökonomische Basis, ihr ›ungleiches‹ Bündnis geschlossen hatten. Doch die permanente finanzielle Unsicherheit unterminierte die für unzerstörbar gehaltene emotionale Sicherheit. Das Hochesche Eheglück verflüchtigte sich in Anbetracht der beständigen Geldsorgen. Als verbindendes Grunderlebnis blieb der Wille, die Tochter vor einem ähnlichen Schicksal zu bewahren. Louise sollte eine gute Partie machen. Eine solche bot sich, als der in Magdeburg lebende englische Industrielle Aston der kaum Siebzehnjährigen seine Hand anbot. Doch das vorsorgende Elternpaar hatte seine Rechnung ohne das eigene Erbgut gemacht, denn Louise revoltierte. In diesem Augenblick fiel quasi der erste Schicksalsschlag auf das Leben des jungen Mädchens, der sich wie der Auftakt zu einer larmoyanten Trivialtragödie ausnahm. Der Vater geriet durch ihre Weigerung dermaßen in Zorn, daß er – wie auf Befehl eines Theaterdirektors – einen sofortigen Schlaganfall erlitt. Als er, gelähmt und nicht mehr fähig zu sprechen, wieder zu Bewußtsein kam, fühlte sich die Tochter moralisch verpflichtet, Lady Aston zu werden. [6] Damit war der erste Teil ihres Lebens, ›die Pfarrhausidylle‹ zu Halberstadt, beendet. Die Jungmädchenträume wurden begraben, und Pracht und Wohlleben nahmen ihren Anfang. Doch das von den Eltern erhoffte Glück stellte sich nicht ein. Die Gesinnungen und Temperamente der Eheleute waren zu unterschiedlich, um harmonieren zu können. Wie sehr Louise Aston diese Ehe als »Schmach«, als »Seelenhandel« und »Meineid« empfand, spricht deutlich aus ihrer ersten Gedichtsammlung, den *Wilden Rosen.*

> Nicht ahnt's, der Kranz in meinen Locken,
> Daß ich dem Tode angetraut;
> Nicht ahnen es die Kirchenglocken,
> Zu läuten einer Grabesbraut! –
> [...]
> Verkauft ein ganzes reiches Leben,
> Das seines Werths sich kaum bewußt,
> [...]
> Die sich nach ew'gen Himmeln sehnen,
> Die kühn sich unvergänglich wähnen,
> Verkaufen dir ein ew'ges Sein.
> Der Priester segnet Schmerz und Thränen,
> Er segnet selbst den Meineid ein!
> [...]
> Es tritt auf allen meinen Wegen
> Verzweiflung spottend mir entgegen,
> Mit irrem Blick, mit wildem Haar;
> Verzweiflung sprach den Hochzeitsegen,
> Sprach ihren Fluch am Traualtar! [7]

Bis dahin verlief Astons Schicksal – wenn auch in dramatischer Ballung – nach dem typischen Muster der konventionellen bürgerlichen Eheglücksvorstellungen, die zu beseitigen das erste emanzipatorische Anliegen der jungdeutschen Schriftstellerinnen ausgemacht hatte. Auch ihr endgültiger Bruch mit diesen Normen, die Flucht aus dem »Ehekerker«, die Scheidung und der Beginn einer literarischen Tätigkeit in Berlin waren von anderen – wie beispielsweise Henriette Paalzow, Ida Hahn-Hahn oder Therese von Bacheracht – bereits vollzogen und vorgelebt worden. All dies ließe sich als »Emanzipation des Herzens« bezeichnen. Doch Aston hatte ihre Ehejahre nicht nur in der Kontemplation ihrer eigenen »geknechteten« Seele verbracht. Als Fabrikantengattin bot sich ihr die Möglichkeit, persönlich Einblick zu nehmen in das Leben des vierten Standes. Daß sie diese Möglichkeit nicht nur in der üblichen Form von sonn- und festtäglichen Stippvisiten nutzte, sondern als ernsthafte Auseinandersetzung mit der Lage des lohnarbeitenden Volkes, verdeutlicht bereits ihr erster, stark autobiographisch gefärbter Roman *Aus dem Leben einer Frau*. Schon im Vorwort bekennt sie sich offen zum Fragmentarismus der neuen Tendenzpoesie, dessen Vertreterin es nicht mehr darum ging, »nach Maß und Regeln der Schönheit, auch dies zersplitterte, moderne Leben zu einem harmonischen Kunstwerk zusammenzufassen, ihm dauernde Bedeutung zu geben und sich selbst mit ihm unsterblich zu machen« [8], nicht um »Ewigkeitsdichtung« also, sondern um die »Forderung des Tages«, die »Charakteristik des Lebens«, kurz um wirksame Publizistik.

Die dringendste Forderung des Tages bedeutete für Aston die Emanzipation im weitesten Sinne, nämlich die Befreiung des Menschen aus dem Zustand jedweder oktroyierten Abhängigkeit. Johanna Oburn, die Protagonistin ihres ersten Romans – wie die Verfasserin in einer auferzwungenen Ehe an einen englischen Industriellen gebunden –, empfindet sich als verkaufte Ware, als Opfer des gängigen ›Kuhhandels‹ von Jugend kontra Reichtum, und entwickelt in diesem Zustand der Schmach eine seismographische Sensibilität für die Erniedrigung anderer.

Und so stellt der Roman nicht nur die entwürdigende Situation der Frau an den Pranger, sondern gleichfalls die Misere des vierten Standes. Darin liegt das Neue dieses Werkes. Zwar kennen wir die Schilderung von lohnarbeitenden Schichten schon aus Fanny Lewalds novellistischem Zeitbild *Der dritte Stand* (1845), doch wird bei ihr das Verhältnis von Fabrikherrn und Arbeitern nirgendwo in seiner antagonistischen Interessenstruktur begriffen. Die Konflikte spielen sich hier vorwiegend zwischen privilegierten, nichtstuerischen Adeligen und durch Arbeit zu Besitz gekommenen Bürgerlichen ab, die um ihre gesellschaftliche Anerkennung kämpfen. Die Beziehungen zwischen Arbeitgeber und Arbeitnehmern hingegen werden auf Grund einer patriarchalischen Gesellschaftskonzeption, die auf der Stufenpyramide von »Gottvater-Landesvater-Familienvater« basiert, weitgehend verharmlost. Der Fabrikherr agiert in der Funktion des Pater familias, und die Arbeiter lassen es sich angelegen sein, ihren »Schirmherrn« in allen Bereichen zufriedenzustellen. Divergierende Klasseninteressen werden bei Lewald noch nicht thematisiert. »Wir thun, was wir können«, läßt sich Fabrikbesitzer Wallbach vernehmen, »um ihr [der Arbeiter] Loos zu erleichtern und das Wohlbefinden, das wir ihnen aus billiger Rücksicht bereiten, vergilt sich reichlich, indem es sie zu bessern Arbeitern macht. Menschlichkeit und Eigennutz können hier Hand in Hand gehen, und mancher Egoist würde barmherzig werden, wenn er begriffe, welchen Vortheil er davon hätte.« [9] Aston dagegen hat schärfer beobachtet. Sie erkennt, daß die beginnende Klassenkampfsituation nicht mehr mit patriarchalisch returnistischen Humanitätskonzepten zu bewältigen ist.

Oburns Arbeiter, »sichtbar abgemagert, mit eingefallenen, hohlen Augen, den Rücken krumm gezogen durch übermäßiges Arbeiten, die Hände voller Schwielen« [10], mißtrauen der Sinnfälligkeit der bestehenden Besitzverhältnisse und fangen an aufzubegehren. »Mit uns ist's ... von Jahr zu Jahr schlechter geworden«, kündigen sie ihre Streikabsicht an. »Unser Herr ward inzwischen ein reicher Mann. Unser saurer Schweiß hat die Fabriken gehoben, und das Gold in seiner Kasse gehäuft. [...] Uns hat man nach und nach immer mehr Abzüge gemacht, so daß jetzt unser ganzer wöchentlicher Verdienst sich auf anderthalb Thaler beläuft. Davon können wir mit unseren Familien nicht leben ... woher soll uns die Kraft kommen, Tag für Tag sechzehn Stunden zu arbeiten?« [11] Doch der Fabrikherr zeigt hier keine patriarchalischen Anwandlungen mehr. »›Was‹, schrie Oburn wüthend, ›das Volk will nicht mehr arbeiten? Ist für solche Kreaturen nicht 1 Rthlr. 15 Sgr. wöchentlich ein reiches Einkommen? Was brauchen sie denn mehr zum Leben? [...] Gerade ihre Armuth fesselt sie an mich! Ich kann ihnen noch weit größere Abzüge machen – sie müssen *doch* bleiben und nach meiner Pfeife tanzen!‹« [12] Aston legt offen dar, daß die Kluft zwischen Besitzlosen und Besitzenden unüberbrückbar geworden ist und die Klassenkampfsituation begonnen hat. »Die kleinen Geldtyrannen«, liest man an anderer Stelle, »welche auf ihr Erbe so stolz sind, wie die Herren von Gottes Gnaden auf das ihre, und einen Despotismus en miniature ausüben, werden, wenn sie nicht freiwillig abstehen von so quälendem régime, eine Revolution hervorrufen, welche den ganzen Bau der Gesellschaft zusammenschüttelt.« [13] Aston war die erste Schriftstellerin jener Ära, die klar erkannte, »daß auch die ausgedehnteste Wohltätigkeit die Härten der sozialen Gegensätze nicht mildern könnte, sondern daß eine freie und gerechte Weltordnung erkämpft werden müßte«. [14] Schon in ihrem ersten Roman beschäftigt sie sich mit den sozialen Ideen eines Pierre Proudhon und Louis Blanc, »dem phantastisch organisirten Communismus eines Cabet und Weitling« [15] und nannte das Rousseausche *Zurück zur Natur* »den Gedanken der kolossalsten Reaktion, den je ein Menschengeist gedacht«! [16]

Insofern beinhaltet dieser Roman einmal den Befreiungsprozeß einer Frau – Johanna Oburn findet am Ende die Kraft, das sie diskriminierende Eheverhältnis zu lösen – und zum anderen die Entwicklung eines sozialen Gewissens und politischen Bewußtseins. Das muß besonders hervorgehoben werden, denn allzuoft hat man das persönliche Engagement der Autorin, ihren Einsatz für Frauen und Arbeiter sowie ihre Beteiligung an den 48er Barrikadenkämpfen als bloße Sensationslust oder überspannte Renommiersucht mißdeutet. Daß sich diese vorrevolutionäre Parteilichkeit schon in ihren ersten schriftstellerischen Arbeiten erkennen läßt – auch solche Gedichte wie »Lied einer schlesischen Weberin« (1847) zeugen davon [17] – und es sich hier um die so seltene Übereinstimmung von Theorie und Praxis handelt, scheinen die Literarhistoriker beflissentlich übersehen zu haben. Dabei soll keineswegs verschwiegen werden, daß der Roman *Aus dem Leben einer Frau* gleichzeitig eine Fülle von Übertreibungen, Verzerrungen, Vereinfachungen und Widersprüchen enthält. Doch wie Friedrich Sengle nachgewiesen hat, gehören solche »Verwilderungserscheinungen«, von denen »nicht einmal die Meisterwerke« freigeblieben waren, durchaus zur literarischen Landschaft der Epoche. Sie beruhten auf der generellen »Narrenfreiheit, die der Prosa von der Restaurationsästhetik gewährt wurde« [18], und nicht – wie Julian Schmidt behauptet [19] – auf der geschlechtsspezifischen Unfähigkeit der Frau, Politisches objektiv abgerundet darstellen zu können.

Doch dem geringen Interesse der Literarhistoriker an Louise Aston stand schon frühzeitig die gesteigerte Aufmerksamkeit der Politiker gegenüber. Bevor sie auch nur eine Zeile veröffentlicht hatte, wurde sie bereits als »staatsgefährliche Person« aus Berlin gewiesen, weil sie »Ideen geäußert, und ins Leben rufen wolle, welche für die bürgerliche Ruhe und Ordnung gefährlich seien«. [20] Als couragierte Person war Aston nicht willens, eine solche Ausweisung widerspruchslos hinzunehmen. Sie fühlte sich wohl in »dem reichen geistigen Leben« der preußischen Hauptstadt und brauchte »zur Erfüllung« ihres »litterarischen Berufes« die intellektuelle Anregung, die ihr dort im Kreise liberaler Schriftsteller und Wissenschaftler zuteil wurde. Sie war daher bereit, um ihre Aufenthaltsgenehmigung zu kämpfen. Bei den Bemühungen, Genaueres über die angeblich von ihr ausgehende Gefährlichkeit zu erfahren, bekam sie auf dem Polizeipräsidium zu hören, daß man sie beschuldigte, »die frivolsten Herrengesellschaften zu besuchen, einen Klubb emancipirter Frauen gestiftet zu haben und außerdem nicht an Gott zu glauben«. [21] Zudem sprächen die beiden ihr von Gottschall gewidmeten Liebesdithyramben »Madonna« und »Magdalena« – in denen ähnlich ›antieheliche‹ Liebeskonzepte, wie Aston sie vorlebe, verherrlicht werden – auch noch gegen sie. Auf diesen mündlichen Bescheid hin wandte sich Aston, und zwar im Vollgefühl des ihr geschehenen Unrechts, schriftlich an das Polizeipräsidium, um den Vorwurf der Unsittlichkeit entschieden zurückzuweisen und zu betonen, daß sowohl ihr Glaube wie auch ihr Denken ihr persönliches Eigentum sei, das niemanden etwas angehe. [22]

Es ist in diesem Zusammenhang wichtig, etwas detaillierter auf Astons Ausweisungsprozeß einzugehen, weil darin in grotesker Übersteigerung noch einmal die prinzipielle Problematik der beginnenden Frauenemanzipation erkennbar wird. Die Vergehen, die man ihr zur Last legte – es sei nur kurz daran erinnert, daß sie zu dem Zeitpunkt ihrer Ausweisung (März 1846) weder publizistisch noch politisch in Erscheinung getreten war –, lagen sämtlich im Bereich des Persönlich-Intimen. Wie die Oberphilister der Nation herausgeschnüffelt hatten, lebte sie im Widerspruch zu den moralischen und religiösen Normsetzungen ihrer Zeit. Sie war geschieden und glaubte nicht an einen persönlichen Gott. Nun waren zwar Ausweisungen während der Vormärz-Ära durchaus keine Seltenheit. Robert Prutz wurde wegen Hintergehung der Zensurbehörde aus Weimar verwiesen. Arnold Ruge mußte seiner linksliberalen Gesinnung halber Halle verlassen. Franz von Dingelstedt wurde auf Grund einiger mißfällig aufgenommener Gedichte, nämlich der satirischen »Kasseler Bilder«, nach Fulda versetzt und Rudolf Gottschall wegen Teilnahme an einer verbotenen Studentenversammlung aus Breslau verwiesen, um nur einige Beispiele zu nennen. Insofern ließe sich gegen die Ausweisung einer Frau nichts Prinzipielles einwenden, sondern könnte sogar emanzipatorisch interpretiert werden, nämlich als politische Maßnahme, die nicht mehr zwischen Damen- und Herrendelikt unterscheidet (Man erinnert sich an den Mißmut Fanny Lewalds, als sie erfuhr, daß das ursprünglich zensierte Kapitel ihres Romans *Der dritte Stand* nur deshalb von der endgültigen Zensur verschont blieb, weil inzwischen bekannt geworden war, daß die Verfasserin ›bloß‹ eine Frau war.). [23] Nicht die Maßnahme als solche also soll an dieser Stelle kritisiert werden, sondern die Art und Weise, wie sie durchgeführt wurde, und die doppelte Moral, die dabei zum Vorschein kam. Denn es ist doch geradezu grotesk, daß der Verfasser der »Madonna« und »Magdalena«, der in glühenden Worten das Lied der freien Liebe sang und an das Recht der Sünde appellierte, mit seinen Versen keine Gefahr für die öffentliche Sittlichkeit bedeutete, wohl aber diejenige, der diese Verse gewidmet waren.

Doch zurück zu dem Skandal von Astons Ausweisung. Nach ihrer schriftlichen Stellungnahme wurde »die separierte Aston, geb. Hoche« auf das Polizeipräsidium beschieden. Da der mit ihrer Angelegenheit befaßte Regierungsrat v. Lüdemann einstweilen noch beschäftigt war, ersuchte sie der Deputierte Stahlschmidt, noch etwas mit ihm im Vorzimmer zu warten, wobei er das Gespräch »höchst freundlich und gemüthlich scherzend ... auf Relegion und Ehe« brachte. »Ich nahm *deßhalb* keinen Anstand mich frei zu äußern«, erläutert sie in ihrer Emanzipationsschrift, »weil ich nach der Art und Weise, wie diese Fragen gethan wurden, dies Gespräch für ein durchaus *privates* halten mußte. Nachdem unsre Conversation zu Ende war, führte mich Herr Stahlschmidt in das Zimmer des Regierungsrathes Lüdemann, und überreichte diesem zu meiner größten Überraschung ein Protokoll, mit den Worten ›Dies ist das Glaubensbekenntniß der Madame Aston!‹ ... Am 21sten März erhielt ich ... den Befehl ... Berlin binnen 8 Tage zu verlassen.« [24] Doch Aston gab nicht auf. Noch am selben Tag bat sie Minister von Bodelschwingh um eine Audienz, welche sie in ihrer Rechtfertigungsbroschüre »getreu dem Gedächtnisse« nachgezeichnet hat. [25]

> *Minister:* Sie haben sich so frivol und außergewöhnlich benommen, Madame *Aston,* daß ich mich wundern muß, wie Sie es wagen, gegen Ihre Verweisung zu protestiren.
> *Ich:* Ich weiß nicht, was Ew. Excellenz frivol nennen?
> *Minister:* Warum stellen Sie Ihrem Glaubensbekenntnisse voran, daß Sie nicht an Gott glauben? –
> *Ich:* Weil ich nicht *heuchle,* Excellenz!
> *Minister:* Man muß Sie an einen kleinern Ort verweisen, wo Sie der Verführung nicht so ausgesetzt sind, um wahrhaft für Ihr Seelenheil zu sorgen.
> *Ich:* Aber meiner schriftstellerischen Carriere wegen ist mir der Aufenthalt in *Berlin* wünschenswerth, wo ich stets neue geistige Anregung finde.
> *Minister:* In uns'rem Interesse ist es keineswegs, daß Sie Ihre künftigen Schriften, die gewiß so frei, wie Ihre Ansichten sind, hier verbreiten.
> *Ich:* Nun, Excellenz, wenn sich erst der preußische Staat vor einer Frau fürchtet, dann ist es weit genug mit ihm gekommen!
> *Minister:* Ich bin beschäftigt – (ab).

Die Ausweisung behielt ihre Gültigkeit. Auch ein Brief an den König blieb folgenlos. Im April mußte sie Berlin verlassen. Der preußische Staat hatte sich offenbar bemüßigt gefühlt, durch diese Verweisung die Astonsche Seele wieder auf die richtige Route zum Himmel zu bringen. Sarkastisch notierte die Autorin rückblikkend »Meine Angelegenheit schien aus dem Gebiete der Jurisprudenz auf das der Theologie hinübergespielt, ein Tausch der Fakultäten, bei dem meine Sache allerdings im Himmel gewann, auf Erden aber augenscheinlich verlor«. [26] Auch aus Hamburg, Leipzig und Breslau, wo sie Fuß zu fassen suchte, wurde sie als »staatsgefährlich« ausgewiesen. Was Männer von Spinoza bis Hegel, Schleiermacher und Strauß längst geäußert hatten, nämlich den Zweifel an einem persönlichen Gott und den Willen, schon »hier auf Erden glücklich zu sein«, das wurde bei einer Frau zum staatsgefährdenden Frevel. »Warum«, so fragt die wohl zuverlässigste Kronzeugin der Aston, die deutsch-amerikanische Frauenrechtlerin Anneke, »erscheinen die Ansichten, die den Männern seit Jahrhunderten bereits angehören durften, einem Staat gerade *bei den Frauen* so gefährlich? [...] Weil die Wahrheit uns befreit von dem trüglichen Wahne, daß wir dort oben belohnt werden für unser Lieben und Leiden, für unser Dulden und Dienen; weil sie uns zu der Erkenntnis bringt, daß wir gleich berechtigt sind zum Lebensgenusse wie unsere Unterdrücker, daß diese es nur waren, die die Gesetze machten und sie uns gaben, nicht zu unserm, nein zu ihrem Nutzen, zu ihrem Frommen.« [27] Damit brachte Anneke unmißverständlich zum Ausdruck, daß der kirchliche Dogmatismus der Garant war, um das männliche Machtmonopol zu eternisieren. Eine Frau, die dem himmlischen Herrn den Gehorsam aufkündigte und als ›undemütige Magd‹ die metaphysische Fußwäsche verweigerte, würde auch ihrem irdischen Herrn gegenüber wenig Gefügigkeit zeigen. Durch Astons Ungläubigkeit fühlte sich der Preußische Staat offensichtlich als Mann beleidigt. Denn wie Anneke berichtet, »gab es keinen, der im Augenblick ihrer Verbannung ... die Lanze für sie brach, keinen, der mit dem Feuer der Wahrheit und überzeugend das Wort der Verteidigung laut und vernehmlich für sie erhob« und mit »der Beredsamkeit unserer Tagsschriftsteller, in glaubwürdiger Weise Auskunft gegeben hätte auf unser Fragen: ›Was hat denn dieses Weib verbrochen?‹« [28]

Da sich alle preußischen Instanzen ihr verschlossen hatten, wandte sie sich, »von der äußersten Nothwendigkeit zu diesem Schritte gezwungen« [29], ... »in allerletzter Instanz an das *deutsche* Volk« [30], indem sie den Vorgang ihrer Ausweisung im Ausland veröffentlichte. Es erschien von ihr *Meine Emancipation, Verweisung und Rechtfertigung*, eine Schrift, »welche die schlagendsten Belege für die Unterdrückung des Weibes von Seiten jeglicher Gewalt aufwies« [31] und einen der bedeutendsten Beiträge zur Verteidigung der Frauenrechte leistete. »Wir Frauen«, heißt es dort apodiktisch, »wir verlangen jetzt von der neuen Zeit ein neues Recht; nach dem versunken *Glauben* des Mittelalters Antheil an der *Freiheit* dieses Jahrhunderts; nach der zerrissenen *Charte des Himmels* einen *Freiheitsbrief für die Erde!*« [32] Und weiter liest man: »Das Recht der freien Persönlichkeit ist in mir beleidigt; so stehe mir die einzige Schutzwehr der freien Rede zu. Meine Sache spricht für sich selbst, sie ist ihr eigner Advocat. Doch ist sie micht bloß *meine* Sache. Ihr Interesse ist ein allgemeines ... Darum übergebe ich diese Blätter dem Publikum, als einen Beitrag zur Charakteristik der neuesten preußischen Gewissensfreiheit, und zur Geschichte der Verweisungen.« [33]

Ich glaube allerdings nicht an die *Nothwendigkeit* und *Heiligkeit* der Ehe, weil ich weiß, daß ihr Glück *meistens* ein erlogenes und erheucheltes ist; daß sie in ihrem Schoße alle Verwerflichkeit und Entartung verbirgt. Ich kann ein Institut nicht billigen, das mit der Anmaßung auftritt, das freie Recht der Persönlichkeit zu *heiligen,* ihm eine unendliche *Weihe* zu ertheilen, während nirgends grade das Recht *mehr* mit Füßen getreten und im Innersten verletzt wird; – ein Institut das mit der höchsten Sittlichkeit prahlt, während es jeder Unsittlichkeit Thor und Thür öffnet; das einen *Seelenbund* sanktioniren will, während es meistens nur den *Seelenhandel* sanktionirt. [34]

Und bezüglich ihrer religiösen Einstellung gibt sie kund:

Mein Glaubensbekenntniß ist ferner in religiöser Beziehung abweichend von dem officiellen Glauben des Staates ... Ich habe zwar für meinen Glauben die Autorität keines Religionsstifters anzuführen, aber wohl die Autorität aller Philosophen von *Spinoza* bis *Hegel,* mit denen ich gern zusammen verdammt und selig werden will. Ich habe das ganze Bewußtsein der Gegenwart für mich, das mit größerer oder geringerer Klarheit über jenen Glauben hinausdrängt; und gewiß die Überzeugung vieler meiner Richter, welche die Religion nur zu Staatszwecken dressiren. Ich nehme das Recht in Anspruch, auf *»meine Façon«* selig zu werden, mich auf *meine* Art mit dem Weltall zu vermitteln; ein Recht, das den Frauen so gut zusteht wie den Männern. Eine Frau, die ihrer religiösen Privat-Überzeugung wegen, von den Behörden verdammt wird, hat das seltsamste Schicksal, das im neunzehnten Jahrhundert denkbar ist, ein tragikomisches Schicksal, das nur von einer humoristischen Laune, von einem ironischen Einfall des Weltgeistes herrühren kann [...] Ich richte meine Klage gegen den allgemeinen Geist der *Reaktion.* [35]

Nach diesen Erlebnissen stand es für Louise Aston endgültig fest, daß die herrschenden gesellschaftlichen Verhältnisse einer grundlegenden Veränderung bedurften und daß sie daran mitwirken wollte. Sie begann, publizistisch aktiv zu werden, veröffentlichte ihre erste Gedichtsammlung und gab das revolutionäre Journal *Der Freischärler* heraus. Nach ihrer Berliner Ausweisung ging sie zunächst nach Köpenick, 1847 in die Schweiz und 1848 wieder zurück nach Berlin, wo sie abermals ausgewiesen wurde [36] – diesmal allerdings auf Grund ihrer im *Freischärler* geäußerten politischen Überzeugungen. »Aber sie wollte der Sache des Volkes nicht nur mit der Feder und dem Wort dienen und schloß sich deshalb den Berliner Freiwilligen an, die den Schleswig-Holsteinern zu Hilfe zogen.« [37] Bei diesem Feldzug wurde sie selbst verletzt. Während der ihr darauf verordneten Ruhepause widmete sie sich wieder der Schriftstellerei. Es entstanden die Romane *Lydia* und *Revolution und Contrerevolution.* Während der erste ein mehr oder weniger verwässerter Aufguß von *Aus dem Leben einer Frau* darstellt, verdient der zweite Aufmerksamkeit. Schon die Wahl des Themas verrät politisches Engagement. In der Tat besitzen wir – soweit ich sehe – in diesem Werk den ersten und einzigen Achtundvierziger-Revolutionsroman, und zwar aus der Perspektive einer politisch aktiven Frau geschrieben. Darin unterscheidet sich Astons Arbeit von Fanny Lewalds Revolutionsnovelle *Auf rother Erde* (1850). Lewald steht zwar ebenso auf der Seite der Demokratie und vertritt als Autorin durchaus die Ideen des deutschen Vormärz, doch gehen in ihrer Erzählung die Impulse zur Verwirklichung dieser Ideen weiterhin von den Männern aus. Ihre Heldin Marie ist in erster Linie deshalb für den Sieg der Revolution, weil er die Standesbarrieren zerschlägt und damit ihrer Hoffnung Nahrung gibt, auch als Bauernmädchen ihren bürgerlichen Geliebten heiraten zu können. In *Revolution und Contrerevolution* hingegen tragen auch Frauen aus politischer Überzeugung zum Sturz des alten Regimes bei. So erweist sich Astons Protagonistin Alice als eine leidenschaftliche Verfechterin des revolutionären Gedankenguts, die das traditionell Weibliche total abgestreift hat. Sie organisiert Versammlungen, berät Arbeiter im sogenannten Voigtland-Viertel, deckt eigenhändig Verräterei auf und nimmt persönlich an den Barrikadenkämpfen teil. In diesem Roman ist sie es, die Frau, die den im Minnegarten herumtaumelnden Prinzen energisch an die revolutionäre Arbeit ruft. »Sie konnte es nicht begreifen«, heißt es von Alice, wie man »in diesem Augenblick, wo draußen die Frage des Jahrhunderts gelöst wurde, es hatte über sich gewinnen können, aus jedem Zusammenhange mit der blutenden und freiheitschwärmenden Welt da draußen so völlig herauszutreten. [...] Sie sind glücklich, mein Prinz – sagte ... Alice. – Sie wissen, wie sehr ich es Ihnen gönne. Aber erlauben Sie mir, Sie daran zu mahnen, daß der heutige Tag ein Tag des Handelns und des Ernstes, nicht des Liebens und des Scherzes ist... eilen Sie, ehe es zu spät ist.« [38]

Mit der Figur der Alice schuf Aston einen ganz neuen Frauentyp in der Literatur, nämlich die aktive Vormärzlerin. Es war das Verdienst von Ida Hahn-Hahn und Fanny Lewald gewesen, die jungdeutsche Frau auf die literarische Bühne gebracht zu haben. Die progressive Achtundvierzigerin fand erst – abgesehen von einigen Ansätzen bei der Mühlbachschen *Aphra Behn* – in Astons Revolutionsroman Gestalt. Dabei ist es interessant zu beobachten, daß – in Analogie zur Jungdeutschland-Literatur – auch die Frau des Vormärz nicht von männlicher, sondern von weiblicher Feder kreiert wurde. Offensichtlich stand bei den Schriftstellern der Avantgardismus in Sachen Frauenemanzipation auf noch recht wakkeligen Beinen. Doch wie schwierig es war, der traditionellen Vorstellung vom Weiblichen auf fiktiver Ebene eine überzeugende, zeitgemäße Alternative gegenüberzustellen, läßt sich an Astons eigener Romanproduktion erkennen. So findet sich zwar in *Aus dem Leben einer Frau* eine definitive Absage an das konventionelle Anpassungs- und Entsagungsethos, doch erweist sich das Neue zunächst einmal als bloße Negation des Alten. Der Roman endet damit, daß sich Johanna Oburn aus den standardisierten Moralgesetzen befreit und ihre ohne Überzeugung geschlossene Ehe löst. Wie sie nun weiterhin als befreite ›andere Frau‹ ihr Leben bemeistert, erfährt der Leser nicht mehr. Dies geschieht erst in Astons Vormärz-Roman. Insofern bedeutet dieses Werk in bezug auf seinen Emanzipationsgehalt – und um den geht es hier schließlich – den vorangegangenen Romanen gegenüber einen deutlichen Fortschritt: Das weibliche Selbstbewußtsein braucht hier nicht mehr diskursiv entwickelt zu werden, sondern wird als fait accompli betrachtet.

In einer Zeit, wo die gänzliche Umwandlung des politischen und gesellschaftlichen Lebens in Aussicht stand, wo die Bürger anfingen, sich ihrer eigentlichen Rechte bewußt zu werden und die alten Ketten der Untertänigkeit abwerfen wollten, drängte es Alice, aus dem ideologischen Niemandsland der Biedermeierhäuslichkeit hinauszutreten und öffentlich an der Niederreißung eines verknöcherten monarchistischen Staatssystems mitzuwirken. Wer Astons Roman als Plädoyer für die weibliche Barrikadentätigkeit ansieht, mißversteht die Intention der Autorin. Worauf es ihr ankommt, ist zu zeigen, daß »in einem Augenblick, wo das ganze deutsche Volk erwachte« [39] und es um eine Neuordnung der Gesellschaft ging, auch das ›andere Geschlecht‹ nicht länger in seinem unpolitischen Dornröschenschlaf verharren durfte. Wie wichtig ein solcher Appell ist, verdeutlichen die Ausführungen ihres Kollegen Scherr über die gleichen politischen Ereignisse, in denen er die »in die Öffentlichkeit drängenden Weiber« als »moralisch ungewaschene ... saloppe Hausfrauen und pflichtvergessene Mütter« [40] beschimpft. Vor einem solchen ideologischen Hintergrund gewinnt Astons *Revolution und Contrerevolution* – trotz aller poetologischen Schwächen – ihre Bedeutung für den Emanzipationsprozeß der deutschen Frau.

## *Zurück zur Reaktion*

Das Fanal der Empörung war ausgebrochen. Das Volk hatte seinen Unterdrükkern den Fehdehandschuh ins Gesicht geworfen. Für einen kurzen historischen Augenblick hatte in Deutschland das gesamte öffentliche Leben seine Gestalt verändert. »Für die Literatur lag darin«, schreibt Robert Prutz, »ein außerordentlicher Triumph. Nun hatte sich ja erfüllt, was sie so lange theils warnend, theils frohlockend voraus gesagt, nun war ja eingetroffen, wovon sie so lange gesprochen, bald offen, bald versteckt, ja was, in den mannigfachsten Modulationen, seit mehr als einem halben Menschenalter den eigentlichen Grundton der Literatur gebildet und wofür sie selbst so viel Angriffe und Verfolgungen, so viel Zurücksetzungen und Knechtungen erduldet hatte [...] der Glaube, den sie so stolz verkündet, hatte sie nicht getäuscht: die Freiheit, an der ihr Herz so hoffnungsvoll gehangen, war kein Phantom – da wandelte sie ja hin, leibhaftig vor allem Volk.« [41]

Doch – wie man weiß – folgte diesem poetischen Höhenflug nur allzu bald das bittere Erwachen. Die erträumte Freiheit war keine Wirklichkeit geworden. Die föderalistischen Sonderinteressen hatten den Wunsch nach nationaler Einheit zunichte gemacht. Eine demokratische Verfassung war nicht zustande gekommen, und die Gleichheit vor dem Gesetz blieb weiterhin Utopie. Zahlreiche Streiter für das bessere Morgen wandelten sich zu Hütern des Ewig-Gestrigen. »Das Volk verkroch sich in den Winkel des passiven Widerstands und ließ sich wieder in die alten Windeln wickeln.« [42] Der Nachmärz wirkte fast wie eine höhnische Zurücknahme des Vormärz. Doch »so viel Hoffnungen damals auch gescheitert und so viel Träume sich als nichtig erwiesen – gründlicher, als die Niederlage, welche die Hoffnungen der Literatur damals erlitten, dürfte doch kein zweiter von den zahlreichen Schiffbrüchen gewesen sein, welche die Jahre Acht- und Neunundvierzig bezeichnen«. [43] Schon von den damaligen Zeitgenossen wurde das Jahr 1848 als deutliche Zäsur und Tendenzwende empfunden. »Nie ist eine Zeit-Epoche schärfer abgegrenzt gewesen«, schreibt Luise Mühlbach, »als die Epoche vor 1848 von der nach 1848.« [44] Und in bezug auf die Literatur stellt sie fest: »Die socialen Romane, welche früher das Publikum so sehr beschäftigten und mit ihren Schilderungen der Mängel und Schäden der Gesellschaft so großes Interesse erregten, hatten ... sehr an ihrer Bedeutung verloren.« [45]

Bestätigungsliteratur anstatt Tendenzpoesie, Verinnerlichungsbemühungen anstatt Veränderungsbestrebungen, Comfort des Herzens anstelle intellektueller Mobilität, das waren die neuen Richtlinien nach der gescheiterten Revolution. »Das ästhetische Postulat des Verklärungsrealismus war ein nationaldidaktisches Programm.« [46] Im Rahmen dieses Programms muß auch die Weiterentwicklung der Schriftstellerinnen gesehen werden, wobei für sie noch erschwerend hinzukam, daß ein Zurück-zur-Reaktion ganz generell den Humus ihrer professionellen Tätigkeit zersetzte. Für die Frauen der Feder machte sich die neue Innerlichkeit in doppelter Weise geltend; für sie bedeutete ihr geographischer Fixpunkt nicht nur in abstracto die eigene Seele, sondern ganz in concreto das eigene Heim. Zurück zur Reaktion bedeutete für die Schriftstellerinnen daher gleichzeitig die Aufgabe des gerade erst so schwer erkämpften öffentlichen Wirkungsbereichs und die Rückkehr ins Heimelig-Heimige, ins eigentliche Biedermeier. »An Vereinen, welche bezwecken, politische Gegenstände in Versammlungen zu erörtern«, lautet der Paragraph des im Jahre 1850 herausgegebenen Vereins- und Versammlungsrechts, »dürfen keine *Frauenspersonen* teilnehmen.« [47] »Für Frauen war kein Platz im deutschen Vaterland« [48], kommentiert Minna Cauer lakonisch und weist nach, daß »die Frauen nicht aus sich selbst« in dieses politische Abseits gerieten, »sondern dazu gezwungen worden sind.« [49] Welche grotesken Konsequenzen eine solche ›Heimkehr‹ teilweise hatte, veranschaulichen auch die weiteren Lebensläufe der hier behandelten Autorinnen.

Luise Mühlbach, »die nackter als irgendeine andere ... die Wunden der Gesellschaft« aufgedeckt und »das Elend und die Schande, die so häufig unter dem stillen Schleier des Hauses verborgen liegen«, enthüllt hatte, die »in wildem Uebermuth jede Schranke«, vor welcher »das natürliche Weib das Auge erschrocken niederschlägt«, überstiegen hatte, erschien im Fahrwasser des Nachmärz als geradezu »spießbürgerlich«. [50] Deutlich trennten die Jahre Acht- und Neunundvierzig ihr Werk in zwei scharf voneinander abgesonderte Epochen. Mit dem im Revolutionsjahr geschriebenen Roman *Aphra Behn* endete ihre progressive Phase. Die Autorin, die bis dahin die Republik als das erstrebenswerteste Ziel einer Nation propagiert hatte, entpuppte sich in der Folgezeit als Hagiographin des Absolutismus. Im Mittelpunkt ihrer nach 1850 geschriebenen Romane stehen daher nicht mehr frauenemanzipatorische Fragen, sondern die Machenschaften des Hofes. Mühlbach wandte sich mit ganzer Feder dem Historienroman zu. »Seit sie es aufgegeben hat, die deutsche George Sand zu werden«, bemerkt Prutz ironisch, »hat sie ein Fabrikgeschäft historischer Romane etablirt, das sichern Buchhändlernachrichten zufolge sich eines großen Absatzes erfreut.« [51] Als »patriotische Rhapsodin« machte sie zunächst »Friedrich den Großen zum Helden eines bändereichen Epos« und »silhouettirte ... den großen König in allen möglichen Stellungen und Lagen«. [52] In kurzer Abfolge erschienen *Friedrich der Große und sein Hof* (3 Bde, 1853), *Berlin und Sanssouci* (4 Bde, 1854) und *Friedrich der Große und seine Geschwister* (3 Bde, 1854). Es folgten Verherrlichungen von Kaiser Joseph II (1855), Königin Hortense (1850), Kaiser Leopold (1860), Kaiserin Josephine (1861) und zahlreichen anderen gekrönten Häuptern. Von irgendwelchen demokratischen Idealen ist hier naturgemäß nicht mehr die Rede. Luise Mühlbach hat sich allen emanzipatorischen Gedankenguts entledigt und ist – wie die Mehrzahl der ehemaligen Tendenzschriftsteller – reumütig in die Arme der Reaktion zurückgekehrt. Sie schrieb nicht mehr – wie in ihrer progressiven Phase – um gesellschaftsverändernd zu wirken, sondern in erster Linie, um den Lesehunger eines Grisettenpublikums zu stillen und avanzierte zur Hauptlieferantin der Leihbibliotheken. Beifällig begrüßten die Hüter des literarischen Status quo die Mühlbachsche Wandlung, erkannten den »edleren Geist« ihrer historischen Romane und attestierten ihr – wie etwa Heinrich Kurz – »nicht mehr auf Kosten des Anstandes« zu schreiben. [53]

Die progressiveren Gemüter dagegen bespöttelten Mühlbachs Wende und kommentierten ihre literarische Anpassung mit männlicher Überheblichkeit. So liest man bei Prutz: »Auch sie [Mühlbach] hat sich gegen früher ebenfalls umgewandelt; sie ist zwar nicht katholisch geworden wie die Gräfin Hahn-Hahn, aber sie hat geheirathet und da haben sich die Emancipationsideen und der Weltschmerz denn nach und nach ebenfalls verloren.« [54] Was dabei besonders verärgert, ist nicht nur der doppelte Beurteilungsmaßstab, der hier wieder einmal zum Zuge kommt, sondern auch die literarhistorische Ungenauigkeit. Entgegen der Behauptung Prutz hat Mühlbach nicht zur Zeit ihrer Wandlung geheiratet, sondern zehn Jahre früher, nämlich 1839, was bedeutet, daß ihre Verehelichung »den Emancipationsideen« eher förderlich gewesen ist. Denn schließlich sollte der Literaturwissenschaftler Prutz, der in seiner *Literatur der Gegenwart* dieser Autorin ein eigenes Kapitel einräumt, wissen, daß ihr progressivster Roman, *Aphra Behn,* 1849 auf der Basis einer zehnjährigen Ehe erschienen ist. Aber so etwas paßte ganz offensichtlich nicht in sein Konezpt. Für ihn, der »die Literatur ... als ein Spiegelbild der gesellschaftlichen« und »politischen Zustände im Allgemeinen« ansah [55], wurden weibliche Wandlungen anscheinend außerhalb jedes konkreten sozialen Zusammenhangs vollzogen und lediglich durch den Mann motiviert. Doch darin ist Prutz keine Ausnahme. Nirgendwo in der Literaturgeschichtsschreibung werden die Wandlungen der jungdeutschen Autorinnen vor dem Hintergrund einer veränderten gesellschaftspolitischen Situation gesehen. Stets wird weiter gesondert nach dem Muster von ›blau‹ und ›rosa‹, das heißt nach literatursoziologischen Kriterien für den Mann und biologistischen für die Frau.

Auch für Ida Hahn-Hahn markierte das Revolutionsjahr den Wendepunkt in ihrem literarischen Schaffen. Mit dem zweibändigen Werk *Levin* (1848) endete ihre ›weltliche‹ Romanproduktion. Die Geschehnisse der Jahre Acht- und Neunundvierzig hatten sie auf doppelte Weise getroffen. Die radikalen Konzepte »der Revolutionsmänner« widersprachen ihren persönlichen Gleichheitsvorstellungen, die stark dem Subjektivismus des jungdeutschen Liberalismus verhaftet waren. Sie erschrak vor der Heilslehre »der Communisten«, die, ihrer Ansicht nach, lediglich »auf die Stallfütterung der Menschheit hinzielte« [56] und die geistigen Bedürfnisse unberücksichtigt ließ. Hinzu kam, daß sie zur gleichen Zeit ihren Lebensgefährten Baron Bystram verlor und sich plötzlich total vereinsamt fühlte.

In solcher Bedrängnis erschien ihr die katholische Religion als der letzte Rettungsanker. »Ende 1849 war ihr Entschluß gefaßt; am 1. Januar 1850 schrieb sie an den Fürstbischof von Breslau« und bat um die Aufnahme in die katholische Kirche. »Am 26.... März legte sie ihr Glaubensbekenntniß ab« [57] und »perhorrescirte ... ihr ganzes früheres Leben samt ihrer bisherigen Schriftstellerei.« [58] »Wie in einer unterirdischen Höle habe ich mein ganzes Leben bis vor wenig Monaten hingebracht«, schrieb sie in ihrem ›Beichtbuch‹ *Von Babylon nach Jerusalem.* »Ich errichtete Altäre in ihr auf und opferte meine Idolen: Liebe, Wahrheit, Ruhm [...] Da kam der Tag, der ihren Untergang sah [...] Der Ausgang meiner Höle war auf der Spitze eines Berges, und auf dunklen labyrinthischen Wegen gelangte ich dahin [...] Da sprach neben mir eine Stimme: ›Dies ist die Kirche Christi‹. Und ich fiel nieder und betete an.« [59] Von da an waren irgendwelche Plädoyers für die Autonomie der Frau von dieser Autorin nicht mehr zu erwarten. Ihre literarische Bedeutung war mit dem Übertritt zum Katholizismus vorbei. Fortan lebte sie in Mainz, wo sie ein Kloster *der Frauen vom guten Hirten* gründete. Sie nahm zwar 1851 ihre literarische Tätigkeit wieder auf, schrieb auch Tendenzromane, diesmal aber zur Verherrlichung der römisch katholischen Kirche – ähnlich wie viele Romantiker – in nostalgischer Verzehrung nach dem Mittelalter.

Nicht ganz so kraß macht sich die politische Zäsur in Fanny Lewalds Werk bemerkbar. Die Novelle *Auf rother Erde* (1850) – die Steinhauer neben der *Lebensfrage* zu den »actuellsten« und »politischsten« ihrer »belletristischen Arbeiten« zählt [60] –, und der Roman *Wandlungen* (1853) zeugen von ähnlicher Geisteshaltung, wie sie auch in ihren Tendenzschriften vorherrscht. Insofern ist Lewalds eigene Einteilung in »frühere« und »spätere ... d. h. alle Arbeiten, die nach den ›Wandlungen‹ entstanden sind« [61], durchaus einleuchtend. Und doch gibt es andererseits Indizien dafür, daß ihre literarische Wandlung bereits mit den *Wandlungen* beginnt. Sie beabsichtigte zwar, ähnlich wie Gutzkow mit *Den Rittern vom Geiste* (1850/51), ein Panorama der Zeitgeschichte zu entfalten und das politische und geistige Leben von der Juli-Revolution bis zum Vormärz einzufangen, doch hatte sie darüber hinaus auch ein ästhetisches Programm. »Sie wollte ... ihrer Vorstellung von dem ›Ideal eines Romans‹ nahekommen.« [62] Damit äußerte sie zum erstenmal ein gattungsspezifisches Interesse. Das Entscheidende ist jedoch, daß sie ihre gesellschaftspolitischen Überzeugungen diesem neuen poetologischen Anliegen unterordnete. So änderte sie die ursprünglich ›tendenziösen‹

Entwürfe ihrer Fabel, weil sie »keine Parteischrift, sondern ein Kunstwerk schaffen wollte«. [63] Solche Tendenzverschiebungen waren bei den meisten Autoren, die sich ehemals für »die Anforderungen des Tages« begeistert hatten, zu beobachten. Sie entsprachen der weit verbreiteten Resignationsstimmung, welche als Folge auf die Achtundvierziger-Revolution auftrat und den Willen der Schriftsteller, mit ihren Werken auf die gesellschaftlichen Verhältnisse einzuwirken, erheblich schwächte.

Trugen die Jahre 1850–1853 in Lewalds Produktion in gewisser Weise den Stempel des Übergangs, so ließ sich seit der Mitte der Fünfziger Jahre ihr gewandeltes Kunstverständnis nicht mehr länger übersehen. Das wurde auch aus der Wahl ihrer literarischen Vorbilder deutlich. Während sie im Vormärz Heine als den größten deutschen Dichter ansah, »der dem Styl die goldenen Fesseln der Goetheschen Zwangsherrschaft abgenommen« [64], so wurde in der nachfolgenden Zeit Goethe zu ihrem erklärten Ideal. Ihn ließ sie durch viele ihrer Protagonisten bewundern. In Anlehnung an seine *Dichtung und Wahrheit* verfaßte sie ihre eigene Lebensgeschichte, und sein ästhetisches Konzept wurde zunehmend verbindlicher für sie. Und so nehmen Natur- und Ortsbeschreibungen, Seelenanalysen und Kunstreflexionen in den späteren Werken einen beträchtlichen Raum ein. Ihren Roman *Adele* (1855) bezeichnete sie als »ein stilles Lebensbild, in heiterer Stimmung entworfen«. [65] *Die Erlöserin* (1873) wollte sie als »eine ganz tendenzlose Herzensgeschichte, die weit abliegt von allen Tagesfragen, betrachtet wissen« und *Benvenuto* (1875) als eine »fingierte Künstlerbiographie, in der italienische Luft weht«. [66] Für den Literarhistoriker allerdings ist Lewald in dieser Phase epigonaler Klassizität nicht mehr wirklich von Interesse.

Doch wo sich die Autorin niemals der epochebedingten Tendenzlosigkeit verschrieben hat, ist auf dem Gebiet der Frauenemanzipation. Bis in ihr hohes Alter hat sie unermüdlich für das Recht der Frau auf Bildung und Berufsarbeit plädiert und nicht aufgehört, der Gesellschaft diesbezüglich ihre Unterlassungssünden vorzuhalten. Dabei hat sie sich nicht gescheut, auch höchst pragmatische Vorschläge zu entwickeln. Mit Recht weist Henriette Goldschmidt darauf hin, daß »Institutionen, die sie zur Hebung des Standes der weiblichen Dienstboten verlangte, Vorbereitungsstätten, Herbergen«, Schulungskurse und Großküchen für berufstätige Mütter, »theilweise auf ihre Anregung zurückzuführen« sind. [67] In der Frauenfrage hat Lewald niemals ein Zurück-zum-Herd geduldet. Hier hatte sie einen zu tiefen Blick in die sogenannten heilen Familienverhältnisse getan. Und so konnte trotz Goethekult und nachlassendem politischen Interesse ihre schärfste emanzipatorische Tendenzschrift, nämlich *Für und wider die Frauen,* auch noch im Jahre 1870 entstehen. »Die gleichmäßigen Bildungsmittel für die Frauen . . ., die Freiheit, die angeborene Begabung und das durch Unterricht und Bildung erworbene Können und Wissen, gleich den Männern, zum eigenen Vortheil und zum Besten der Gesamtheit zu verwerthen und endlich das Recht . . . bei der Gesetzgebung Einfluß und Mitwirkung zu haben« [68], das waren die hartnäckig vertretenen Postulate dieses Appells, der von keiner Resignationsstimmung beeinträchtigt war. Mit den *Osterbriefen für Frauen* (1863) sowie *Für und wider die Frauen* steht Lewald in deutlicher Nachbarschaft zu Louise Otto-Peters, der Begründerin des *Allgemeinen Deutschen Frauenvereins* (1865).

Am stärksten wirkte sich das Comeback der Reaktion ganz ohne Frage auf Louise Aston aus. Sie hatte sich von den Autorinnen des Vormärz am entschiedensten für eine Revisionierung »der christlichen Krämerwelt« eingesetzt und die revolutionären Ereignisse mit größter Hoffnung verfolgt. Über die gesellschaftspolitischen Konsequenzen der gescheiterten Revolution machte sie sich keine Illusionen. »Der große Zug nach dem Friedrichshain am 4. Juni 1848«, liest man in ihrem Achtundvierziger Roman, »war das letzte Aufflackern des mächtigen revolutionären Geistes und der letzte große friedliche Sieg des Volkes über das wiederauftauchende Bourgoisphilistertum.« [69] Diesem Philistertum hatte sie nichts zu sagen. Psychisch und physisch zerrüttet, ging sie zunächst einmal nach Frankreich, später mit ihrem zweiten Mann, Eduard Meier, einem Arzt, den sie auf dem Schleswig-Holstein Feldzug kennengelernt hatte, nach Rußland, Polen und Österreich. Seit dem Jahr 1849 ist sie schriftstellerisch nicht mehr hervorgetreten.

Doch welche Autorinnen waren nun wortführend in dem Jahrzehnt nach der Revolution? Welcher Romantyp wurde von ihnen und dem Publikum bevorzugt? Einen wichtigen Fingerzeig zur Aufschlüsselung dieser Frage findet man in Gottschalls *Deutscher Nationalliteratur.* Er gehört zu den wenigen Literarhistorikern, die das weibliche Schrifttum nicht bloß unter dem Annex ›Frauen‹ zusammentragen, sondern nach ideologischen Kriterien unterteilen. Und so unterscheidet er zwischen den »Conservativen«, die den Typus des Familienromans ins Leben gerufen haben, und den »Emancipirten« [70], die ein Gegenbild dazu schufen, nämlich eine Art Antifamilienroman. Es ist nicht verwunderlich, daß das Kontingent der Emanzipierten in den Vierziger Jahren bei weitem die Oberhand hat, während die Schar der Konservativen in den Fünfziger Jahren den Ton angibt. Gottschall nennt hier Ottilie Wildermuth (*Bilder und Geschichten aus dem schwäbischen Leben,* 1852; *Aus dem Frauenleben,* 1855; *Die Heimath der Frau,* 1859; *Zur Dämmerstunde,* 1871), Elise Polko (*Ein Frauenleben,* 1854; *Mädchenspielzeug,* 1856; *Sabbath,* 1858; *Unsere Pilgerfahrt von der Kinderstube bis zum eigenen Herd,* 1863), Julie Burow (*Frauen-Los,* 1850; *Aus dem Leben eines Glücklichen,* 1853; *Aus dem Frauenleben,* 1857; *Erinnerungen einer Großmutter,* 1856) und Louise von Gall (*Frauen-Novellen,* 1845; *Familienbilder,* 1854; *Frauenleben,* 1855).

An emanzipierten Schriftstellerinnen führt Gottschall für die fünfziger Jahre lediglich Mathilde Raven, eine Autorin »mit ausgesprochenen Aufklärungstendenzen« und die gesellschaftskritische Amely Bölte an. [71] Der affirmative Familienroman behauptet ganz offensichtlich das Feld. Das läßt sich auch aus seiner erstaunlichen Auflagenhöhe ersehen. Während die jungdeutschen Tendenzromane allenfalls zwei Auflagen erlebten (Hahn-Hahns *Gräfin Faustine* bildet mit seinen drei Auflagen die Ausnahme), erreichten die häuslichen Gemälde einer Ottilie Wildermuth und Elise Polko eine fünf- bis sechsmalige Wiederverlegung. Es spiegelt den geistigen Grundimpuls dieser Epoche, nämlich die Wiederkehr der Philisterästhetik, wenn Hahn-Hahns Elaborat *Maria Regina* (1860) – ein Aufruf zur Heimkehr in die katholische Kirche – in sechsfacher Auflage erscheinen kann.

Doch das perfideste Machwerk des Nachmärz ist der zunächst anonym erschienene Roman *Eritis sicut Deus* (1854), als dessen Verfasserin die schwäbische Pfarrersfrau Wilhelmine Canz ermittelt werden konnte. Mit einem enzyklopedischen Aufwand von fast 2000 Seiten wird hier gegen alles, was auch nur irgendwie den Namen des Fortschritts verdient, zu Felde gezogen. Zeitgeschichtlicher Hintergrund ist der Vormärz, »die Zeit der Geisterwanderung ... welche die gänzliche Umwandlung des religiösen und politischen Volkslebens ... zum Ziel« [72] und »die ärmliche Verflachung« und »Veräußerlichung« des Menschen zur Folge hatte. [73] Wie nach solchen Tiraden zu erwarten, entwirft die Autorin eher ein alptraumartiges Zerrbild als ein auch nur halbwegs realistisches Abbild jener tumultuarischen Jahre. Mit akribischem Eifer unterbreitet sie in endlosen Detailanalysen, wie ihre Protagonistin Elisabeth – ›ein Weib wie es sein sollte‹ –, »der sich das Geheimniß der Gottheit noch nicht ... in die allgemeinen Begriffsbestimmungen der menschlichen Vernunft« verflüchtigt hatte [74], durch die philosophischen Ideen ihres nicht an einen persönlichen Gott glaubenden Gatten allmählich zugrunde gerichtet wird. Hier soll nachgewiesen werden, »daß alles Uebel von den Universitäten, von der modernen philosophischen Bildung herrühre« [75], daß Kunst und Literatur bloß zum Bösen verführe und die Lektüre von Romanen oder die Beschäftigung mit Malerei »wie Fleischeslust zu verdammen sei«. [76] Und so klagt die Verfasserin in bezug auf Robert Schärtel, das Haupt der philosophischen Bewegung Hegelscher Provenienz, der das Glück bzw. Unglück hat, der Gatte der ›heiligen‹ Elisabeth zu sein, »O! hätte der Mann nicht ein so felsenfestes modernes Herz gehabt«. [77] Alle nur erdenklichen Verirrungen und Übeltaten werden »auf die verruchten Hegelinge gehäuft, die frevelhaft den Menschen als Gott prästabilisieren und in einem unmoralischen Ästhetizismus untergehen«. [78] Ebenso wird das weibliche Emanzipationsstreben als Produkt einer geistigen Verirrung abqualifiziert und als Affront gegen die göttliche Vorsehung mißbilligt. Wie der Verlauf der Romanhandlung deutlich macht, kann sich das Weib nur in unreflektierter Anbetung Gottes und natürlich in Efeu-Position vor Verführungen, Mißgeburten, Wahnsinn oder anderen fatalistischen Kalamitäten bewahren. *Eritis sicut Deus* ist wohl der persistenteste Verdammungsversuch nicht nur speziell jedes emanzipatorischen Elans, sondern des sich seines Verstandes bedienenden Individuums ganz generell. Als Beitrag zur Aberziehung der menschlichen Vernunft besitzt er zweifellos einen historischen Stellenwert. Wie sehr sich ein solcher Roman der Gunst des Publikums erfreute, ersieht man aus der Tatsache, daß er bereits ein Jahr nach seinem Erscheinen die zweite Auflage erlebte.

In den sechziger Jahren »bewegte sich ... ein zahlreiches Contingent schriftstellernder Frauen auf dem neutralen Gebiet der Unterhaltungsliteratur« [79], deren hervorragendste Repräsentantin Eugenie Marlitt (Pseudonym für Eugenie John 1825–1887). war. Keine andere Schriftstellerin hat einen auch nur annähernd ähnlich breiten Wirkungsradius gehabt wie sie. Ihr in der *Gartenlaube* als

Fortsetzungsroman erschienener Erstling *Goldelse* (1866) erreichte bereits 1869 seine vierte und 1890 seine 23. Auflage. Über mehrere Generationen hin gehörten Marlitts Werke zur Lieblingslektüre der deutschen Frau. Entsprechend dem Credo ihres eifrigsten Förderers, Ernst Keil, dem Begründer der *Gartenlaube,* der »ein Blatt ... für's Haus und die Familie« wollte, »ein Buch ... fern von aller raisonnierenden Politik und allem Meinungsstreit in Religions- und anderen Sachen« [80], wandte sich die Autorin mit ihren Romanen vor allem an die ›drinnen waltende Hausfrau‹ und distanzierte sich von jeder wahren Frauenemanzipation«. [81] So unterhielt sie ein Publikum, das in erster Linie unterhalten werden wollte und für welches ein Wort wie »Frauenrechtlerinnen« einen ebenso besorgniserregenden Klang besaß wie »Sozialdemokraten«. [82]

Und doch waren trotz weitverbreiteter Gartenlaubengesinnung die frauenemanzipatorischen Bestrebungen nicht ganz verschüttet. Nicht alle der vormärzlichen Publizistinnen waren in das Fahrwasser der allgemeinen Reaktion geraten. Zu dem ›Fähnlein der Standhaften‹ gehörten unter anderen Johanna Kinkel (1810–1858), Amalie Struwe (1822–1862), Malvida von Meysenbug (1816–1903) und allen voran Louise Otto-Peters (1819–1895). Sie hatte ihr 1843 gegebenes Statement, daß »die Teilnahme der Frauen an den Interessen des Staates ... nicht ein Recht, sondern eine Pflicht« sei [83], auch im Nachmärz nicht zurückgenommen. Im Gegenteil – zunächst Mitarbeiterin in Robert Blums *Sächsischen Vaterlandsblättern* und in dem von Robert Prutz edierten Volkstaschenbuch *Vorwärts,* wo sie bereits Programmatisches für die zukünftige Frauenbewegung entwickelte, gründete sie 1849 eine eigene »Frauen-Zeitung«, der sie das Motto, »Dem Reich der Freiheit werb ich Bürgerinnen« [84], voranstellte. Sie hatte erkannt, daß sich durchgreifende Konzepte zur Verbesserung der Lage der Frau nicht auf individualistischer Basis verwirklichen ließen. Getragen von dieser Erkenntnis verfaßte Otto-Peters ihre ersten Entwürfe zur sozialen und politischen Selbständigkeit der Frau, die immer größeren Anklang fanden und 1865 zur Gründung des ersten *Allgemeinen Deutschen Frauenvereins* führten.

Damit war die zweite Emanzipationsphase der Frau eingeleitet. Was die Frauen der Metternichschen Restaurationsepoche als einzelne unternommen hatten, wird nun von organisierten Frauenvereinen aufgegriffen und programmatisch ausgebaut. Hinzukommt, daß die sozialistische Bewegung diese Tendenzen seit den achtziger Jahren voll unterstützte. Neben den Arbeitern rückten die Frauen, vor allem nach der Publikation von August Bebel *Die Frau und der Sozialismus* (1879), immer stärker in den Mittelpunkt ihrer Bemühungen. Die Sozialdemokraten hatten erkannt, was den Jungdeutschen und Vormärzlern noch nicht aufgegangen war, daß die Emanzipation der Frau nicht bloß ein feministisches Sonderanliegen, sondern ein soziales Problem von allgemeinster Wichtigkeit war.

# Anmerkungen

## *Vorbemerkungen*

1 Germaine *Greer,* Der weibliche Eunuch. Aufruf zur Befreiung der Frau (Frankfurt, [3]1970), S. 10.
2 Betty *Friedan, Der Weiblichkeitswahn* (Hamburg, 1966).
3 Kate *Millet,* Sexus und Herrschaft. Die Tyrannei des Mannes (München, 1791).
4 Vgl. Anmerkung 1.
5 Ebd., S. 21.
6 Ida *Hahn-Hahn,* Clelia Conti (Berlin, 1846), S. 3.
7 Robert *Prutz,* Die deutsche Literatur der Gegenwart. 1848–1858 (Leipzig, [2]1870), Bd 2, S. 249.
8 Ebd.
9 Carl *Barthel,* Die deutsche Nationalliteratur der Neuzeit (Braunschweig, [2]1853), S. XI–XV.
10 Joseph von *Eichendorff,* Die deutsche Salon-Poesie der Frauen. In: Historisch-politische Blätter für das katholische Deutschland (1847), Bd 19, S. 464.
11 Hellmuth Mielke, Der deutsche Roman (Dresden, [4]1912), S. VI.
12 *Prutz,* Die deutsche Literatur der Gegenwart, Bd 2, S. 252.
13 Ernst *Alker,* Die deutsche Literatur im 19. Jahrhundert (1832–1914), (Stuttgart, [2]1962), S. 117.
14 Friedrich *Sengle,* Biedermeierzeit. Deutsche Literatur im Spannungsfeld zwischen Restauration und Revolution (Stuttgart, 1973), Bd 2, S. 814.
15 *Barthel,* Die deutsche Nationalliteratur der Neuzeit, S. 557.
16 Ebd.
17 Ebd., S. 558.
18 Julian *Schmidt,* Geschichte der Deutschen Literatur im neunzehnten Jahrhundert (Leipzig, 1856), Bd 3, S. 198.
19 Ebd., S. 220.
20 Ebd., S. 221.
21 Ebd.
23 Ebd., S. 261.
24 Ebd., S. 264.
25 Ebd., S. 269.
26 Rudolf *Gottschall,* Madonna und Magdalena (Berlin, 1845).
27 Ders., Die deutsche Nationalliteratur des neunzehnten Jahrhunderts (Breslau, [4]1875), Bd 4, S. 314.
28 Ebd., S. 318.
29 Ebd., S. 314.
30 Ebd.
31 *Barthel,* Die deutsche Nationalliteratur, S. 558.
32 Heinrich von *Treitschke,* Geschichte der deutschen Literatur von Friedrich dem Großen bis zur Märzrevolution. Aus der deutschen Geschichte im Neunzehnten Jahrhundert ausgewählt und herausgegeben von Heinrich *Spiero* (Berlin, 1927), S. 160.

33 Ebd., S. 221.
34 *Barthel,* Die deutsche Nationalliteratur, S. 560.
35 *Alker,* Die deutsche Literatur im 19. Jahrhundert, S. 120.
36 *Barthel,* Die deutsche Nationalliteratur, S. 564.
37 Ebd., S. 558.
38 Johannes *Scherr,* 1848. Ein Weltgeschichtliches Drama (Leipzig, ²1875), Bd 2, S. 175 f.
39 Fanny *Lewald,* Eine Lebensfrage (Berlin, 1872), Bd 1, S. 106 f.
40 Zit. nach Marieluise *Steinhauer,* Die deutsche George Sand. Ein Kapitel aus der Geschichte des Frauenromans im 19. Jahrhundert (Berlin, 1937), S. 33.
41 Vgl. Johannes *Proelß,* Das junge Deutschland. Ein Buch deutscher Geistesgeschichte (Stuttgart, 1892); Georg *Brandes,* Die Hauptströmungen der Litteratur des neunzehnten Jahrhunderts, Bd 6. Das junge Deutschland (Leipzig, 1911); Ludwig *Geiger,* Das Junge Deutschland und die preussische Censur (Berlin, 1900); Heinrich Hubert *Houben,* Jungdeutscher Sturm und Drang. Ergebnisse und Studien (Leipzig, 1911).
42 Richard M. *Meyer,* Die deutsche Literatur des Neunzehnten Jahrhunderts (Berlin, 1906), S. X und S. 214 ff.
43 Ebd., S. 184.
44 Hugo *Bieber,* Der Kampf um die Tradition. Die deutsche Dichtung im europäischen Geistesleben 1830–1880 (Stuttgart, 1928).
45 Hildegard *Gulde,* Studien zum jungdeutschen Frauenroman (Weilheim, 1933), S. 11.
46 *Steinhauer,* Fanny Lewald, die deutsche George Sand, S. 33.
47 Marta *Weber,* Fanny Lewald (Zürich, 1921).
48 Christine *Touaillon,* Frauendichtung. In: Reallexikon der Deutschen Literaturgeschichte, 1931, Bd 1, S. 371–377.
49 Friedrich *Kainz* und Werner *Kohlschmidt,* Junges Deutschland. In: Reallexikon der Deutschen Literaturgeschichte, ²1958, Bd 1, S. 781–797.
50 Vgl. Jost *Hermand* (Hrsg.), Das Junge Deutschland. Texte und Dokumente (Stuttgart, 1966), S. 182.
51 *Sengle,* Biedermeierzeit, Bd 2, S. 815.

*Zu den Anfängen des weiblichen Selbstbewußtseins*

1 Gertrud *Bäumer,* Geschichte und Stand der Frauenbildung in Deutschland. In: Handbuch der Frauenbewegung. Hrsg. von Helene *Lange* und Gertrud *Bäumer.* III. Teil, Der Stand der Frauenbildung in den Kulturländern (Berlin, 1902), S. 7.
2 Ebd., S. 10.
3 Johannes *Scherr,* Geschichte der Deutschen Frauen (Leipzig, 1860), S. 82.
4 Vgl. Josef *Mörsdorf,* Gestaltwandel des Frauenbildes und Frauenberufs in der Neuzeit (München, 1958), S. 24. Allerdings muß man hinzufügen, daß sich der Verfasser bei dieser These selbst nicht recht wohl zu fühlen scheint, denn wenn er auf Seite 24 »die zahlreichen gelehrten Nonnen« anführt, nimmt er schon auf Seite 32 diese Behauptung wieder zurück, indem er eingesteht, daß »auch die wirklich gelehrten Klosterfrauen ... Ausnahmeerscheinungen« waren.
5 *Scherr,* Geschichte der Deutschen Frauen S. 135 f.
6 August *Bebel,* Die Frau und der Sozialismus. Als Beitrag zur Emanzipation unserer Gesellschaft bearbeitet und kommentiert von Monika *Seifert* (Hannover, 1974), S. 103 f.
7 Das Nibelungenlied. Zweisprachige Ausgabe. Hrsg. und übertragen von Helmut de *Boor* (Bremen, 1959), S. 252.

8 Ebd., S. 262.
9 Vgl. Joseph *Lortz,* Geschichte der Kirche in ideengeschichtlicher Betrachtung (Münster, [11–14]1948, S. 246.
10 So hat etwa das von Eugenio Garin als »bedeutendstes Dokument zur Erziehung der Frau« bezeichnete Traktat Leonardi Brunis, welches der Frau »im Grunde dieselben Wissensformen, auch die höchsten ... die den Männern zustehen« zubilligt, einen wichtigen historischen Stellenwert, aber kaum irgendeinen pragmatischen Bezug auf die Bildung der Frauen in Deutschland. Vgl. Eugenio *Garin,* Geschichte und Dokumente der abendländischen Pädagogik II. Humanismus (Reinbek, 1966), S. 32.
11 *Mörsdorf,* Gestaltwandel des Frauenbildes und Frauenberufs in der Neuzeit, S. 32.
12 Wolfgang *Martens,* Die Botschaft der Tugend. Die Aufklärung im Spiegel der deutschen Moralischen Wochenschriften (Stuttgart, 1968), S. 522.
13 Rolf *Engelsing,* Der Bürger als Leser (Stuttgart, 1974), S. 297.
14 Vgl. Johann Gottfried *Herder,* Sämtliche Werke. Hrsg. von Bernhard *Suphan,* (Berlin, 1877), Bd 1, S. 393.
Dort heißt es apodiktisch: »Das Frauenzimmer gehört ohne Zweifel nicht in die Hörsäle und Studirzimmer der Gelehrten, wenn es sich bilden will zu seiner Bestimmung, damit es seine Seele verschönere, und das Vergnügen des männlichen Geschlechts sey.«
15 Schillers Briefwechsel mit Körner. Von 1784 bis zum Tode Schillers. Hrsg. von Karl *Goedeke* (Leipzig, 1874), Brief an Körner, 6. Oktober 1787.
16 Adolph Freyherrn *Knigge,* Ueber den Umgang mit Menschen (Frankfurt/Leipzig, [5]1808), S. 84.
17 Herbert *Singer,* Der deutsche Roman zwischen Barock und Rokoko (Köln/Graz, 1963), S. 13.
18 Vgl. *Martens,* Die Botschaft der Tugend, S. 366.
19 Eduard *Fuchs,* Sozialgeschichte der Frau [Neudruck] (Frankfurt, 1973), S. 16.
20 Ebd.
21 Johann Christoph *Gottsched,* Die vernünftigen Tadlerinnen. In: Gesammelte Schriften (Berlin, 1902), Bd 1, S. 39.
22 Zit. nach *Martens,* Die Botschaft der Tugend, S. 524.
23 Vgl. das Kapitel »Mädchenerziehung im Zeitalter des großen Krieges«. In: Handbuch der Frauenbewegung, III. Teil, S. 36.
24 Hanß-Michel *Moscherosch,* Insomnis. Cura. Parentum. Christliches Vermächnuß oder, Schuldige Vorsorg Eines Trewen Vatters bey jetzigen Hochbetrübten gefährlichsten Zeitten den seinigen zur letzten Nachricht hinderlassen (Straßburg, 1643), S. 66 f. Moscherosch Vermächtnis, das er, als er während des dreißigjährigen Krieges von seiner Familie getrennt war, seiner Frau als Leitbild zur Kindererziehung ans Herz legte, dokumentiert die damals herrschende Einstellung zur Mädchenbildung! Grundtenor des ganzen Traktats ist die ständig wiederkehrende Mahnung, daß sich Mädchen vor allem vor dem Wissen hüten, neuen Eindrücken aus dem Wege gehen und möglichst nur im Innern des Hauses aufhalten sollen.
25 Ebd. 67 f.
26 Da den Taufpaten die religiöse Erziehung des Kindes oblag, bezeichnete man die beiden von der Kirche vorgeschriebenen Lernstücke als »Patenstücke«.
27 *Engelsing,* Der Bürger als Leser, S. 299.
28 Vgl. hierzu auch *Engelsing,* Der Bürger als Leser (S. 305), der den Pietismus ebenfalls als »den frühesten Einbruch in die hauswirtschaftliche Frauenerziehung« bezeichnet. »Die pietistischen Geistlichen zogen nicht nur die Frauen jeden Alters in die Konventikel, sondern ließen sie dort auch zuerst über kirchliche Themen zu Wort kommen und im Spiel von Frage und Antwort eine persönliche Formulierung ihres Glaubens finden. Der Charakter der pietistischen Lehre legte es ihren Anhän-

gern nahe, sich eher mit einem weiblichen als einem männlichen Publikum zu umgeben.«

29 Vgl. Renate *Möhrmann,* Der vereinsamte Mensch. Studien zum Wandel des Einsamkeitsmotivs im Roman von Raabe bis Musil (Bonn, 1974), S. 18.

30 Vgl. Christine *Touaillon,* Der deutsche Frauenroman des 18. Jahrhunderts (Wien/Leipzig, 1919), S. 46.

31 Vgl. Handbuch der Frauenbewegung, III. Teil, S. 42.

32 Vgl. Adalbert von *Hanstein,* Die Frauen in der Geschichte des deutschen Geisteslebens (Leipzig, 1899), S. 54.

33 August Herman Francke war von der Wichtigkeit dieses ersten systematischen Bildungsprogramms für Mädchen so überzeugt, daß er 1698 eine Übersetzung des Traité erscheinen ließ. Vgl. Handbuch der Frauenbewegung, III. Teil, S. 49.

34 Vgl. *Francke,* Pädagogische Schriften. Hrsg. von D. G. *Kramer* (Langensalza, 1876), S. 509.

35 Vgl. Handbuch der Frauenbewegung, III. Teil, S. 50.

36 *Touaillon,* Der deutsche Frauenroman des 18. Jahrhunderts, S. 54 f.

37 Die Discourse der Mahlern 1721–1722. 1. Teil [Neudruck]. Hrsg. von Theodor *Vetter* (Frauenfeld, 1891), S. 43.

38 Dorothea Christina *Leporin,* Gründliche Untersuchung der Ursachen, die das weibliche Geschlecht vom Studiren abhalten. Nachdruck der Ausgabe Berlin 1742, mit einem Nachwort von Gerda Rechenberg (Hildesheim/New York, 1975), S. 178.

39 *Martens,* Die Botschaft der Tugend, S. 521.

40 Ebd., S. 523.

41 Zit. nach *Martens,* Die Botschaft der Tugend, S. 525.

42 Ebd.

43 *Touaillon,* Der deutsche Frauenroman des 18. Jahrhunderts, S. 57.

44 Als ein weiteres Zeugnis solcher emanzipatorischen Hilfen von seiten der Männer der Frühaufklärung ist auch die folgende Anthologie zu nennen, die anhand ausgewählter Beispiele weiblicher Poesie von der Antike bis ins frühe 18. Jahrhundert die poetischen und geistigen Gaben der Frau verteidigt. Georg Christian *Lehms* (Hrsg.), Teutschlands galante Poetinnen. Mit ihren sinnreichen und netten Proben... und einer Vorrede. Daß das Weibliche Geschlecht so geschickt zum Studieren als das Männliche (Frankfurt, 1745).

45 *Martens,* Die Botschaft der Tugend, S. 532.

46 *Engelsing,* Der Bürger als Leser, S. 298.

47 Vgl. Jürgen *Habermas,* Strukturwandel der Öffentlichkeit. Untersuchungen zu einer Kategorie der bürgerlichen Gesellschaft (Neuwied/Berlin, $^{5}$1971), S. 69.

48 Ebd., S. 74.

49 Handbuch der Frauenbewegung, III. Teil, S. 50.

50 *Engelsing,* Der Bürger als Leser, S. 322 f.

51 Ebd., S. 298 f.

52 Ebd., S. 332.

53 Vgl. Georg *Steinhausen,* Geschichte des deutschen Briefes. Zur Kulturgeschichte des deutschen Volkes (Berlin, 1889), S. 245 f.

54 *Habermas,* Strukturwandel der Öffentlichkeit, S. 67.

55 Vgl. *Touaillon,* Der deutsche Frauenroman des 18. Jahrhunderts, S. 243–249.

56 Sophie von *LaRoche,* Geschichte des Fräuleins von Sternheim. Hrsg. von Fritz *Brüggemann* (Darmstadt, 1964), S. 121.

57 Ebd., S. 66.

58 Ebd., S. 228 f. Dabei ist es aufschlußreich, daß sich Wieland, der Herausgeber der Erstausgabe, gerade an dieser Stelle bemüßigt fühlt einzugreifen. Schon in seinem Vorwort hatte er darauf hingewiesen, daß das Manuskript der LaRoche, trotz aller Vorzüglichkeit, dennoch gewisse Mängel aufweise, die eben in der Nichtbeachtung

der Konventionalität lägen. Die Modernität der Autorin dokumentiert sich schon darin, daß es sich bei dieser Reflexion um eine Aussage handelt, die Wieland nicht unerläutert durchgehen lassen kann.

59 Vgl. Fanny *Lewald,* Meine Lebensgeschichte, 2. Abtheilung. Leidensjahre, 2. Theil (Berlin, 1863), S. 91 f.

60 Vgl. *LaRoche,* Geschichte des Fräuleins von Sternheim, S. 276.

61 Wilhelmine Caroline von *Wobeser,* Elisa oder das Weib wie es seyn sollte (Leipzig, [3]1798), S. 138.

62 Ebd., S. 137.

63 Vgl. *Touaillon,* S. 300 f. »So offen aber wie in dem Roman der Frau von Wobeser war das Recht des Mannes zur Herrschaft, die Pflicht der Frau zur vollständigen Unterwerfung noch nie und vor allem noch von keiner Frau verkündet worden.«

64 1795, 1797, 1798, 1799, 1800, 1811.

65 Vgl. *Touaillon,* S. 301.

66 Ebd.

67 *Engelsing,* Der Bürger als Leser, S. 338.

68 Vgl. *Martens,* Die Botschaft der Tugend, S. 535.

69 *Engelsing,* Der Bürger als Leser, S. 317.

70 *Knigge,* Ueber den Umgang mit Menschen, S. 85.

71 *Engelsing,* Der Bürger als Leser, S. 322.

72 Zit. nach Anna *Blos,* Frauen der deutschen Revolution. 1848. (Dresden, 1928), S. 2 f.

73 Mary *Wollstonecraft,* Verteidigung der Rechte der Frauen. Mit einem Vorwort von Berta Rahm (Zürich, 1975), Bd 1, S. 37.

74 Marianne *Weber,* Ehefrau und Mutter in der Rechtsentwicklung (Tübingen, 1907), S. 319.

75 Theodor Gottlieb von *Hippel,* Über die bürgerliche Verbesserung der Weiber (Berlin, 1792), S. 213.

76 So liest man beispielsweise in dem Kapitel über den Charakter der Geschlechter: »Der Mann ist leicht zu erforschen, die Frau verrät ihr Geheimnis nicht« (649) oder »Das Weib ist weigernd, der Mann bewerbend« (652), »Der Mann bewirbt sich in der Ehe nur um seines Weibes, die Frau aber um aller Männer Neigung« (653) und »Der Mann ist eifersüchtig wenn er liebt; die Frau auch ohne daß sie liebt« (654). Vgl. Immanuel Kant, Anthropologie in pragmatischer Hinsicht. Werke. Hrsg. von Wilhelm Weischedel (Frankfurt, 1968), Bd. 12.

77 Ebd., S. 651.

78 Vgl. Ingeborg *Weber-Kellermann,* Die deutsche Familie. Versuch einer Sozialgeschichte (Frankfurt, 1974), S. 98 f.

79 *Weber,* Ehefrau und Mutter in der Rechtsentwicklung, S. 336.

80 Code Pénal ou code des délits et des peines (Paris, 1810), S. 154.

81 Mme de *Staël,* De l'Allemagne (Paris, 1908), S. 33.

82 In diesem Zusammenhang ist auch auf die demokratischen Eheansichten von August von Einsiedel zu verweisen: »Die Ehen als gesetzliches Band sind ein großes Hindernis der Vollkommenheit der Menschen, indem die erste jugendliche Lebendigkeit, die die vollkommene Organisation hervorbringen würde, meist verloren geht. Bei mehr Kultur wird der irrige Begriff, daß eine Frau das Eigentum eines Mannes werden könne, wie mehr schiefe Einrichtungen aufhören.« Zit. nach Jost Hermand, August von *Einsiedel:* Ideen über die Ehe. In: Von deutscher Republik 1775–1795. II. Theoretische Grundlagen (Frankfurt, 1968), S. 43.

83 Vgl. Jean Jacques *Rousseau,* Emile oder über die Erziehung. Hrsg., eingeleitet und mit Anmerkungen versehen von Martin *Rang* (Stuttgart, 1963), Buch 5. Immer wieder betont der Autor in seinem Erziehungsprojekt die notwendige Ungleichheit zwischen den Geschlechtern, von denen das eine »aktiv und stark, das andere passiv und schwach sein« soll (S. 721). Er geht dabei so weit, daß er empfiehlt, die Mäd-

chen frühzeitig daran zu gewöhnen, Ungerechtigkeiten klaglos entgegenzunehmen, damit sie sich als Frauen umso williger ihren Ehemännern unterordnen (S. 742).

84 Henri R. *Paucker,* Verharmlost – verklärt – dämonisiert. Darstellung der Frau in Aufklärung, Klassik und Romantik. In: Literatur und Kunst. Neue Zürcher Zeitung, 20/21. 9., 1975, Nr. 218, S. 59.

85 Vgl. Hans *Mayer,* Außenseiter (Frankfurt, 1975), S. 38 ff.

86 Johann Wolfgang von *Goethe.* In: Ueber Kunst und Alterthum (Stuttgart, 1816–1832) Bd 4, 1. Heft, S. 66.

87 Friedrich *Schleiermacher,* Idee zu einem Katechismus der Vernunft für edle Frauen. In: Athenaeum (Berlin, 1798), Bd 1, Stück 2, S. 110.

88 Friedrich *Schlegel,* Lucinde. Kritische Ausgabe. Hrsg. von Ernst *Behler* unter Mitwirkung von Jean-Jacques Anstett und Hans Eichner (München/Paderborn/Wien/ Zürich, 1962), Bd. 5, S. 11.

89 Ebd., S. 13.

90 *Schleiermacher,* Idee zu einem Katechismus der Vernunft für edle Frauen, S. 110 f.

91 Friedhelm *Kemp* (Hrsg.), Rahel Varnhagen im Umgang mit ihren Freunden (Briefe 1793–1833), (München, 1967), an David Veit, 2. April 1793.

92 *Brandes,* Das junge Deutschland, S. 291.

93 Vgl. Wilhelmine *Eberhard,* Fünf und vierzig Jahre aus meinem Leben. Eine biographische Skizze für Mütter und Töchter (Leipzig, 1802). Es ist symptomatisch, daß der Verleger bei der Zweitauflage des Buches (Leipzig, Zeitz, 1803), den Titel des Romans umänderte in Das Weib ohne physische Liebe, eine wahre Geschichte, von ihr selbst geschrieben. Vgl. Carl Wilhelm O. A. v. *Schindel,* Die deutschen Schriftstellerinnen des neunzehnten Jahrhunderts (Leipzig, 1823), Erster Theil, S. 111 f. Offensichtlich war der Verleger nicht in der Lage, den Widerwillen der Autorin gegen die Institution der Ehe anders als aus biologischen Gründen zu interpretieren.

94 Ebd., S. 117.

95 Vgl. Heinrich *Spiero,* Geschichte der deutschen Frauendichtung seit 1800 (Leipzig, 1913), S. 8.

96 Karoline von *Wolzogen,* Agnes von Lilien. Mit einer Einleitung von Robert Boxberger (Stuttgart, 1884), S. 5.

97 Ebd.

98 Vgl. *Gottschall,* Die deutsche Nationalliteratur des neunzehnten Jahrhunderts, Bd 4, S. 315 f.

99 Fanny *[Tarnow],* Natalie. Ein Beitrag zur Geschichte des weiblichen Herzens (Berlin, 1811), S. 248.

100 Ebd.

101 *Kemp,* Rahel Varnhagen und ihre Zeit (Briefe 1800–1833), (München, 1968), an Rose [Asser], 22. Januar 1819.

102 Hannah *Arendt,* Rahel Varnhagen. Lebensgeschichte einer deutschen Jüdin aus der Romantik (Frankfurt, 1974), S. 61.

103 *Brandes,* Das junge Deutschland, S. 280.

104 Vgl. *Habermas,* Strukturwandel der Öffentlichkeit, S. 49.

105 Vgl. *Brandes,* Das junge Deutschland, S. 56 f.

106 Rahel Varnhagen im Umgang mit ihren Freunden, Brief an Pauline Wiesel, 12. März 1810.

107 Ebd. Vgl. ihren Brief, den – September 1815.

108 Ebd., Brief an Karl Gustav von Brinckmann, 9. März 1799.

109 Ebd., Brief an Pauline Wiesel, den – September 1815.

110 Diesen Standpunkt vertritt auch Minna Cauer, wenn sie Rahel als »die erste Vertreterin der späteren Frauenemanzipation« bezeichnet. Vgl. *Cauer,* Die Frau im 19. Jahrhundert, S. 80.

111 Rahel Varnhagen im Umgang mit ihren Freunden, Brief an Pauline Wiesel, 14. Oktober 1829.
112 *Brandes,* Das junge Deutschland, S. 292.
113 Bettina von *Arnim,* Goethes Briefwechsel mit einem Kinde (Berlin, 1920), S. 441.
114 Heinrich *Conrad* (Hrsg.), Frauenbriefe von und an Hermann Fürsten Pückler-Muskau (München/Leipzig, 1912), S. 8.
115 Hans von *Arnim,* Bettina von Arnim (Berlin, 1963), S. 88.
116 Ebd., S. 90.
117 Mit ihrer Überzeugung, die Herrschenden zu altruistischen Handlungen bewegen zu können, steht Bettina dem utopischen Sozialismus Claude Henri de Saint-Simons nahe. Auch dieser französische Erneuerungsapostel hat Zeit seines Lebens daran geglaubt, daß man die »Herrscher«, »Mächtigen« und »Reichen« durch »ethische Beeinflussung« zur Aufhebung der Not der Benachteiligten gewinnen könne. Vgl. Werner *Suhge,* Saint-Simonismus und junges Deutschland. Das Saint-Simonistische System in der deutschen Literatur der ersten Hälfte des 19. Jahrhunderts (Berlin, 1935), S. 14.
118 Bettina von *Arnim,* Dies Buch gehört DEM KÖNIG (Berlin, 1920), Sämtliche Werke, Bd 6, S. 281.
119 Hans von *Arnim,* Bettina von Arnim, S. 96.
120 Vgl. Ludwig *Geiger,* Therese Huber 1764–1829. Leben und Briefe einer deutschen Frau (Stuttgart, 1901), S. 281–303.
121 Vgl. Christiane Benedicte *Naubert,* Die Amtmännin von Hohenweiler. Eine wirkliche Geschichte aus Familienpapieren gezogen (Leipzig, 1786), Teil II, S. 302.
122 Dorothea *Schlegel* kommt hier nicht in Betracht, da in ihrem Roman Florentin das abenteuerliche Leben eines Mannes im Mittelpunkt steht.
123 Therese *Huber,* Die Ehelosen (Leipzig, 1829), S. XI.
124 Ebd., S. VI.
125 Ebd., S. XV.
126 Ebd., S. 289.
127 Ebd., S. 86.
128 Ebd., S. 278.
129 Durch diese Schlußfolgerung manövriert sich Therese Hubers Roman wieder aus dem Vorfeld der emanzipatorischen Literatur heraus und rückt bedenklich in die Nähe puritanistischer Enthaltsamkeitsschriften.

*Die unmittelbaren Voraussetzungen*

1 So liest man beispielsweise bei J. *Eckardt:* »Auch in Kreisen, die zu den aristokratischen Tendenzen der Hahn-Hahn in bewußtem Gegensatz standen, galt die Verfasserin der Ilda Schönholm viele Jahre lang für eine der Sand ebenbürtige Schriftstellerin, wenn nicht für die deutsche George Sand.« Vgl. J. *Eckardt,* Der ›Rechte‹ der Gräfin Hahn-Hahn. In: Deutsche Rundschau 104, 1900, S. 245. Marieluise *Steinhauer* erbringt den gleichen Verwandtschaftsnachweis für Fanny Lewald. Sie widmet dem sogar ein ganzes Buch: Fanny Lewald, die deutsche George Sand (Berlin, 1937). Robert Prutz hingegen hält Luise Mühlbach und Ida Hahn-Hahn für die beiden deutschen Repräsentantinnen der Sandschen Ideen. Vgl. Die deutsche Literatur der Gegenwart 1848–1858, Bd 2, S. 254 f. Bei Charlotte Keim ist es Louise Aston, die den Titel der deutschen George Sand erhält. Vgl. Charlotte *Keim,* Der Einfluß George Sands auf den deutschen Roman. Ein Beitrag zur Geschichte des deutschen Frauenromans in den 30er und 40er Jahren des 19. Jahrhunderts. (Diss. masch. Berlin, 1924), S. 263.

2 Vgl. Jost *Hermand,* Allgemeine Epochenprobleme. In: Zur Literatur der Restaurationsepoche 1815–1848 (Stuttgart, 1970), S. 25.
3 Karl *Gutzkow,* Lebenserinnerungen III, Ausgewählte Werke. Hrsg. von Heinrich Hubert *Houben* (Leipzig, 1908), Bd 12, S. 62.
4 Ebd.
5 Johannes *Proelß,* Das junge Deutschland. Ein Buch deutscher Geistesgeschichte (Stuttgart, 1892), S. 16.
6 Als Gegenroman zu Karl *Gutzkows* Wally die Zweiflerin schrieb Georg *Neu* 1836 seine Betty die Gläubige. Der Roman ist entsprechend dem Wally-Schema angelegt und endet ebenfalls mit einer Abhandlung über religiöse Fragen. Die an Pneumonie leidende Betty, die sich nach ihrer unglücklichen Konvenienzehe auf ein kleines Landgut zurückgezogen hat, bittet ihren Jugendfreund Victor, ihr seine Ansichten über das Christentum mitzuteilen. Im Gegensatz zu Wally ist sie nach dieser Lektüre zutiefst in ihrer Frömmigkeit bestärkt und kann ihrem nahenden Ende mit christlicher Seelenruhe entgegensehen. So stirbt sie friedlich mit Gott im Herzen und Victor an ihrer Bettkante.
7 Vgl. Jost *Hermand,* Die literarische Formenwelt des Biedermeiers (Giessen, 1958), S. 10.
8 Theodor *Mundt,* Geschichte der Literatur der Gegenwart (Berlin, 1842), S. 353.
9 *Eichendorff,* Die Deutsche Salon-Poesie der Frauen, S. 464.
10 Vgl. Karl Lebrecht *Immermann,* Die Familie. In: Werke. Hrsg. von Robert *Boxberger* (Berlin, o. J.), Bd 18, S. 94–98.
11 Vgl. Werner *Suhge,* Saint-Simonismus und junges Deutschland. Das Saint-Simonistische System in der deutschen Literatur der ersten Hälfte des 19. Jahrhunderts (Berlin, 1935), S. 8.
12 *Weber-Kellermann,* Die deutsche Familie. Versuch einer Sozialgeschichte, S. 100.
13 Ebd., S. 101.
14 Ebd., S. 104.
15 Ebd., S. 107 f.
16 Natalie *Halperin,* Die Deutschen Schriftstellerinnen in der zweiten Hälfte des 18 Jahrhunderts (Versuch einer soziologischen Analyse). (Diss. Frankfurt, 1935), S. 32.
17 Ebd., S. 2.
18 Hellmut *Mielke* weist in seiner Abhandlung über den Deutschen Roman darauf hin, daß es Klopstock ist, der »den neuen Stand der Literatur schafft« und der »der erste Poet« ist, »der sein Leben und seine Laufbahn abhängig macht von dem Ertrage und Erfolge seiner dichterischen Werke«. Der deutsche Roman (Dresden, 1912), S. 7.
19 Ausdruck dieses subjektivistisch-liberalistischen Freiheitspathos ist auch Bettina von Arnims Briefroman Ilius Pamphilius und die Ambrosia aus dem Jahre 1848. Während die politische Lage in Deutschland immer gespannter wird, schwelgen Ambrosia und Pamphilius in endlosen Kunst- und Naturbetrachtungen und kultivieren vor allem die Angelegenheiten ihres Ich. Und so schreibt Ambrosia an ihren Freund: »Denke nicht daß Du in anderem Sinn etwas für die Menschheit thun könntest, als selbst zu werden.« Bettina von *Arnim,* Ilius Pamphilius und die Ambrosia, Bd II (Berlin, 1848), S. 298.
20 Minna *Cauer,* Die Frau im 19. Jahrhundert (Berlin, 1898), S. 80.
21 Vgl. *Bieber,* Der Kampf um die Tradition, S. 367.
22 *Prutz,* Die deutsche Literatur der Gegenwart. 1848–1858, Bd 2, S. 252.
23 *Gottschall,* Die deutsche Nationalliteratur des neunzehnten Jahrhunderts, Bd 4, S. 317.
24 Vgl. Henriette *Hanke,* Romane und Erzählungen. 126 Bde (Hannover, 1841–1857).
25 Arnold *Ruge,* Ueber George Sand und die Tendenzpoesie. Sämtliche Werke (Mannheim ²1847), Bd 3, S. 362 f.

26 Claude-Henri de *Saint-Simon,* Nouveau Christianisme. Oeuvres (Paris, 1966), Tome 3, S. 147 f.
27 Ebd., S. 163 f.
28 Ders., Du Système Industriel. Oeuvres, Tome 3, S. 45 ff. »Les efforts d'intelligence les plus grands, les plus positifs et les plus utiles sont faits par les cultivateurs, par les négociants, par les artistes et par les manufacturiers, ainsi que par les physiciens, par les chimistes et par les physiologistes qui font corps avec eux, et qui doivent être considérés aussi comme des industriels, puisqu'ils travaillent à découvrir et à coordonner les faits généraux propres à servir de base à toutes les combinaisons de culture, de commerce et de la fabrication. Ainsi, les industriels ont une supériorité très-prononcée et très-positive d'intelligence acquise sur les autres Francais. [...] Les tracaux auxquels se livrent les industriels ont différents degrés de généralité, et il résulte de cette disposition fondamentale une sorte de hiérarchie entre les différentes classes qui composent cette masse énorme de citoyens actifs pour la production.«
29 Zit. nach Eduard *Royen,* Die Auffassung der Liebe im jungen Deutschland (Diss. Münster, 1928), S. 3.
30 Ebd., S. 3 f.
31 *Suhge,* Saint-Simonismus und junges Deutschland, S. 36.
32 Ebd., S. 72.
33 Heinrich *Heine,* Französische Zustände. Sämtliche Werke. Hrsg. von Ernst *Elster.* Kritisch durchgesehene und erläuterte Ausgabe (Leipzig/Wien, 1887–1890), Bd 5, S. 56.
34 Ders., Zur Geschichte der Religion und Philosophie in Deutschland. Sämtliche Werke, Bd 4, S. 221 f.
35 Eine Ausnahme bildet hierin lediglich Ludwig Börne. Er äußert sich entschieden gegen die Frauenemanzipation. So liest man in seinen Briefen aus Paris: »Einen andern Grundsatz sprechen die Simonisten deutlich aus: den der *Emanzipation der Weiber.* Wollen sie damit täuschen, oder täuschen sie sich selbst – ich weiß es nicht. Vielleicht heucheln sie diesen Grundsatz, um die Frauen für ihre Sekte zu gewinnen. Ist es ihnen aber Ernst, dann sind sie in einem Wahne befangen, der nur darum nicht verderblich ist, weil er nie Wirklichkeit werden kann« (30. Dezember 1831).
36 Vgl. *Royen,* Die Auffassung der Liebe im jungen Deutschland, S. 84.
37 Ebd., S. 40.
38 Theodor *Mundt,* Madonna. Unterhaltung mit einer Heiligen (Frankfurt, 1973), S. 43.
39 Vgl. Claire *Démar,* L'Affranchissement de la Femme. Commenté par Valentin *Pelosse* (Paris, 1976).
40 Vgl. *Gutzkow,* Lebenserinnerungen II, S. 237.
41 *Royen,* Die Auffassung der Liebe im jungen Deutschland, S. 7.
42 Heinrich *Laube,* George Sands Frauenbilder (Brüssel, 1845).
43 Vgl. *Prutz,* Die deutsche Literatur der Gegenwart, Bd 2, S. 253.
44 Literaturblatt No 28 (Beilage zum Morgenblatt), 15. 3. 1839.
45 Ebd.
46 *Suhge,* Saint-Simonismus und junges Deutschland, S. 33.
47 *Keim,* Der Einfluß George Sands auf den deutschen Roman, S. 47.
48 *Gutzkow,* Lebenserinnerungen II, S. 239. Wie stark das anekdotische Interesse an Sand war, läßt sich auch an dem folgenden Party-Gespräch zwischen Franz Liszt und einer Dame der Königsberger Gesellschaft erkennen, das Fanny Lewald in ihrer Lebensgeschichte aufgezeichnet hat. »›Trägt George Sand Männerkleider?‹ – ›So sagt man!‹ – ›Sie kennen George Sand genau?‹ – ›O ja! seit langen Jahren!‹ – ›Raucht George Sand?‹ – ›Ja! sie raucht!‹ antwortete der Gequälte, welcher sich

seinem Plagegeist ... nicht wohl entziehen konnte, mit verzweifelter Geduld.« Fanny *Lewald*, Meine Lebensgeschichte, 3. Abtheilung. Befreiung und Wanderleben, 1. Theil, S. 199.

49 Obgleich dieser Roman als eine Gemeinschaftsarbeit mit dem damals 21jährigen Jules Sandeau gilt, tragen die Personen doch so ausgesprochen Sandsche Züge, daß man ihr unbedenklich den Hauptanteil des Romans zuschreiben darf. Vgl. hierzu auch Julian *Schmidt*, George Sand. In: Portraits aus dem neunzehnten Jahrhundert (Berlin, 1878), S. 235.

50 George *Sand*, Indiana (Paris, 1832), S. 134 f.

51 Vgl. das Literatur-Blatt No 65 vom 26. 6. 1833: »Die Entsagungsromane der schriftstellernden Damen in Deutschland mögen als Romane nicht sehr unterhaltend seyn und die Verfasserinnen mögen ihren Gegenstand nicht gut gewählt haben, aber sie stehen doch bei weitem höher, da sie das menschliche Herz nicht vergiften, sondern erheben und mit edeln Bildern und Gefühlen nähren«.

52 *Weber*, Ehefrau und Mutter in der Rechtsentwicklung, S. 318.

53 Mit bitterem Spott mokiert sich George Sand über eine Gesetzgebung, die junge Mädchen zur Ehelosigkeit verdammt, sofern sie Bürgerinnenrechte verlangen sollten. »Erreur détestable de notre législation qui place en effet la femme dans la dépendance cupide de l'homme, et qui fait du marriage une condition d'éternelle minorité, tandis qu'elle déciderait la plupart des jeunes filles à ne se jamais marier si elles avaient la moindre notion de la législation civile à l'âge où elles renoncent à leurs droits. Il est étrange que les conservateurs de l'ordre ancien accolent toujours avec affectation dans leur devise menteuse ces mots de famille et de propriété, puisque le pacte du mariage tel qu'ils l'admirent et le proclament, brise absolument les droits de propriété de tout un sexe.« George *Sand*, Souvenirs et Idées (Paris, 1904), S. 25.

54 *Weber*, Ehefrau und Mutter in der Rechtsentwicklung, S. 318.

55 Ebd., S. 320.

56 Ebd., S. 326.

57 Vgl. *Sand*, Souvenirs et Idées, S. 28. »Notre législation ... attribue au mari ... son droit d'adultère hors du domicile conjugal, son droit de meurtre sur la femme infidèle, son droit de diriger à l'exclusion de sa femme l'éducation des enfants, celui de les corrompre par de mauvais exemples ou de mauvais principes, en leur donnant ses maîtresses pour gouvernantes comme cela s'est vu dans d'illustres familles; le droit de commander dans la maison et d'ordonner aux domestiques, aux servantes surtout d'insulter la mère de famille. [...] enfin le droit de la déshonorer par des soupçons injustes ou de la faire punir pour des fautes réelles. Ce sont là des droits sauvages, atroces, antihumains.«

58 Ebd., S. 32.

59 Auch in ihren Romanen beschäftigt sie sich mit dem Schicksal der abhängigen und dienenden Frauen. So wird z. B. in Indiana die Freundschaft Mme Delmares und ihrer Kammerzofe Noun und in Valentine, die zwischen dem Schloßfräulein und der Pächterstochter hauptsächlich durch das Gefühl weiblicher Solidarität bestimmt.

60 *Sand*, Histoire de ma vie (Paris, 1854/55), Bd I. 1, S. 11.

61 *Gutzkow*, Paris und Frankreich in den Jahren 1834–1874, Gesammelte Werke, Erste Serie (Jena, 1879), Bd 7, S. 119.

62 Ebd., S. 122.

63 Zit. nach *Keim*, Der Einfluß George Sands auf die deutsche Literatur, S. 98.

64 *Gutzkow*, Wally die Zweiflerin (Göttingen, 1965), S. 18*.

65 Vgl. *Keim*, S. 116.

66 Vgl. *Gutzkow*, Eine Phantasieliebe, Gesammelte Werke, Erste Serie (Jena, 1873), Bd 2, S. 281.

67 Vgl. Anmerkung 42.

68 Vgl. Ida *Hahn-Hahn,* Erinnerungen aus und an Frankreich (Berlin, 1841). Es gibt nur eine einzige Stelle in ihrem gesamten Schrifttum, wo sie sich direkt auf George Sand bezieht und über deren Lélia spricht. Und zwar geschieht das in ihrem Roman Zwei Frauen, wo in einem Lesezirkel heftig darüber diskutiert wird, ob ein so unmoralisches Opus wie die Lélia von Frauen überhaupt gelesen werden darf. Vgl. *Hahn-Hahn,* Zwei Frauen, Bd 1, S. 124 f.

69 Vgl. Fanny *Lewald,* Meine Lebensgeschichte, 3. Abtheilung. Befreiung und Wanderleben, 2. Theil (Berlin, 1862), S. 150.

70 *Keim,* S. 169 f.

71 Eine ähnlich zynische Haltung den Frauen und der Liebe gegenüber demonstrieren häufig auch Gutzkows Männergestalten. So gibt z. B. Blasedow seinen Söhnen den Rat: »Sprecht ihr mit Frauen, so haltet den Kopf unverrückt in die Höhe und wendet *ihn* nicht, sondern nur die Augen, je nach Euren Einfällen und Affecten ... Laßt Euch von Frauen nicht überflügeln! [...] Sie haben im Hintergrunde der Vortruppen, mit welchen sie harceliren, nur noch *sich* selbst, ihre Person, das, was sie ihr Herz nennen und was selten mehr als ihre Eitelkeit ist. Wisset Ihr das, kann es Euch da noch schwer fallen, Frauen für zu unbedeutend zu halten, als daß Ihr sie zum Mittelpunkte Eures jungen Lebens macht.« *Gutzkow,* Blasedow und seine Söhne, Gesammelte Werke, Erste Serie (Jena, 1879), Bd 5, S. 233 f. In Seraphine ist es der jugendliche Arthur, der voller Herablassung räsoniert: »Wenn ich mich aber hinreißen lasse und ihr [Seraphine] meine Begriffe zu entwickeln beginne, dann bleibt sie in ihren Entgegnungen beim Trivialen, Angelernten, bei der Phrase. Ich weiß, sie sind Alle so, die sich vorzugsweise höher dünkenden weiblichen Naturen. Sie haben Alle die gefühlvollen Gemeinplätze über Liebe, Religion, Leben sich zu eigen gemacht und fallen dir, wenn du aus des Gedankens tieffstem Borne schöpftest, mit ihrem schon Alles Gewußthaben in die Flanken.« *Gutzkow,* Seraphine, Gesammelte Werke, Erste Serie, Bd 2, S. 358.

72 Eine Unterscheidung, die bereits Rousseau hervorhob, wenn er feststellte: »Es gibt keine Gleichartigkeit zwischen den beiden Geschlechtern im Hinblick auf das Geschlechtliche. Der Mann ist nur in gewissen Augenblicken Mann, die Frau ist Frau ihr ganzes Leben lang.« Vgl. *Rousseau,* Emile, Buch 5, S. 726.

73 Es ist nicht uninteressant, daß sie selbst Rousseau als einen ihrer wichtigsten Lehrmeister angibt. Vgl. *Keim,* S. 64.

74 Vgl. *Lewald,* Befreiung und Wanderleben, Bd 2, S. 150. »Nicht weniger unwahr und nicht weniger langweilig ... sind mir aber auch jene vollendeten Tugendheldinnen, jene idealischen Weiber, jene weiblichen, sogenannten unverstandenen Seelen erschienen, welche in der Zeit, in der ich zu schreiben begann, aus Frankreich in unsere Romane eingeführt worden waren, und gegen die ich, nachdem ich eine Weile mit einfältiger Bewunderung an sie geglaubt hatte, bald einen wahren Abscheu empfand.«

75 *Gutzkow,* Zur Philosophie der Geschichte (Hamburg, 1836), S. 144. Eine solche negative Einstellung zur Frauenemanzipation läßt sich noch an zahlreichen ähnlichen Äußerungen ersehen. So heißt es z. B. höchst ironisch: »Die Frauen wollen keine Engel mehr sein, sie wollen Menschen werden. Ihr Mund soll nicht zum Küssen, zu leisem Liebesgeflüster, sondern zur politischen Beredsamkeit geformt sein. [...] Kommt es zum Kriege, so gehen die französischen Damen den Russen bis an den Rhein entgegen. Liebreiz und Anmut, kriegerischer Adel und männlicher Stolz werden die schönsten Ingredienzen zu Romanen sein, die die deutsche Grenze entlang sich anlegen, entwickeln und mit allgemeiner Entsagung und Entwaffnung schließen werden.« Zit nach *Royen,* Die Auffassung der Liebe im jungen Deutschland, S. 30 f.

*Die Emanzipation des Herzens*

1 Sophie *Pataky,* Lexikon deutscher Frauen der Feder. Eine Zusammenstellung der seit dem Jahre 1840 erschienenen Werke weiblicher Autoren nebst Biographien der Lebenden und einem Verzeichnis der Pseudonyme (Berlin, 1971), S. VIII f.
2 Vgl. Elise *Oelsner,* Die Leistungen der deutschen Frau auf wissenschaftlichem Gebiete (Guhrau, 1894).
3 Vgl. *Schindel,* Die deutschen Schriftstellerinnen des neunzehnten Jahrhunderts.
4 Vgl. hierzu auch die anonym erschienene Schrift, Sind die Frauenzimmer Menschen? (Berlin, 1805).
5 Erinnerungsblätter aus dem Leben Luise Mühlbach's. Hrsg. von Thea *Ebersberger* (Leipzig, 1902), S. 26.
6 *Prutz,* Die deutsche Literatur der Gegenwart, Bd 2, S. 253.
7 *Gulde,* Studien zum jungdeutschen Frauenroman, S. 63 f.
8 Vgl. Luise *Mühlbach,* Bunte Welt (Stuttgart, 1841), Bd 1, S. 114, »In rasendem Zorn traf seine [des Ehemanns] Hand mein Gesicht. Ein einziger Schrei entfuhr meinen Lippen, dann packte ich, außer mir, den Dolch, der auf meinem Schreibtisch lag, und zuckte ihn auf Albert. Nun entspann sich ein augenblicklicher aber furchtbarer Kampf.«
9 Vgl. *Habermas,* Strukturwandel der Öffentlichkeit, S. 61.
10 Ebd.
11 Erna von *Pustau,* Die Stellung der Frau im Leben und im Roman der Jungdeutschen (Berlin, 1928), S. 15.
12 Vgl. *Gulde,* Studien zum jungdeutschen Frauenroman, S. 64 f.
13 *Laube,* Liebesbriefe, Werke, S. 41.
14 Johann Gottlieb *Fichte,* Grundlage des Naturrechts, Werke, Auswahl in 6 Bdn, hrsg. von Fritz *Medicus* (Leipzig, o. J.), Bd 2, S. 324. Fichte beläßt es aber nicht nur bei einer solchen Kritik. Als Ausweg aus diesem Dilemma schlägt er die folgende staatsrechtliche Veränderung vor: da sich die Eltern, als die juristischen Vertreter ihrer Kinder, schwerlich selbst anklagen werden, die unverehelichte Tochter aber völlig unter ihrer Gewalt steht, sollte diese von dem Augenblick an, wo sie, indem sie für eine Heirat bestimmt wird, als mannbar angesehen wird, aus der elterlichen Vormundschaft entlassen sein. Dadurch würde sie zumindest juristisch in der Lage sein, sich einer Konvenienzehe zu widersetzen. (Vgl. Naturrecht, S. 325).
15 Auch Mundt bezeichnet den »Häuslichkeitstrieb« als eine Konstante im weiblichen Wesen. Vgl. *Mundt,* Madonna, S. 7. »... daß man die Frauen, selbst die geistvollsten und begabtesten, doch fast nie auch im höchsten Schwunge, den man ihnen giebt, von ihrem nächsten häuslichen Kreise, von Vettern und Cousinen, ganz abzuführen vermag ... Sie wollen es sich gern überall gleich häuslich machen, und verrathen so auch in der Kunst ihren wahrlich liebenswürdigen Häuslichkeitstrieb.«
16 Luise *Mühlbach,* Erste und letzte Liebe (Altona, 1838), S. 47 ff.
17 Ebd., S. 31.
18 Ebd., S. 44 f.
19 Ebd., S. 202.
20 Ebd., S. 261.
21 Vgl. das Kapitel »Erneuerung der Barock- und Aufklärungstradition«, *Sengle,* Biedermeierzeit, S. 114 ff.
22 Vgl. Anmerkung 15.
23 Zit. nach *Suhge,* Saint-Simonismus und junges Deutschland, S. 120.
24 *Mühlbach,* Die Gattin. In: Frauenschicksal (Altona, 1839), Erster Theil, S. 249.
25 Ebd.
26 *Mühlbach,* Erste und letzte Liebe, S. 80.
27 *Mühlbach,* Der Zögling der Natur (Altona, 1842), S. 223.

28 Vgl. hierzu auch R. K. *Angress,* Sklavenmoral und Infantilismus in Frauen- und Familienromanen. In: Popularität und Trivialität. Fourth Wisconsin Workshop. Hrsg. von Reinhold *Grimm* u. Jost *Hermand* (Frankfurt, 1974), S. 130.

29 Doch nicht nur an dieser sensationellen Inhaftierung des jungen Autors läßt sich die Reaktion der Zeitgenossen erkennen. Noch aufschlußreicher sind die über vierzig Traktate, die Ruth-Ellen B. Joeres ermittelt hat, die alle in höchst polemischer Form auf das Neue dieses Romans reagieren. Vgl. Ruth-Ellen B. *Joeres,* The Gutzkow-Menzel Tracts: A critical response to a novel and an era. In: Modern Language Notes, Vol. 88, No. 5, Oct. 1973, S. 988–1010.

30 Vgl. *Angress,* Sklavenmoral und Infantilismus in Frauen- und Familienromanen, S. 133.

31 *Gutzkow,* Wally die Zweiflerin, S. 15*.

32 Von den 430 Seiten des Romans entfallen auf die eigentliche Madonna-Geschichte nur ganze 73 Seiten.

33 Vgl. *Mundt,* Madonna, S. 240 f.

34 Ebd., S. 222 f.

35 Ebd., S. 143.

36 Ebd., S. 301.

37 Ebd., S. 313.

38 Ebd., S. 424.

39 Ebd., S. 425.

40 *Mühlbach,* Das Mädchen. In: Frauenschicksal (Altona, 1839), Erster Theil, S. 38 f.

41 »Nur in ihrer Unschuld lag ihre Schuld! Hätte sie die Welt gekannt, wäre in ihrer Seele weniger Glauben, in ihrem Herzen weniger Liebe gewesen, so wäre sie nicht gefallen. Nun wird sie die Welt verdammen, vernichten, mit schonungsloser Grausamkeit, und doch ist sie besser, als viele dieser Tugendrichterinnen, die unbefleckt bleiben, nur weil sie von der Welt Mißtrauen lernten, weil sie wußten, das Schwüre täuschen, und Worte lüge können. – Doch ist sie besser als die Mutter dessen, der ihr Verderber war, die, ihres Flehens, ihrer Thränen, ihrer hülflosen Lage nicht achtend, sie hinausstieß aus ihrem Hause, und dennoch wußte, daß ihr eigener Sohn ihr Verderber war.« Das Mädchen, S. 42.

42 Ebd., S. 46 f.

43 Und so lautet der abschließende Kommentar des Romans: »Wieder ein Opfer der Reichen! Wieder eines jener armen Geschöpfe, deren Leichtgläubigkeit ihr Verderben war. Ach wenn doch diese vornehmen reichen jungen Herren Mitleid hätten mit den armen Geschöpfen, die bethört, willenlos in ihren Armen hängen, geblendet von ihrer äußeren Erscheinung ... ihnen sich ganz anvertrauen.« (S. 61).

44 *Mühlbach,* Bunte Welt (Stuttgart, 1841), Bd 1, S. 96 f.

45 Ebd., S. 103.

46 Ebd., S. 190.

47 Ebd., S. 80.

48 Ebd., S. 82 f.

49 Ebd., S. 87.

50 Max *Frisch,* Stiller (Frankfurt, 1954), S. 423.

51 *Mühlbach,* Eva. Ein Roman aus Berlins Gegenwart (Berlin, 1844), S. 16.

52 Obgleich die Frauen ursprünglich durchaus für zunftfähig gehalten wurden und auch im Mittelalter von keinem Gewerbe, für das ihre Kräfte ausreichten, ausgeschlossen waren, begann sich das seit der Reformation allmählich zu ändern. Das hing zum Teil mit der zunehmend schwieriger werdenden Situation des deutschen Handwerks zusammen, mit dem Problem der Überproduktion und dem daraus resultierenden kleinlichen Brotneid. Man versuchte daher, jeden neuen Eindringling möglichst fernzuhalten. Daß die Zunftausschließung zuerst auf die Frauen fiel, versteht sich bei einer patriarchalisch strukturierten Gesellschaft von selbst. Und so

wurde seit dem 17. Jahrhundert sogar aus der Schneiderei, die im Mittelalter noch stark durch Frauen vertreten war, ein reines Männerhandwerk. Im 18. Jahrhundert hatte sich das allgemeine Zunftverbot für die Frauen überall durchgesetzt, so daß im Handwerk keine Frauen mehr tätig waren. Vgl. Robert und Lisbeth *Wilbrandt*, Die deutsche Frau im Beruf. Handbuch der deutschen Frauenbewegung, Teil IV, S. 13–18.

53 *Mühlbach,* Eva. Ein Roman aus Berlins Gegenwart, S. 128 f.

54 Ebd., S. 129.

55 Simone de *Beauvoir,* Das andere Geschlecht. Sitte und Sexus der Frau (Hamburg, [6]1974), S. 265.

56 *Mühlbach,* Eva, S. 162.

57 Ebd., Bd 2, S. 287.

58 Die Pilger der Elbe (1839), Glück und Geld (1842), Justin (1843), Ein Roman in Berlin (1846) und Die Tochter der Kaiserin (1848).

59 Vgl. Vita *Sackville-West,* Aphra Behn, The Incomparable Astrea (London, 1927).

60 Vgl. Klaus *Reichert,* Die verspielte Realistin. In: Aphra *Behn,* Oroonoko oder die Geschichte des königlichen Sklaven (Frankfurt, 1966), S. 110.

61 Ebd., S. 114.

62 »Auf schmaler steiler Treppe gelangten sie hinunter in das Zwischendeck, und traten durch die Breterthüre in den großen, als allgemeiner Aufenthaltsort benutzten Raum. Eine verpestete dicke Luft schlug Effie entgegen ... Der Raum war finster ... In der Mitte dieses großen niedrigen Saals, der die ganze Länge des großen Schiffes einnahm, war ein schmaler Durchgang, und zu beiden Seiten desselben befanden sich an die Wand angenagelte hölzerne Pritschen in fortlaufender Reihe, und in zwei Etagen über einander diese breternen harten Pritschen, alle fünf Fuß Länge durch ein angenageltes Bret getrennt, waren die Schlafstellen der Auswanderer, waren ihr Wohnung, ihr Lager, der ganze Raum, auf den sie angewiesen ... Und dicht über sein Häupten so niedrig, daß beim Aufrechtsitzen der Kopf sie berührt, wieder eine solche Schichte hölzerner Käuen. Zwei Bettgenossen neben sich, drei über sich, bei jeder Bewegung dieser oder oben den Schmutz und Staub durch die lockergefügten Breter herabrieseln zu fühlen auf das Gesicht! Nicht athmen zu können, ohne die von oben herabdringenden Ausdünstungen einzuschlucken!« (Bunte Welt, Bd 2, S. 106 f.)

63 *Mühlbach,* Aphra Behn (Berlin, 1849), Bd 1, S. 55.

64 Aphra *Behn,* Oroonoko oder die Geschichte des königlichen Sklaven, S. 13.

65 *Mühlbach,* Aphra Behn, S. 171.

66 Ebd., S. 244.

67 Ebd.

68 Ebd., Bd 2, S. 118 ff.

69 Ebd., Bd 2, S. 283.

70 Ebd., Bd 2, S. 284.

71 Vgl. Paul *Weiglin,* Ein Gelehrter, ein Narr und eine Dame von Welt. In: Deutsche Rundschau (1950), 76. Jg., Heft 11., S. 955 f.

72 Vgl. hierzu die familiengeschichtlich besonders materialreiche Dissertation Katrien van *Munsters,* Die junge Ida Gräfin Hahn-Hahn (Graz, 1929), S. 15.

73 Ebd., S. 88. »Dem Publikum wurde hier in der Tat etwas Neues geboten. Das Leben der ersten Stände, ihre ›interessanten‹, hochtrabenden Gespräche, ihr Lieben und ihr Hassen, ihre Tugenden und Laster wurden hier zum ersten Mal von einer Frau, von ihrem Gesichtspunkt aus, vorgeführt.«

74 Vgl. *Prutz,* Die deutsche Literatur der Gegenwart, Bd 2, S. 254.

75 Diese Haltung vertritt vor allem Carl *Barthel.* »In allen ihren Romanen, wie ›Gräfin Faustine‹, ›Sigismund Forster‹, ›Cecil‹ u. a.«, heißt es in seiner Nationalliteratur, »worin sie mit der höchsten Schreibfertigkeit, aber auch rein subjektiver Willkür,

Lebensfragen, wie die über das sociale Verhältniß der Geschlechter und den Konflikt zwischen der vornehmen Welt und dem Bürgerthum, behandelte, trat sie mit so krankhafter Emancipationssucht und so exklusiv-aristokratischen Tendenzen hervor, daß schon deshalb an wahrhafte Poesie in denselben nicht zu denken war.« Die deutsche Nationalliteratur der Neuzeit, S. 560.

76 Vgl. *Schmidt,* Geschichte der Deutschen Literatur, Bd 3, S. 222.

77 Vgl. *Eichendorff,* Die deutsche Salon-Poesie der Frauen, S. 479.

78 Vgl. Adolf *Brennglas* (Pseudonym für Glassbrenner), Der Prophet des Jahres 1852, komischer Almanach (Hamburg, 1852), 8. Januar.

79 Vgl. Alexander v. *Ungern-Sternberg,* Tutu. Phantastische Episoden und poetische Exkursionen (Meersburg, o. J.), S. 81.

80 Die Diogena (1847), ohne Verfassernamen und nur mit dem Zusatz »Roman von Iduna Gräfin H.-H.« versehen, war eine bissige und geistreiche Satire auf die literarischen Exzentrizitäten der Ida Hahn-Hahn, die erheblich dazu beigetragen hat, die Beliebtheit der Gräfin beim Lesepublikum zu schmälern. Als mutmaßliche Verfasser beargwöhnte man zunächst Fürst Pückler-Muskau und Alexander v. Ungern-Sternberg, bevor sich herausstellte, daß das witzige Machwerk aus der Feder einer Frau stammte, nämlich von Fanny Lewald.

81 Vgl. Theodor *Mundt,* Geschichte der Literatur der Gegenwart (Leipzig, ²1853), S. 733.

82 Vgl. *Spiero,* Geschichte der deutschen Frauendichtung seit 1800, S. 22.

83 Vgl. *Meyer,* Die deutsche Literatur des Neunzehnten Jahrhunderts, S. 183 f.

84 Vgl. *Sengle,* Biedermeierzeit, Bd 1, S. 234.

85 Ebd., Bd 2, S. 880.

86 Walter *Dietze,* Junges Deutschland und Deutsche Klassik. Zur Ästhetik und Literaturtheorie des Vormärz (Berlin, 1957, Neue Beiträge zur Literaturwissenschaft 6), S. 299.

87 »Unter allen Schriftstellerinnen aus der jungdeutschen Periode ragt die Gräfin Ida Hahn-Hahn hervor«, schreibt Julian *Schmidt* in seiner Literaturgeschichte und widmet ihr – trotz kritischster Beleuchtung – als der einzigen Frau, eine Auseinandersetzung von elf Seiten. (Wogegen Fanny Lewald nur .drei Seiten eingeräumt werden.) Vgl. Geschichte der Deutschen Literatur im neunzehnten Jahrhundert, S. 222.

88 *Eckardt,* Der ›Rechte‹ der Gräfin Hahn-Hahn. Eine Liebesgeschichte aus vormärzlicher Zeit, S. 245.

89 Ich stütze mich hier auf die Untersuchungen Katrien van *Munsters,* Die junge Ida Gräfin Hahn-Hahn, S. 170 sowie auf das der Arbeit beigefügte Zeitschriftenregister, S. 208–210.

90 Vgl. auch Gert *Oberempt,* Eine Erfolgsautorin der Biedermeierzeit. Studien zur zeitgenössischen Rezeption von Ida Hahn-Hahns frühen Gesellschaftsromanen. In: Kleine Beiträge zur Droste-Forschung 1972/73. Hrsg. von Winfried *Woesler* (Dülmen, 1973), S. 53.

91 Vgl. Margaret *Kober Merzbach,* Ida Gräfin Hahn-Hahn. In: Monatshefte (1955), Vol. XLVII, S. 27.

92 Vgl. auch *Spiero,* Geschichte der deutschen Frauendichtung seit 1800, S. 21.

93 *Alker,* Die deutsche Literatur im 19. Jahrundert, S. 119.

94 Vgl. Blätter für literarische Unterhaltung (1836), 1. Jg., S. 643/3.

95 Anders als bei den aristokratischen Schriftstellern wie etwa Pückler-Muskau oder Ungern-Sternberg, bei denen die literarische Produktion durch ihr Adelsprädikat noch zusätzliche Reize gewann, erfuhr Ida Hahn-Hahn schon sehr bald, daß man schreibenden Gräfinnen gegenüber im höchsten Maße argwöhnisch war. »Ich sah«, schreibt sie bezüglich einiger Rezensionen in ihren Erinnerungen aus und an Frankreich, »daß das kleine Wort Gräfin auf dem Titelblatt mich zu einer Art von Mon-

strum machte, das merkwürdigerweise ein Fünkchen Seele und Geist habe.« (Berlin, 1842), Bd 1, S. 72.

96 Erinnerungsblätter aus dem Leben Luise Mühlbach's, S. 60.

97 Die Abotriten oder auch Obotriten genannt, gehörten zu den ältesten bezeugten Stämmen auf mecklenburgischem Boden, und zwar handelte es sich um einen slavischen Stamm, der im 8. Jahrhundert um den Schweriner See ansässig wurde. Aus dieser historischen Tatsache leitete der obtritische Adel noch weit bis ins 19. Jahrhundert hinein seine Vorrangstellung her.

98 Vgl. hierzu auch die erste Hahn-Hahn-Biographie von Marie *Helene,* Gräfin Ida Hahn-Hahn. Ein Lebensbild nach der Natur gezeichnet (Leipzig, 1869), S. 6.

99 Ebd., S. 3.

100 Rostocker gelehrten Beiträge von 1840, S. 368.

101 *Helene,* Gräfin Ida Hahn-Hahn, S. 5.

102 Ebd., S. 13. Vgl. auch Erna Ines *Schmid-Jürgens,* Ida Gräfin Hahn-Hahn (Berlin, 1933), S. 12 f.

103 *Hahn-Hahn,* Jenseits der Berge (Leipzig, 1840), S. 117 f.

104 In ihren Erinnerungsblättern gibt Luise *Mühlbach* eine farbige Schilderung von dem Werdegang »des reichsten Mannes von Mecklenburg«, den die Theaterleidenschaft um sein ganzes Besitztum brachte und der, von seiner Familie seit 1816 unter Kuratel gestellt, völlig verarmt, in Hamburg bei seiner ehemaligen Wirtin, einer armen Wäscherin, gestorben ist. »Mochte Graf Hahn mit noch so großen Zetteln an allen Straßenecken jeder Stadt, in welcher er sein ambulantes Theater aufschlug, ankündigen, daß heute das erhabenste Dichterwerk von Schiller, ›Don Carlos‹, gegeben werde, oder daß jeder, welcher Sinn habe für das Edle und Schöne, heute nach dem Theater wallen müsse, um den ›Egmont‹ von Goethe zu sehen: das Haus blieb leer. Die Aristokratie wollte nichts wissen von einem der Ihren, der sich so weit erniedrigt hatte, um bis zu einem Theaterdirector (zu einem »Handwerker«, wie sie ihn nannten) hinabzusteigen, und für das arme Volk war Schiller damals noch eine zu erhabene Speise, als daß die ihnen hätte munden können.« S. 140.

105 Vgl. *Munster,* Die junge Ida Gräfin Hahn-Hahn, S. 16.

106 So heißt es beispielsweise in der biographischen Skizze von Richard M. *Meyer:* »Doch scheint der eitle und haltlose Mann, der schon das Kind durch die Aufregungen seiner Effectproben in ein lebensgefährliches Nervenfieber jagte [er riß die Vierjährige aus dem Bett, um sie im Nachtröckchen zu einem Feuerwerk zu tragen!]), auf Ida wenig Einfluß geübt zu haben; sie gedenkt seiner nur mit unverhohlener Abneigung.« Allgemeine deutsche Biographie (Leipzig, 1875–1912), Bd 49, S. 712.

107 Und zwar handelt es sich dabei um den Roman Sigismund Forster, wo sie ganz unvermittelt auf dies bedrückende Kindheitserlebnis zu sprechen kommt. »Ich war da, zwischen den unheimlichen, fabelhaften, vermummten Gestalten mit Gesichtern ohne Augen, zwischen der Musik, dem Gewühl, den Lichtern, dem konfusen Tumult solchen Festes. Ich war halbtodt vor Angst; ich weinte, zuletzt schrie ich Zeter; da wurd' ich denn fortgebracht. Und dann war ein Feuerwerk auf der großen Pelouse hinter dem Schloß, und mein Vater, der mich abhärten und meine Nerven stählen wollte, bestand darauf, daß ich es ansehen sollte. Nun war aber dies große, wilde, grelle Feuer, und die Detonation der Schwärmer und Raketen, und die Menschenmasse bald flammend beleuchtet, bald schwarz und finster, und wieder dieser Tumult – etwas so Grauenvolles für mich, daß ich wieder in unerhörtes Geschrei ausbrach. Da aber mein Vater wollte, daß ich bleiben sollte, so blieb ich, und ertrug bis zum letzten Augenblicke die Marter eines Festes ...« (Berlin, [2]1845), S. 21.

108 *Helene,* Gräfin Ida Hahn-Hahn, S. 8.

109 Ebd., S. 16.

110 Ebd., S. 15.

111 Vgl. *Munster,* Die junge Ida Gräfin Hahn-Hahn, S. 51. Es ist immer wieder erstaun-

lich zu beobachten, ein wie wohlwollendes Echo dieser eine Satz, dieses vereinzelte Zeichen von Unterdrückungsbereitschaft in der Sekundärliteratur gefunden hat. »Die junge Frau, welche als eine äußerst anmuthige und frische Erscheinung geschildert wird, gab sich aufrichtig Mühe, ihrem Gemahl sich zu fügen, und bemerkte sehr schön in jenen Jahren einmal, ›die Frau muß ihrem Manne, auch wenn er ihr Unrecht thut, niemals zürnen‹«, liest man auch bei Paul *Haffner*. Ida Hahn-Hahn. Eine psychologische Studie. In: Frankfurter zeitgemäße Broschüre. Hrsg. von Paul *Haffner* (Frankfurt, 1880), Bd 1, S. 137.

112 Vgl. *Helene,* Gräfin Ida Hahn-Hahn, S. 18.

113 *Gutzkow,* Eine Phantasieliebe (ursprüngl. Titel, Imagina Unruh), Gesammelte Werke, Erste Serie (Jena, 1873), Bd 2, S. 261.

114 Vgl. Anmerkung 24 des 3. Kapitels dieser Untersuchung.

115 Vgl. vor allem Margarita in Ulrich, Diane in Cecil oder Clelia Conti und Faustine, die es entschieden vorziehen, ihre unglücklichen Ehen zu lösen als die Herabwürdigungen ihrer Ehemänner widerstandslos hinzunehmen.

116 *Hahn-Hahn,* Gräfin Faustine (Berlin, [3]1845), S. 63.

117 Vgl. Federico *Federici,* Der deutsche Liberalismus. Entwicklung einer politischen Idee (Zürich, 1946), S. XIII.

118 Vgl. *Sengle,* Biedermeierzeit, Bd 1, S. 192.

119 Vgl. ebd., den Abschnitt, »Restauration des Adels«, S. 17–20.

120 Vgl. ebd., S. 192 ff.

121 Es ist überhaupt erstaunlich, wie wenig Sengle dieser »Erfolgsautorin der Biedermeierzeit« in seinem Biedermeierwerk gerecht wird. In den knapp ein Dutzend Verweisen, die er anführt, befassen sich mehr als zwei Drittel mit ihren Gedichten, die nun wirklich die am wenigsten vorzeigbare Seite ihres oeuvres sind und von denen sie sich auch selbst distanziert hat. Für ihre Romane, die zum Teil tatsächlich neue Perspektiven eröffnen, bleibt auf diese Weise kaum noch Raum. Ärgerlich wird die Sache, wenn er bezüglich einer ihrer besten Romane beflissentlich von »ihrer Cecil« spricht, ohne gemerkt zu haben, daß der Held Cecil in Wirklichkeit ein Mann ist. (Vgl. Bd 1, S. 385).

122 Vgl. *Pustau,* Die Stellung der Frau im Leben und im Rroman der Jungdeutschen, S. 15.

123 Diese Angaben habe ich aus der materialreichen Dissertation Katrien van *Munsters* entnommen, die Einblick in die Familienarchive gehabt hat. Vgl. Die junge Ida Gräfin Hahn-Hahn, S. 50. Um sich den tatsächlichen Gebrauchswert von 1500 Talern in etwa zu vergegenwärtigen, sei daran erinnert, daß z. B. ein Assistenzarzt an der Universitätsklinik einer größeren Stadt über ein jährliches Einkommen von 100 Talern verfügte. Vgl. *Hahn-Hahn,* Zwei Frauen (Berlin, 1846), Bd 1, S. 147.

124 Ihre erste Gedichtsammlung erschien 1835 bei Brockhaus in Leipzig.

125 Vgl. *Sengle,* Biedermeierzeit, Bd 1, S. 22.

126 *Hahn-Hahn,* Von Babylon nach Jerusalem (Arnheim, 1851), S. 21.

127 Dies., Orientalische Briefe (Berlin, 1844), Bd 1, S. 280.

128 Selbst die Befriedigung der menschlichen Grundbedürfnisse, wie das der Flüssigkeitsaufnahme, war mit Schwierigkeiten verbunden. »Welch eine Bewegung in der Karawane entsteht, wenn man einen Brunnen in der Nähe vermuthet oder weiß, kannst Du Dir gar nicht vorstellen«, schreibt sie ihrer Mutter aus Jerusalem, »dazu muß man aber einen halben Tag im brennenden Sande und in der glühenden Sonne marschirt sein! man zeigt ihn aus der Ferne, man verdoppelt den Schritt, einige laufen voraus, die Pferde drängen mit aller Macht dahin und verdrängen einander am Troge«. *Orientalische Briefe,* Bd 2, S. 171.

129 Ebd., S. 170.

130 Vgl. *Oberempt,* Eine Erfolgsautorin der Biedermeierzeit, S. 53.

131 Vgl. Orientalische Briefe, Bd 1, S. 301.

132 *Hahn-Hahn,* Von Babylon nach Jerusalem, S. 27.

133 So beanstandet vor allem Erna Ines *Schmid-Jürgens* »die störenden langen Gespräche und Betrachtungen, die gar nicht zur Handlung gehören« und die durch das fortwährende »Einschalten der Persönlichkeit des Autors« nicht eingehaltene Objektivität. »Alles in allem«, moniert sie kategorisch, »läßt also der Aufbau an Straffheit und Konzentration sehr zu wünschen übrig«. Ida Gräfin Hahn-Hahn, S. 74 f.
134 Vgl. *Keim,* Der Einfluß George Sands auf den deutschen Roman, S. 185 f.
135 Vgl. Anmerkung 86 dieses Kapitels.
136 Zit. nach Jost *Hermand,* Heinrich *Laube:* Kritiken. In: Das Junge Deutschland. Texte und Dokumente (Stuttgart, 1960), S. 107.
137 *Hahn-Hahn,* Der Rechte (Berlin, ²1845), S. 243 f.
138 Dies., Zwei Frauen, Bd 2, S. 148.
139 Als Beispiel für den unkindlichen Konversationsstil sei das folgende Gespräch zwischen den etwa zehnjährigen Geschwistern Gaston und Blanche wiedergegeben: »›Es hilft nichts, meine Blanche‹, sagte Gaston, als sie wieder allein waren; ›laß es nur nach alter Weise gehen, und behalte Du mich wenigstens lieb. Die Eltern verbrauchen nun einmal alle Liebe, deren sie fähig sind, für Dich, und haben ganz Recht, denn Du bist liebenswürdig und ich bin es nicht‹. ›O Gaston‹, sprach Blanche und streichelte seine Wangen, ›Du bist doch weit besser als ich, zeige das, versteck Dich nicht, sei nicht scheu . . .‹« (*Hahn-Hahn,* Der Rechte, S. 61).
140 Vgl. hierzu auch *Hermand,* der die dem Biedermeier eigene Dialektik von Alters- und Jugendverklärung hervorhebt. Die literarische Formenwelt des Biedermeier, S. 14.
141 *Eckardt,* Der ›Rechte‹ der Gräfin Hahn-Hahn, S. 264.
142 Ebd.
143 Ebd.
144 *Conrad,* Frauenbriefe von und an Hermann Fürsten Pückler-Muskau, S. 222.
145 Ebd., S. 294.
146 Es ist anzunehmen, daß Hahn-Hahn hier unter dem Einfluß von Balzac stand, auch wenn es keinen direkten Beleg für diese Einflußquelle gibt.
147 Vgl. *Schmid-Jürgens,* Ida Gräfin Hahn-Hahn, S. 63.
148 Vgl. *Weiglin,* Ein Gelehrter, ein Narr und eine Dame von Welt, S. 955.
149 Vgl. Adolf *Töpker,* Beziehungen Ida Hahn-Hahns zum Menschentum der deutschen Romantik (Bochum, 1937), S. 8 f.
150 So schreibt Max Schneidewin zum Beispiel: »›Doralice‹ und ›Maria Regina‹ sind so hohe Werke, daß ich in Ehrfurcht erschauere, wenn ich von ihnen sprechen soll, und mir dagegen das Hohe der rein weltlichen Literatur in Schatten sinkt. Was sind selbst eine Antigone, eine Iphigenie, eine Leonore von Este, eine Thekla . . . gegen diese beiden wundervollen Verkörperungen der übernatürlichen Gottesliebe.« Ida Gräfin Hahn-Hahn. In: Hochland (1905), 2. Jg., Heft 9, S. 310.
151 Der Roman Aus der Gesellschaft, der 1838 bei Duncker in Berlin erschienen war, erhielt bei seiner 2. Auflage den Titel Ilda Schönholm, da 1845 eine Gesamtausgabe ihrer bis dahin erschienenen Werke unter dem Titel Aus der Gesellschaft herausgekommen war. Seitdem läuft ihr erster Roman auch unter dem Titel Ilda Schönholm.
152 Ebd., S. 173.
153 Vgl. Anmerkung 101 des ersten Kapitels dieser Untersuchung.
154 *Hahn-Hahn,* Aus der Gesellschaft, S. 172 f.
155 Ebd., S. 62 f.
156 Ebd., S. 131 f.
157 *Hahn-Hahn,* Ulrich (Berlin, ²1845), Bd 2, S. 138 f.
158 Wilhelm Heinrich *Riehl,* Die Familie. Die Naturgeschichte des Volkes als Grundlage einer deutschen Social-Politik (Stuttgart/Augsburg, ⁴1856), Bd 3, S. 1.
159 Ders., Die bürgerliche Gesellschaft (Stuttgart, ³1855), S. 23.

160 *Hahn-Hahn,* Zwei Frauen, Bd 1, S. 183.
161 Ebd., S. 185.
162 *Hahn-Hahn,* Ulrich, Bd 1, S. 47.
163 Ebd.
164 *Hahn-Hahn,* Der Rechte, S. 132.
165 Dies., Gräfin Faustine (Berlin, [3]1845), S. 64.
166 Dies., Der Rechte, S. 212.
167 Erste Auflage 1840, zweite Auflage 1843, dritte Auflage 1845.
168 Gräfin Faustine, S. 244 f.
169 Ebd., S. 20.
170 Ebd., S. 291.
171 George *Sand,* Lélia (Paris, 1960), S. 100.
172 Ebd., S. 103.
173 Faustine, S. 306.
174 Ebd., S. 294.
175 Vgl. *Immermann,* Werke, Bd 18, S. 98.
176 Selbst in der meines Wissens einzigen Untersuchung zum Frauenroman dieser Ära, in *Guldes* Studien zum jungdeutschen Frauenroman, wird dieser Roman überhaupt nicht erwähnt.
177 Vgl. *Gottschall,* Die deutsche Nationalliteratur des neunzehnten Jahrhunderts, Bd. 4, S. 376.
178 *Hahn-Hahn,* Zwei Frauen, Bd 1, S. 17.
179 Ebd., S. 9 f.
180 Ebd., S. 12 f.
181 Ebd., S. 13.
182 Ebd., S. 32 f.
183 Ebd., S. 33 f.
184 Ebd., S. 185 f.
185 Ebd., S. 189.
186 Ebd., Bd 2, S. 36 ff.
187 Ebd., S. 56 f.
188 Ebd., S. 93.
189 Ebd., S. 95.
190 Henrik *Ibsen,* Nora. Gesammelte Werke (Leipzig, o. J.), S. 75.
191 Zwei Frauen, Bd 1, S. 7.
192 Ebd., S. 42 f.
193 In ihren Erinnerungsblättern schildert *Mühlbach,* wie die von ihren jagenden, reitenden und Karten spielenden Männern beständig sich selbst überlassenen Landedelfrauen sich gierig auf die neue Mode des Magnetismus warfen. »Diese Krankheit war ansteckend wie andere Kinderkrankheiten, wie die Masern und das Scharlachfieber, und bald gehörte es einigermaßen zum guten Ton der vornehmen Edelfrauen, daß sie am magnetischen Schlafe litten.« (S. 69).
194 Zwei Frauen, Bd 1, S. 121.
195 Ebd., S. 123.
196 Ebd., S. 44.
197 Ebd., S. 123.
198 Ebd., S. 126.
199 Ebd.
200 Ebd., Bd 2, S. 222 f.

*Die Emanzipation zur Arbeit*

1 Fanny *Lewald,* Meine Lebensgeschichte, 1. Abtheilung. Im Vaterhause, 2. Theil, S. 219.
2 Ebd., S. 9 ff.
3 Vgl. *Moscherosch,* Insomnis. Cura Parentum, S. 66.
4 *Lewald,* Im Vaterhause, 1. Theil, S. 219.
5 Dies., Meine Lebensgeschichte, 3. Abtheilung. Befreiung und Wanderleben, 2. Theil, S. 54 f.
6 Vgl. hierzu *Hermand,* der in seinem Aufsatz »Biedermeier Kids: Eine Mini-Polemik« genauer auf diese »Gottvater-Landesvater-Familienvater-Ideologie« hinweist. In: Monatshefte, Vol 67, No 1, Spring 1975, S. 60.
7 *Lewald,* Im Vaterhause, 1. Theil, S. 209.
8 Dies., Befreiung und Wanderleben, 2. Theil, S. 12.
9 Dies., Im Vaterhause, 1. Theil, S. 162 f.
10 Ebd., S. 88.
11 Ebd., S. 181.
12 Leidensjahre, 1. Theil, S. 113.
13 Ebd., S. 13.
14 Ebd., S. 12.
15 Befreiung und Wanderleben, 1. Theil, S. 47 f.
16 *Lewald,* Für und Wider die Frauen (Berlin, 1875), S. 14 f.
17 Leidensjahre, 1. Theil, S. 268.
18 Im Vaterhause, 2. Theil, S. 53.
19 Heinrich Simon (1805–1860), der Mann, welcher Fanny Lewalds ganze Jugend stark beeinflußt hatte, war schon als Gymnasiast durch seine Willenskraft, seinen scharfen Verstand und seine charakterliche Integrität aufgefallen. Er studierte in Breslau und Berlin Jura und war von 1834 bis 1841 Assessor im Berliner Kammergericht, in Magdeburg, Greifswald und Breslau. Doch schon frühzeitig konzentrierte sich sein Interesse auf die politische Situation Deutschlands, und »die Erringung einer Verfassung für Preußen erschien ihm als das nächste große Ziel, dessen Erreichung auch er seine Kraft zu widmen wünschte.« (S. 372) Während der Achtundvierziger-Revolution »trat Simon als eines der Häupter der Demokratie auf den Vordergrund der politischen Bühne.« (S. 373) Nach dem Scheitern der Revolution floh er in die Schweiz. Dorthin wurde ihm vom Breslauer Stadtgericht seine Verurteilung wegen Hochverrats übersandt. Simon verweigerte die Annahme und blieb bis zu seinem Tod in der Schweiz. Vgl. Alfred *Stern,* August Heinrich Simon. In: Allgemeine deutsche Biographie, Bd 34, S. 371–376.
20 Leidensjahre, 1. Theil, S. 249.
21 Ebd., S. 252.
22 *Lewald,* Für und wider die Frauen, S. 6.
23 Vgl. ebd., S. 17: »Als ich dann endlich krank und müde von dem innerlichen fruchtlosen Ringen ... mein Talent erkannt hatte, als ich zu begreifen anfing, wie ich mir helfen und daß ich auch meiner Familie damit helfen könnte, wenn ich ihr die Sorge für mich abnähme, da verlangte mein sonst so aufgeklärter Vater noch ganz ausdrücklich, daß ich dies heimlich thäte.«
24 Befreiung und Wanderleben, 1. Theil, S. 3 f.
25 Für und wider die Frauen, S. 41.
26 Diese Angaben verdanke ich dem Medizinalhistoriker Richard Toellner, der in seinem Vortrag, »Die Frau der niederen Schichten als Objekt medizinalpolizeilicher Fürsorge«, ausführlich auf die Problematik der Ehelosigkeit eingeht. Der Vortrag wird im Frühjahr 1976 in den Wolfenbütteler Studien zur Aufklärung erscheinen.
27 Für und wider die Frauen, S. 19.

28 Ernst *Dronke,* Berlin. Hrsg. von Rainer *Nitsche* (Darmstadt, 1974), S. 67.
29 Leidensjahre, 1. Theil, S. 258. »Bringt irgendwo die Nothwendigkeit es mit sich, daß ein Mädchen für ihren Unterhalt arbeitet«, führt die Autorin weiter aus, »nimmt eine Kaufmannstochter, eine Geheimrathstochter, eine Professorentochter eine Stelle als Lehrerin, als Gesellschafterin, als Kinderwärterin oder Haushälterin an, so wird dies Ereigniß irgendwie beschönigt. Es heißt: die Tochter habe eine unwiderstehliche Neigung, die Welt kennen zu lernen, sie habe eine so große Vorliebe für den Verkehr mit Kindern, sie solle sich doch auch einmal Jahr und Tag unter fremden Menschen bewegen lernen. Man erfindet irgendeine Verwandtschaft oder Bekanntschaft mit den Familien, in welche das Mädchen eintreten soll, um der Sache einen unverfänglichen, gemüthlichen, vornehmen Anstrich zu geben; aber man entschließt sich nur in den seltensten Fällen dazu, einfach zu sagen: das Mädchen geht fort, um sein Brod zu verdienen, um doch etwas zu thun, um uns das Leben zu erleichtern.«
30 Ebd., S. 191.
31 Ebd., 2. Theil, S. 6 f.
32 Im Vaterhause, 1. Theil, S. 254.
33 Befreiung und Wanderleben, 1. Theil, S. 260 f.
34 Ebd., 2. Theil, S. 160.
35 Ebd., S. 188.
36 Leidensjahre, 1. Theil, S. 269.
37 Gertrud *Bäumer,* Fanny Lewald. In: Die Frau. Monatsschrift für das gesamte Frauenleben unserer Zeit. Hrsg. von Helene *Lange.* (1910–1911), 18. Jg., S. 488 f.
38 *Riehl,* Die Familie, S. 55.
39 Ebd., S. 97.
40 Ebd., S. 23.
41 Ebd., S. 3 f.
42 Arthur *Schopenhauer,* Über die Weiber. Sämtliche Werke. Hrsg. von Wolfgang Frhr. von *Löhneysen* (Stuttgart/Frankfurt, 1960), Bd 5, S. 732.
43 Ebd.
44 *Cauer,* Die Frau im 19. Jahrhundert, S. 100.
45 *Schopenhauer,* Über die Weiber, S. 726.
46 Ebd., S. 721.
47 *Lewald,* Für und wider die Frauen, S. 1.
48 *Immermann,* Die Familie, S. 74.
49 Leidensjahre, 2. Theil, S. 169 f.
50 *Lewald,* Clementine. Auf rother Erde (Berlin, 1872), S. 1 f.
51 Ebd., S. 16 f.
52 Ebd., S. 82.
53 Ebd., S. 83.
54 Befreiung und Wanderleben, 1. Theil, S. 15.
55 Clementine, S. 29 ff.
56 Ebd., S. 80.
57 Ebd.
58 Ebd., S. 87 ff.
59 Ebd., S. 137.
60 Befreiung und Wanderleben, 1. Theil, S. 46.
61 Ebd., S. 42 ff.
62 Ebd., 2. Theil, S. 54.
63 *Lewald,* Jenny (Berlin, [3]1967), S. 116.
64 Ebd., S. 150.
65 Ebd., S. 38.
66 Ebd., S. 39.
67 Ebd., S. 40.

68 Ebd., S. 80.
69 Ebd., S. 234.
70 Ebd., S. 233.
71 Vgl. *Gulde,* die in ihren Studien zum jungdeutschen Frauenroman religiöse Erörterungen zu den Hauptinteressen des jungdeutschen Romans zählt.
72 Jenny, S. 256.
73 Ebd.
74 Ebd., S. 257.
75 Ebd., S. 252 f.
76 Ebd., S. 312.
77 Befreiung und Wanderleben, 1. Theil, S. 208.
78 Ebd., 2. Theil, S. 143.
79 *Lewald,* Eine Lebensfrage (Leipzig, 1845), S. 87 f.
80 Ebd., S. 345.
81 Lewalds Radikalisierungsprozeß läßt sich auch daran ablesen, daß sie durch diese Tendenznovelle erstmals Schwierigkeiten mit der Zensur bekam. Der Genealogische Kalender für 1845, für den sie die Arbeit geschrieben hatte, war wegen einer in ihrer Novelle vorkommenden sozialkritischen Unterhaltung mit Beschlag belegt worden. (Vgl. Befreiung und Wanderleben, 2. Theil, S. 42.) Was die Autorin allerdings noch mehr verdroß, war die Erklärung, mit der das »Obercensurcollegium« seine Beschlagnahme schließlich zurücknahm. »Man hatte nämlich nach verschiedenen Verhandlungen das Erscheinen des Kalenders frei gegeben ... weil die Novelle ›von einer Frau‹ geschrieben sei.« (Befreiung und Wanderleben, 2. Theil, S. 49) Man sieht, daß sich die apodiktische Grenzziehung zwischen Herren- und Damenliteratur auch noch auf die Zensur erstreckte.
82 *Lewald,* Erinnerungen aus dem Jahre 1848 (Braunschweig, 1850), Bd 1, S. 169.

*Groteskes Finale*

1 *Alker,* Die deutsche Literatur im 19. Jahrhundert (1832–1914), S. 118.
2 Vgl. Heinrich *Kurz,* Geschichte der neuesten deutschen Literatur von 1830 bis auf die Gegenwart (Leipzig, 1872), Bd 4, S. 964.
3 Ebd., S. 60.
4 Adolf *Bartels,* Geschichte der deutschen Literatur (Leipzig, 1902), S. 230.
5 Vgl. Bodo von *Borries,* Frauen in Schulgeschichtsbüchern – zum Problem der Benachteiligung von Mädchen im Unterricht In: Westermanns Pädagogische Beiträge, Nov. 1975.
6 Vgl. *Blos,* Frauen der deutschen Revolution 1848, S. 25.
7 Louise *Aston,* Wilde Rosen (Berlin, 1846), S. 8 f.
8 Dies., Aus dem Leben einer Frau (Hamburg, 1847), S. V f.
9 *Lewald,* Der dritte Stand. Gesammelte Novellen. Erster Theil (Berlin, 1862), S. 146.
10 *Aston,* Aus dem Leben einer Frau, S. 114.
11 Ebd., S. 116 f.
12 Ebd., S. 120 ff.
13 Ebd., S. 133.
14 *Blos,* Frauen der deutschen Revolution, S. 25 f.
15 Aus dem Leben einer Frau, S. 131.
16 Ebd., S. 130.
17 Vgl. Bruno *Kaiser* (Hrsg.): Die Achtundvierziger (Berlin, Weimar, 1973), S. 1 f.
18 Vgl. Friedrich *Sengle,* Der Romanbegriff in der ersten Hälfte des 19. Jahrhunderts. In: Deutsche Romantheorien. Hrsg. von Reinhold *Grimm* (Frankfurt, [2]1974), Bd 1, S. 177.

19 Vgl. *Schmidt,* Geschichte der deutschen Literatur im neunzehnten Jahrhundert, Bd 3, S. 221.
20 *Aston,* Meine Emancipation, Verweisung und Rechtfertigung (Brüssel, 1846), S. 18.
21 Ebd., S. 14.
22 Ebd., S. 15.
23 Vgl. *Lewald,* Meine Lebensgeschichte, Dritte Abtheilung. Befreiung und Wanderleben, 2. Theil, S. 49 ff. »Man hatte nämlich nach verschiedenen Verhandlungen das Erscheinen [Des dritten Standes] frei gegeben, jedoch mit dem Bemerken, daß man die Angelegenheit nicht weiter verfolgen wolle, weil die Novelle ›von einer Frau‹ geschrieben sei. – Diese Nachricht, die mir von Berlin aus mit großer Genugthuung übermittelt wurde, verdroß mich über alle Maßen [...] Ob diese mehr oder weniger gelungene Arbeit aber von einem Manne oder einer Frau geleistet wird, ob ein Mann oder eine Frau einen Irrthum ausspricht, eine Wahrheit verkündet, das scheint mir völlig gleichgültig zu sein. [...] Denn während das Volk sich längst gewöhnt hat, diejenigen deutschen Frauen, welche ihm in ihren Werken Anerkennenswerthes darzubieten hatten, zu seinen ›Schriftstellern‹ zu zählen, behandelt die Kritik die weiblichen Dichter in der Mehrzahl mit einer vornehmen Herablassung oder mit einer Art von Galanterie, die beide in meinen Augen eine Kränkung sind.«
24 *Aston,* Meine Emancipation, S. 16 ff.
25 Ebd., S. 25 f.
26 Ebd., S. 26.
27 Mathilde Franziska *Anneke,* Louise Aston. In: State Historical Society of Wisconsin (Madison, Wisconsin), Manuscript, Anneke Paper, Box 7, S. 11 f.
28 Ebd., S. 1.
29 Meine Emancipation, S. 5.
30 Ebd., S. 34.
31 *Anneke,* Louise Aston, S. 5.
32 Meine Emancipation, S. 6 f.
33 Ebd., S. 8.
34 Ebd., S. 45.
35 Ebd., S. 49 ff.
36 Vgl. Franz *Brümmer,* Lexikon der deutschen Dichter und Prosaisten des neunzehnten Jahrhunderts (Leipzig, 1888), S. 25 f.
37 *Blos,* Frauen der Revolution 1848, S. 28.
38 *Aston,* Revolution und Contrerevolution (Mannheim, 1849), Bd 2, S. 178 f.
39 *Prutz,* Die deutsche Literatur der Gegenwart. 1848–1858, Bd 1, S. 13.
40 *Scherr,* 1848. Ein weltgeschichtliches Drama, Bd 2, S. 176.
41 *Prutz,* Die deutsche Literatur der Gegenwart. 1848 bis 1858, Bd 1, S. 11.
42 *Aston,* Revolution und Contrerevolution Bd 2, S. 2.
43 *Prutz,* Die deutsche Literatur der Gegenwart, Bd 1, S. 14.
44 Erinnerungsblätter aus dem Leben Luise Mühlbach's, S. 168.
45 Ebd.
46 Helmut *Kreuzer,* Zur Theorie des deutschen Realismus zwischen Märzrevolution und Naturalismus. In: Realismustheorien. Hrsg. von Reinhold *Grimm* und Jost *Hermand* (Stuttgart, 1975), S. 64.
47 Zit. nach *Cauer,* Die Frau im 19. Jahrhundert, S. 111.
48 Ebd.
49 Ebd., S. 113.
50 *Prutz,* Die deutsche Literatur der Gegenwart, Bd 2, S. 255.
51 Ebd., S. 256.
52 *Gottschall,* Die deutsche Nationalliteratur des neunzehnten Jahrhunderts, Bd 4, S. 175.
53 *Kurz,* Geschichte der neuesten deutschen Literatur, Bd 4, S. 665.

54 *Prutz,* Die deutsche Literatur der Gegenwart, Bd 2, S. 254 f.
55 Ebd., Bd 1, S. 8.
56 *Hahn-Hahn,* Von Babylon nach Jerusalem (Arnheim, 1851), S. 17.
57 Richard M. *Meyer,* Ida Gräfin Hahn-Hahn. In: Allgemeine deutsche Biographie, Bd 49, S. 717.
58 Carl *Barthel,* Die deutsche Nationalliteratur der Neuzeit, S. 561.
59 *Hahn-Hahn,* Von Babylon nach Jerusalem, S. 7 ff.
60 *Steinhauer,* Fanny Lewald, die deutsche George Sand, S. 82.
61 Vgl. Ludwig *Geiger* (Hrsg.), Gefühltes und Gedachtes (1838–1888) von Fanny Lewald (Dresden/Leipzig, 1900), S. 153.
62 *Steinhauer,* Fanny Lewald, S. 90.
63 Ebd., S. 91.
64 *Lewald,* Erinnerungen aus dem Jahre 1848, Bd 1, S. 108.
65 *Gulde,* Studien zum jungdeutschen Frauenroman, S. 45.
66 Ebd.
67 Henriette *Goldschmidt,* Fanny Lewald-Stahr. In: Allgemeine Deutsche Biographie, Bd 35, S. 411.
68 *Lewald,* Für und wider die Frauen, S. 100.
69 *Aston,* Revolution und Contrerevolution, Bd 2, S. 185.
70 *Gottschall,* Die deutsche Nationalliteratur des neunzehnten Jahrhunderts, Bd 4, S. 314.
71 Ebd., S. 328.
72 Wilhelmine *Canz,* Eritis sicut Deus (Hamburg, 1854), Bd 3, S. 61.
73 Vgl. ebd., S. 109.
74 Ebd., Bd 2, S. 60.
75 *Kurz,* Geschichte der neuesten deutschen Literatur, Bd 4, S. 680.
76 *Canz,* Eritis sicut Deus, Bd 1, S. 36.
77 Ebd., Bd 3, S. 322.
78 *Alker,* Die deutsche Literatur im 19. Jahrhundert, S. 120.
79 *Gottschall,* Die deutsche Nationalliteratur des neunzehnten Jahrhunderts, Bd 4, S. 332.
80 Ernst *Keil,* An unsere Freunde und Leser. In: Die Gartenlaube. Illustriertes Familienblatt. Jg. 1853, Nr 1, S. 1.
81 Gabriele *Strecker,* Frauenträume Frauentränen (Weilheim, Oberbayern, 1969), S. 28.
82 Ebd., S. 45.
83 Vgl. Margrit *Twellmann,* Die deutsche Frauenbewegung. Ihre Anfänge und erste Entwicklung 1843–1889 (Meisenheim am Glan, 1972), S. 4 (= Marburger Abhandlungen zur Politischen Wissenschaft. Hrsg. von Wolfgang *Abendroth,* Bd 17/I).
84 Vgl. ebd.

# Literaturverzeichnis

*Alker,* Ernst: Die deutsche Literatur im 19. Jahrhundert (1832–1914), (Stuttgart, ²1962).
*Angress,* R. K.: Sklavenmoral und Infantilismus in Frauen- und Familienromanen. In: Popularität und Trivialität. Fourth Wisconsin Workshop. Hrsg. von Reinhold Grimm und Jost Hermand (Frankfurt, 1974).
*Anneke,* Franziska Mathilde: Louise Aston. Das Weib im Conflikt mit den socialen Verhältnissen. In: State Historical Society of Wisconsin (Madison, Wisconsin). Manuscripts, Anneke Papers, Box 7.
*Arendt,* Hannah: Rahel Varnhagen. Lebensgeschichte einer deutschen Jüdin aus der Romantik (München, 1974).
*Arnim,* Bettina von: Dies Buch gehört DEM KÖNIG. Sämtliche Werke. Hrsg. mit Benutzung ungedruckten Materials von Waldemar Oehlke (Berlin, 1920), Bd 6.
– Goethes Briefwechsel mit einem Kinde. SW, Bd 3.
– Ilius Pamphilius und die Ambrosia. SW, Bd 5.
*Arnim,* Hans von: Bettina von Arnim (Berlin, 1963).
*Aston,* Louise: Aus dem Leben einer Frau (Hamburg, 1847).
– Lydia (Magdeburg, 1848).
– Meine Emancipation, Verweisung und Rechtfertigung (Brüssel, 1846).
– Revolution und Contrerevolution (Mannheim, 1849).
– Wilde Rosen (Berlin, 1846).

*Bäumer,* Gertrud: Fanny Lewald. In: Die Frau. Monatsschrift für das gesamte Frauenleben unserer Zeit. Hrsg. von Helene Lange. (1910–1911), 18. Jg.
*Bartels,* Adolf: Geschichte der deutschen Litteratur (Leipzig, 1902).
*Barthel,* Carl: Die deutsche Nationalliteratur der Neuzeit (Braunschweig, ²1853).
*Beauvoir,* Simone de: Das andere Geschlecht. Sitte und Sexus der Frau (Hamburg, ⁶1974).
*Bebel,* August: Die Frau und der Sozialismus. Als Beitrag zur Emanzipation unserer Gesellschaft bearbeitet und kommentiert von Monika Seifert (Hannover, 1974).
*Behn,* Aphra: Oroonoko oder die Geschichte des königlichen Sklaven (Frankfurt, 1966).
– The Forc'd Marriage (London, 1670).
*Bieber,* Hugo: Der Kampf um die Tradition. Die deutsche Dichtung im europäischen Geistesleben 1830–1880 (Stuttgart, 1928).
*Blos,* Anna: Frauen der deutschen Revolution 1848 (Dresden, 1928).
*Börne,* Ludwig: Briefe aus Paris (30. Dezember 1831).
*Brandes,* Georg: Das junge Deutschland. Die Hauptströmungen der Litteratur des neunzehnten Jahrhunderts (Leipzig, 1911), Bd 6.
*Brennglas* (Pseudonym für Glassbrenner), Adolf: Der Prophet des Jahres 1852, komischer Almanach (Hamburg, 1852).
*Brentano-Mereau,* Sophie: Das Blüthenalter der Empfindung (Gotha, 1794).
*Brümmer,* Franz: Lexikon der deutschen Dichter und Prosaisten (Leipzig, ³1888).
*Burow,* Julie: Aus dem Leben eines Glücklichen (Königsberg, 1852).
– Erinnerungen einer Großmutter (Leipzig, 1856).
– Frauen-Los (Königsberg, 1850).

*Canz,* Wilhelmine: Eritis sicut Deus (Hamburg, 1854).
*Cauer,* Minna: Die Frau im 19. Jahrhundert (Berlin, 1898).
*Choderlos de Laclos,* Pierre Ambroise François: Les Liaisons dangereuses. Ed. présentée par Roger Vailland (Paris, 1973).
*Code civil* des Français (Paris, 1804).
*Code* pénal ou code des délits et des peines (Cologne, 1810).

*Das Weib ohne physische Liebe.* Eine wahre Geschichte von ihr selbst geschrieben. An. (Leipzig, 1803).
*Defoe,* Daniel: Robinson Crusoe. Romane. Hrsg. von Norbert Miller (München, 1968).
*Démar,* Claire: L'Affranchissement des femmes. Commenté par Valentin Pelosse (Paris, 1976).
*Die Gartenlaube.* Illustriertes Familienblatt (Leipzig, 1853–1890).
*Dietze,* Walter: Junges Deutschland und Deutsche Klassik. Zur Ästhetik und Literaturtheorie des Vormärz (Berlin, 1957). (= Neue Beiträge zur Literaturwissenschaft 6).
*Dronke,* Ernst: Berlin. Hrsg. von Rainer Nitsche (Darmstadt, 1974).

*Eberhard,* Wilhelmine: Fünf und vierzig Jahre aus meinem Leben. Eine biographische Skizze für Mütter und Töchter (Leipzig, 1802).
*Ebersberger,* Thea (Hrsg.): Erinnerungsblätter aus dem Leben Luise Mühlbach's (Leipzig, 1902).
*Eckardt,* J.: Der ›Rechte‹ der Gräfin Hahn-Hahn. In: Deutsche Rundschau 104 (1900).
*Eichendorff,* Joseph von: Die deutsche Salon-Poesie der Frauen. In: Historisch-politische Blätter für das katholische Deutschland (1847), Bd 19.
*Engelsing,* Rolf: Der Bürger als Leser (Stuttgart, 1974).

*Federici,* Federico: Der deutsche Liberalismus. Entwicklung einer politischen Idee (Zürich, 1946).
*Fénelon,* François de Salignac de la Mothe: De l'Education des filles. Texte revu sur l'éd. orig. et publié par Armand Gasté (Paris, 1884).
*Feuerbach,* Ludwig: Das Wesen des Christenthums (Leipzig, 1841).
*Fichte,* Johann Gottlieb: Grundlage des Naturrechts. Werke, Auswahl in 6 Bdn. Hrsg. von Fritz Medicus (Leipzig, o. J.), Bd 2.
*Fontane,* Theodor: Irrungen, Wirrungen. Sämtliche Werke. Hrsg. von Edgar Gross (München, 1959), Bd 3.
*Fränkel,* Ludwig: Luise Aston. In: Allgemeine deutsche Biographie (Leipzig, 1875–1912), Bd 52.
*Francke,* August Herman: Pädagogische Schriften. Hrsg. von D. G. Kramer (Langensalza, 1876).
*Frauenbriefe von und an Hermann Fürsten Pückler-Muskau.* Hrsg. von Heinrich Conrad (München/Leipzig, 1912).
*Friedan,* Betty: Der Weiblichkeitswahn (Hamburg, 1966).
*Frisch,* Max: Stiller (Frankfurt, 1954).
*Fuchs,* Eduard: Sozialgeschichte der Frau (Neudruck), (Frankfurt, 1973).

*Gall,* Louise von: Familienbilder (Leipzig, 1854).
– Frauenleben (Leipzig, 1855).
– Frauen-Novellen (Leipzig, 1845).
*Garin,* Eugenio: Geschichte und Dokumente der abendländischen Pädagogik II. Humanismus (Reinbek, 1966).
*Geiger,* Ludwig: Das junge Deutschland und die preussische Censur (Berlin, 1900).
– (Hrsg.): Gefühltes und Gedachtes (1838–1888) von Fanny Lewald (Dresden/Leipzig, 1900).

– Therese Huber 1764–1829. Leben und Briefe einer deutschen Frau (Stuttgart, 1901).
*Gellert,* Christian Fürchtegott: Leben der schwedischen Gräfin von G***. Hrsg. von Jörg-Ulrich Fechner (Stuttgart, 1968).
*Goethe,* Johann Wolfgang von: Dichtung und Wahrheit. Werke (Hamburger Ausgabe, ⁴1960), Bd 9 und 10.
– Die natürliche Tochter. Werke, Bd 5.
– Die Wahlverwandtschaften. Werke, Bd 6.
– Ueber Kunst und Alterthum (Stuttgart, 1816–1832), Bd 4.
– Werther. Werke, Bd 6.
– Wilhelm Meisters Lehrjahre. Werke, Bd 7.
*Goldschmidt,* Henriette: Fanny Lewald-Stahr. In: Allgemeine deutsche Biographie, Bd 35.
*Gottschall,* Rudolf: Die deutsche Nationalliteratur des neunzehnten Jahrhunderts (Breslau, ⁴1875), Bd 4.
– Madonna und Magdalena (Berlin, 1845).
*Grass,* Günter: Die Blechtrommel (Darmstadt, ⁶1960).
*Greer,* Germaine: Der weibliche Eunuch. Aufruf zur Befreiung der Frau (Frankfurt, ³1970).
*Grimm,* Reinhold (Hrsg.): Deutsche Romantheorien (Frankfurt, ²1974).
– *Hermand,* Jost (Hrsg.): Realismustheorien (Stuttgart, 1975).
*Günther,* Agnes: Die Heilige und ihr Narr (Stuttgart, ¹³⁸1961).
*Gulde,* Hildegard: Studien zum jungdeutschen Frauenroman (Weilheim, 1933).
*Gutzkow,* Karl: Ausgewählte Werke. Hrsg. von Heinrich Hubert Houben (Leipzig, 1908).
– Die Ritter vom Geiste. Hrsg., m. Einl. u. Anm. vers. von Reinhold Gensel (Stuttgart, 1912).
– Gesammelte Werke (Jena, 1879).
– Wally die Zweiflerin (Göttingen, 1965).
– Zur Philosophie der Geschichte (Hamburg, 1836).

*Habermas,* Jürgen: Strukturwandel der Öffentlichkeit. Untersuchungen zu einer Kategorie der bürgerlichen Gesellschaft (Neuwied/Berlin, ⁵1971).
*Haffner,* Paul: Ida Hahn-Hahn. Eine psychologische Studie. In: Frankfurter zeitgemäße Broschüre. Hrsg. von Paul Haffner (Frankfurt, 1880), Bd 1.
*Hahn-Hahn,* Ida: Aus der Gesellschaft (Berlin, 1838).
– Cecil (Berlin, 1844).
– Clelia Conti (Berlin, 1846).
– Der Rechte (Berlin, ²1845).
– Doralice (Mainz, ²1852).
– Ein Reiseversuch im Norden (Berlin, 1843).
– Erinnerungen aus und an Frankreich (Berlin, 1841).
– Gräfin Faustine (Berlin, ³1845).
– Jenseits der Berge (Leipzig, 1840).
– Levin (Berlin, 1848).
– Maria Regina (Mainz, ⁶1897).
– Orientalische Briefe (Berlin, 1844).
– Reisebriefe (Berlin, 1841).
– Sibylle (Berlin, 1846).
– Sigismund Forster (Berlin, ²1845).
– Ulrich (Berlin, ²1845).
– Von Babylon nach Jerusalem (Arnheim, 1851).
– Zwei Frauen (Berlin, 1845).

*Halperin,* Natalie: Die Deutschen Schriftstellerinnen in der zweiten Hälfte des 18. Jahrhunderts (Versuch einer soziologischen Analyse), (Diss. Frankfurt, 1935).
*Hanke,* Henriette: Ehen werden im Himmel geschlossen (Liegnitz, 1840).
*Hanstein,* Adalbert von: Die Frauen in der Geschichte des deutschen Geistesleben (Leipzig, 1899).
*Harsdörffer,* Georg Philipp: Frauenzimmer Gesprechspiele, so bey Ehr- und Tugendliebenden Gesellschaften mit nützlicher Ergetzlichkeit, beliebet und geübet werden mögen (Nürnberg, 1644–1649).
*Heine,* Heinrich: Sämtliche Werke. Hrsg. von Ernst Elster (Leipzig/Wien, 1887–1890).
*Heinse,* Johann Jakob Wilhelm: Ardinghello oder die glückseligen Inseln. Sämtliche Schriften. Hrsg. von Heinrich Laube (Leipzig, 1838), Bd 1 und 2.
– Hildegard von Hohenthal. Sämtliche Schriften, Bd 3 und 4.
*Herder,* Johann Gottfried: Sämtliche Werke. Hrsg. von Bernhard Suphan (Berlin, 1877), Bd 1.
*Hermand,* Jost: Allgemeine Epochenprobleme. In: Zur Literatur der Restaurationsepoche 1815–1848 (Stuttgart, 1970).
– Biedermeier Kids: Eine Mini-Polemik. In: Monatshefte, Vol. 67, No. 1, (1975).
– (Hrsg.): Das junge Deutschland. Texte und Dokumente (Stuttgart, 1966).
– Die literarische Formenwelt des Biedermeiers (Giessen, 1958).
– Von deutscher Republik 1775–1795 (Frankfurt, 1968).
*Hermes,* Johann Timotheus: Sophiens Reise von Memel nach Sachsen. Hrsg. von Fritz Brüggemann (Darmstadt, 1967).
*Hippel,* Theodor Gottlieb von: Über die bürgerliche Verbesserung der Weiber (Berlin, 1792).
*Houben,* Heinrich Hubert: Jungdeutscher Sturm und Drang. Ergebnisse und Studien (Leipzig, 1911).
*Huber,* Therese: Die Ehelosen (Leipzig, 1829).

*Ibsen,* Henrik: Nora. Gesammelte Werke (Leipzig, o. J.).
*Immermann,* Karl Lebrecht: Werke. Hrsg. von Robert Boxberger (Berlin, o. J.).

*Joeres,* Ruth-Ellen B.: The Gutzkow-Menzel Tracts: A critical response to a novel and an era. In: Modern Language Notes, Vol. 88, No. 5, (Oct. 1973).

*Kainz,* Friedrich/*Kohlschmidt,* Werner: Junges Deutschland. In: Reallexikon der deutschen Literaturgeschichte ([2]1958), Bd 1.
*Kaiser,* Bruno: Die Achtundvierziger (Berlin/Weimar, 1973).
*Kant,* Immanuel: Anthropologie in pragmatischer Hinsicht. Werke. Hrsg. von Wilhelm Weischedel (Frankfurt, 1968), Bd 12.
*Keim,* Charlotte: Der Einfluß George Sands auf den deutschen Roman. Ein Beitrag zur Geschichte des deutschen Frauenromans in den 30er und 40er Jahren des 19. Jahrhunderts (Diss. masch. Berlin, 1924).
*Knigge,* Adolph Freyherr von: Ueber den Umgang mit Menschen (Frankfurt/Leipzig, [5]1808).
*Kober-Merzbach,* Margaret: Ida Gräfin Hahn-Hahn. In: Monatshefte, Vol. 47, No. 1, (1955).
*König,* René: Die Familie der Gegenwart (München, 1974).
*Kurz,* Heinrich: Geschichte der neuesten deutschen Literatur von 1830 bis auf die Gegenwart (Leipzig, 1872).

*Lange,* Helene/*Bäumer,* Gertrud (Hrsg.): Handbuch der Frauenbewegung (Berlin, 1902).
*LaRoche,* Sophie von: Geschichte des Fräuleins von Sternheim. Hrsg. von Fritz Brüggemann (Darmstadt, 1964).

*Laube,* Heinrich: Das junge Europa (Mannheim/Leipzig, 1833–1837).
– Die Schauspielerin (Mannheim, 1835).
– George Sand's Frauenbilder (Brüssel, 1845).
– Liebesbriefe (Leipzig, 1835).
*Lehms,* Georg Christian (Hrsg.): Teutschlands galante Poetinnen. Mit Ihren sinnreichen und netten Proben ... und einer Vorrede. Daß das Weibliche Geschlecht so geschickt zum Studiren als das Männliche (Frankfurt, 1745).
*Leporin,* Dorothea Christina: Gründliche Untersuchung der Ursachen, die das weibliche Geschlecht vom Studiren abhalten. Nachdruck der Ausgabe Berlin 1742, mit einem Nachwort von Gerda Rechenberg (Hildesheim/New York, 1975).
*Lewald,* Fanny: Adele (Berlin, 1855).
– Benvenuto (Berlin, 1875).
– Clementine. Auf rother Erde (Berlin, ²1872).
– Der Dritte Stand (Berlin, ²1862).
– Die Erlöserin (Berlin, 1873).
– Die Kammerjungfer (Berlin, ²1864).
– Diogena (Leipzig, 1847).
– Eine Lebensfrage (Leipzig, 1845).
– Emilie (Berlin, 1859).
– Erinnerungen aus dem Jahre 1848 (Braunschweig, 1850).
– Für und wider die Frauen (Berlin, 1875).
– Jenny (Berlin, ³1967).
– Meine Lebensgeschichte (Berlin, 1863).
– Osterbriefe für die Frauen (Berlin, 1863).
– Wandlungen (Berlin, ²1864).

*Mann,* Thomas: Der Zauberberg. Gesammelte Werke (Frankfurt, 1960), Bd 3.
*Marie,* Helene: Gräfin Ida Hahn-Hahn. Ein Lebensbild nach der Natur gezeichnet (Leipzig, 1869).
*Martens,* Wolfgang: Die Botschaft der Tugend. Die Aufklärung im Spiegel der deutschen Moralischen Wochenschriften (Stuttgart, 1968).
*Mayer,* Hans: Außenseiter (Frankfurt, 1975).
*Menzel,* Wolfgang: Romane und Novellen. In: Literatur-Blatt zu Cottas Morgenblatt, Nr. 28, (15. 3. 1839).
*Meyer,* Richard M.: Die deutsche Literatur des Neunzehnten Jahrhunderts (Berlin, 1906).
– Ida Hahn-Hahn. In: Allgemeine deutsche Biographie, Bd 49.
*Mielke,* Hellmuth: Der deutsche Roman (Dresden, ⁴1912).
*Millett,* Kate: Sexus und Herrschaft. Die Tyrannei des Mannes in unserer Gesellschaft (München, 1974).
*Möhrmann,* Renate: Der vereinsamte Mensch. Studien zum Wandel des Einsamkeitsmotivs im Roman von Raabe bis Musil (Bonn, 1974).
*Mörsdorf,* Josef: Gestaltwandel des Frauenbildes und Frauenberufs in der Neuzeit (München, 1958).
*Moscherosch,* Hanß-Michel: Insomnis. Cura. Parentum. Christliches Vermächnuß oder, schuldige Vorsorg Eines Trewen Vatters bey jetzigen Hochbetrübten gefährlichsten Zeitten den seinigen zur letzten Nachricht hinderlassen (Straßburg, 1643).
*Mühlbach,* Luise: Aphra Behn (Berlin, 1849).
– Berlin und Sanssouci (Berlin, ⁴1864).
– Bunte Welt (Stuttgart, 1841).
– Der Zögling der Natur (Altona, 1842).
– Die Pilger der Elbe (Altona, 1839).
– Die Tochter der Kaiserin (Berlin, 1848).
– Ein Roman in Berlin (Berlin, 1846).

- Erste und letzte Liebe (Altona, 1838).
- Eva. Ein Roman aus Berlins Gegenwart (Berlin, 1844).
- Frauenschicksal (Altona, 1839).
- Friedrich der Große und seine Geschwister (Berlin, [4]1864).
- Friedrich der Große und sein Hof (Berlin, [4]1864).
- Glück und Geld (Altona, 1842).
- Justin (Leipzig, 1843).

*Mundt,* Theodor: Charlotte Stieglitz, ein Denkmal (Berlin, 1835).
- Geschichte der Literatur der Gegenwart (Berlin, 1842).
- Madonna. Unterhaltung mit einer Heiligen (Leipzig, 1835).

*Munster,* Katrien van: Die junge Ida Gräfin Hahn-Hahn (Graz, 1929).

*Naubert,* Christiane Benedicte: Die Amtmännin von Hohenweiler. Eine wirkliche Geschichte aus Familienpapieren gezogen (Leipzig, 1786).

*Neu,* Georg: Betty, die Gläubige (Leipzig, 1836).

*Nibelungenlied.* Zweisprachige Ausgabe. Hrsg. und übertragen von Helmut de Boor (Bremen, 1959).

*Nicolai,* Friedrich: Das Leben und die Meinungen des Herrn Magisters Sebaldus Nothanker. Hrsg. von Fritz Brüggemann (Darmstadt, 1967).

*Oberempt,* Gert: Eine Erfolgsautorin der Biedermeierzeit. Studien zur zeitgenössischen Rezeption von Ida Hahn-Hahns frühen Gesellschaftsromanen. In: Kleine Beiträge zur Droste-Forschung 1972/73. Hrsg. von Winfried Woesler (Dülmen, 1973).

*Oelsner,* Elise: Die Leistungen der deutschen Frau auf wissenschaftlichem Gebiete (Guhrau, 1894).

*Paalzow,* Henriette von: Godwin Castle (Stuttgart, [9]1892).

*Pataky,* Sophie: Lexikon deutscher Frauen der Feder. Eine Zusammenstellung der seit dem Jahre 1840 erschienenen Werke weiblicher Autoren nebst Biographieen der Lebenden und einem Verzeichnis der Pseudonyme (Bern, 1971).

*Paucker,* Henri R.: Verharmlost – verklärt – dämonisiert. Darstellung der Frau in Aufklärung, Klassik und Romantik. In: Literatur und Kunst. Neue Zürcher Zeitung, Nr. 218, (20./21. 9. 1975).

*Pichler,* Karoline: Sämtliche Werke (Wien, 1828–1844).

*Polko,* Elise: Ein Frauenleben (Leipzig, 1854).
- Mädchenspielzeug (Leipzig, 1856).
- Sabbath (Leipzig, 1858).
- Unsere Pilgerfahrt von der Kinderstube bis zum eigenen Herd (Leipzig, 1863).

*Proelß,* Johannes: Das junge Deutschland. Ein Buch deutscher Geistesgeschichte (Stuttgart, 1892).

*Prutz,* Robert: Die deutsche Literatur der Gegenwart. 1848–1858 (Leipzig, [2]1870).
- Die politische Wochenstube (Zürich/Winterthur, 1845).

*Pustau,* Erna von: Die Stellung der Frau im Leben und im Roman der Jungdeutschen (Berlin, 1928).

*Rahel Varnhagen im Umgang mit ihren Freunden.* (Briefe 1793–1833). Hrsg. von Friedhelm Kemp (München, 1967).

*Rahel Varnhagen und ihre Zeit.* (Briefe 1800–1833). Hrsg. von Friedhelm Kemp (München, 1968).

*Reichert,* Klaus: Die verspielte Realistin. In: Aphra Behn, Oroonoko oder die Geschichte des königlichen Sklaven (Frankfurt, 1966).

*Riehl,* Wilhelm Heinrich: Die bürgerliche Gesellschaft (Stuttgart, [3]1855).

– Die Familie. Die Naturgeschichte des Volkes als Grundlage einer neuen deutschen Social-Politik (Stuttgart/Augsburg, [4]1856).
*Rousseau,* Jean Jacques: Emile oder über die Erziehung. Hrsg., eingeleitet und mit Anmerkungen versehen von Martin Rang (Stuttgart, 1963).
*Royen,* Eduard: Die Auffassung der Liebe im jungen Deutschland (Diss. Münster, 1928).
*Ruge,* Arnold: Ueber George Sand und die Tendenzpoesie. Sämtliche Werke (Mannheim, [2]1847), Bd 3.

*Sackville-West,* Vita: Aphra Behn, The Incomparable Astrea (London, 1927).
*Saint-Simon,* Claude-Henri de: Du Système Industriel. Oeuvres (Paris, 1966), Tome 3.
– Nouveau Christianisme. Oeuvres, Tome 3.
*Sand,* George: Histoire de ma vie (Paris, 1854/55).
– Indiana (Paris, 1832).
– Jacques (Paris, 1834).
– Lélia (Paris, 1960).
– Leone-Leoni (Paris, 1934).
– Le Secrétaire intime (Paris, 1834).
– Rose et Blanche (Paris, 1831).
– Souvenirs et Idées (Paris, 1904).
– Valentine (Paris, 1832).
*Scherr,* Johannes: 1848. Ein Weltgeschichtliches Drama (Leipzig, [2]1875).
– Geschichte der Deutschen Frauen (Leipzig, 1860).
*Schindel,* Carl Wilhelm O. A. v.: Die deutschen Schriftstellerinnen des neunzehnten Jahrhunderts (Leipzig, 1823).
*Schlegel,* Dorothea: Florentin (Lübeck/Leipzig, 1801).
*Schlegel,* Friedrich: Lucinde. Dichtungen. Kritische Ausgabe. Hrsg. von Ernst Behler unter Mitwirkung von Jean-Jacques Anstett und Hans Eichner (München/Paderborn/Wien/Zürich, 1962), Bd 3.
*Schleiermacher,* Friedrich: Idee zu einem Katechismus der Vernunft für edle Frauen. In: Athenaeum (Berlin, 1798), Bd 1.
*Schmid-Jürgens,* Erna Ines: Ida Gräfin Hahn-Hahn (Berlin, 1933).
*Schmidt,* Julian: George Sand. In: Portraits aus dem neunzehnten Jahrhundert (Berlin, 1878).
– Geschichte der Deutschen Literatur im neunzehnten Jahrhundert (Leipzig, 1856).
*Schnabel,* Johann Gottfried: Die Insel Felsenburg. Neu hrsg. mit einem Nachwort von Martin Greiner (Stuttgart, 1966).
*Schneidewin,* Max: Ida Gräfin Hahn-Hahn. In: Hochland (1905), 2. Jg., Heft 9.
*Schopenhauer,* Arthur: Über die Weiber. Sämtliche Werke. Hrsg. von Wolfgang Frhr. von Löhneysen (Stuttgart/Frankfurt, 1960), Bd 5.
*Schopenhauer,* Johanna: Gabriele (Leipzig, 1820).
*Sengle,* Friedrich: Biedermeierzeit. Deutsche Literatur im Spannungsfeld zwischen Restauration und Revolution (Stuttgart, 1973).
– Voraussetzungen und Erscheinungsformen der deutschen Restaurationsliteratur. In: DVjs (1956), 30. Jg., Heft 2/3.
*Sind die Frauenzimmer Menschen.* An. (Berlin, 1805).
*Singer,* Herbert: Der deutsche Roman zwischen Barock und Rokoko (Köln/Graz, 1963).
*Sombart,* Werner: Der Bourgeois. Zur Geschichte des modernen Wirtschaftsmenschen (München/Leipzig, 1913).
*Spiero,* Heinrich: Geschichte der deutschen Frauendichtung seit 1800 (Leipzig, 1913).
*Staël,* Madame de: De l'Allemagne (Paris, 1908).
*Steinhauer,* Marieluise: Fanny Lewald, die deutsche George Sand. Ein Kapitel aus der Geschichte des Frauenromans im 19. Jahrhundert (Berlin, 1937).

*Steinhausen*, Georg: Geschichte des deutschen Briefes. Zur Kulturgeschichte des deutschen Volkes (Berlin, 1889).
*Stern*, Alfred: August Heinrich Simon. In: Allgemeine deutsche Biographie, Bd 34.
*Stirner*, Max: Der Einzige und sein Eigentum. Hrsg. von Ahlrich Meyer (Stuttgart, 1972).
*Strecker*, Gabriele: Frauenträume Frauentränen. Über den deutschen Frauenroman (Weilheim/Oberbayern, 1969).
*Suhge*, Werner: Saint-Simonismus und junges Deutschland. Das Saint-Simonistische System in der deutschen Literatur der ersten Hälfte des 19. Jahrhunderts (Berlin, 1935).

*Tarnow*, Fanny: Lebensbilder (Leipzig, 1824).
– Natalie. Ein Beitrag zur Geschichte des weiblichen Herzens (Berlin, 1811).
– Zwei Jahre in Petersburg (Leipzig, 1833).
*Thümmel*, Moritz August von: Reise in die mittäglichen Provinzen von Frankreich im Jahr 1785–1786 (München/Leipzig, 1918).
*Töpker*, Adolf: Beziehungen Ida Hahn-Hahns zum Menschentum der Romantik (Bochum, 1937).
*Touaillon*, Christine: Der deutsche Frauenroman des 18. Jahrhunderts (Leipzig/Wien, 1919).
– Frauendichtung. In: Reallexikon der deutschen Literaturgeschichte (1931), Bd 1.
*Treitschke*, Heinrich von: Geschichte der deutschen Literatur von Friedrich dem Großen bis zur Märzrevolution. Aus der deutschen Geschichte im Neunzehnten Jahrhundert ausgewählt und herausgegeben von Heinrich Spiero (Berlin, 1927).
*Twellmann*, Margrit: Die Deutsche Frauenbewegung im Spiegel repräsentativer Frauenzeitschriften. Ihre Anfänge und erste Entwicklung 1843–1889 (Meisenheim am Glan, 1972). (= Marburger Abhandlungen zur Politischen Wissenschaft. Hrsg. von Wolfgang Abendroth, Bd 17/I).
– Die Deutsche Frauenbewegung. Ihre Anfänge und erste Entwicklung. Quellen 1843–1889 (Meisenheim am Glan, 1972). (= Bd 17/II).

*Unger*, Friderike Helene: Julchen Grünthal (Berlin, 1784).
*Ungern-Sternberg*, Alexander von: Tutu. Phantastische Episoden und Exkursionen (Meersburg, o. J.).

*Vetter*, Theodor (Hrsg.): Discourse der Mahlern 1721–1722. 1. Teil [Neudruck], (Frauenfeld, 1891).
*Vordtriede*, Werner (Hrsg.): Therese von Bacheracht und Karl Gutzkow. Unveröffentlichte Briefe (1842–1849), (München, 1971).

*Weber*, Marianne: Ehefrau und Mutter in der Rechtsentwicklung (Tübingen, 1907).
– Frauenfrage und Frauengedanken. Gesammelte Aufsätze (Tübingen, 1919).
*Weber*, Marta: Fanny Lewald (Zürich, 1921).
*Weber-Kellermann*, Ingeborg: Die deutsche Familie. Versuch einer Sozialgeschichte (Frankfurt, 1974).
*Weiglin*, Paul: Ein Gelehrter, ein Narr und eine Dame von Welt. In: Deutsche Rundschau (1950), 76. Jg., Heft 11.
*Wieland*, Christoph Martin: Geschichte des Agathon. Hrsg. von K. Schaefer (Berlin, 1961).
*Wienbarg*, Ludolf: Aesthetische Feldzüge (Hamburg, 1834).
*Wildermuth*, Ottilie: Aus dem Frauenleben. Gesammelte Werke. Hrsg. von Agnes Wildermuth (Stuttgart, 1891–1894), Bd 3 und 4.
– Bilder und Geschichten aus dem schwäbischen Leben. GW, Bd 1 und 2.
– Die Heimath der Frau. GW, Bd 6.
– Zur Dämmerstunde. GW, Bd 8.

*Wobeser,* Caroline von: Elisa oder das Weib wie es seyn sollte (Leipzig, [3]1798).
*Wollstonecraft,* Mary: Verteidigung der rechte der frauen. Vorwort von Berta Rahm (Zürich, 1975).
*Wolzogen,* Karoline von: Agnes von Lilien. Mit einer Einleitung von Robert Boxberger (Stuttgart, 1884).

*Zigler,* Anshelm von: Asiatische Banise. Mit einem Nachwort von Wolfgang Pfeiffer-Belli (München, 1965).

## VIII. Personenregister


Abendroth, Wolfgang 181
Agricola, Johannes 11
Alker, Ernst 3, 5, 86, 158, 172, 179, 181
Andrea, Bettina de 11
Andrea, Novella de 11
Angress, R. K. 170
Anneke, Franziska Mathilde 141, 147, 180
Anstett, Jean Jacques 163
Arendt, Hannah 31, 163
Arnim, Achim von 34
Arnim, Bettina von 5, 30, 33–36, 44, 60, 98, 164, 165
Arnim, Hans von 64
Arnim, Maximiliane von 36
Asser, Rose 31, 163
Aston, Louise 1, 4, 36, 40, 44, 56, 140–150, 155, 179–181
August der Starke 49
Aurora von Königsmarck 49

Bacheracht, Therese von 98
Bartels, Adolf 141, 179
Barthel, Carl 3–5, 8, 158, 159, 171, 181
Bäumer, Gertrud 10, 159, 178
Bazard, Armand 46
Beauvoir, Simone de 1, 78, 171
Bebel, August 10, 157, 159
Beda 10
Beethoven, Ludwig van 34
Behler, Ernst 163
Behn, Aphra 79–82, 171
Bieber, Hugo 8, 159, 165
Blanc, Louis 144
Blos, Anna 141, 162, 179, 180
Blum, Robert 157
Bodelschwingh, Ernst von 146
Bölte, Amely 155
Börne, Ludwig 40, 47, 122, 166
Boor, Helmut de 159
Borries, Bodo von 141, 179
Boxberger, Robert 30, 163, 165
Brandes, Georg 7, 30, 31, 159, 163, 164
Brentano-Mereau, Sophie von 30
Brinckmann, Karl Gustav von 33, 163
Brümmer, Franz 180
Bruni, Leonardi 160
Büchner, Georg 100
Burow, Julie 155
Byron, George 86, 88
Bystram, Adolf 93, 94, 99, 153

Cabet, Etienne 144
Canz, Wilhelmine 156, 181
Cauer, Minna 44, 129, 151, 163, 165, 180
Charles II, König von England 80, 83
Charles X, König von Frankreich 50
Chateaubriand, François René de 49
Chézy, Helmina von 32
Chopin, Frédéric François 51
Conrad, Heinrich 164, 175, 178
Cooper, James Fenimore 114
Cromwell, Oliver 83

Démar, Claire 48, 166
Dietze, Walter 86, 95, 104, 172
Dingelstedt, Franz von 145
Dronke, Ernst 125, 177
Droste-Hülshoff, Annette von 2, 100

Eberhard, Wilhelmine 30, 163
Ebersberger, Thea 169
Eckardt, J. 98, 99, 164, 172, 175
Eichendorff, Joseph von 3, 41, 42, 85, 158, 165, 172
Eichner, Hans 163
Einsiedel, August von 162
Elster, Ernst 166
Enfantin, Barthélemy Prosper 46, 47, 71
Engelsing, Rolf 14, 160–162

Federici, Federico 174
Fénelon, François de Salignac de la Mothe 15
Feuerbach, Ludwig 8
Fichte, Johann Gottlieb 63–65, 169
Fontane, Theodor 65
Fouqué, Caroline von 32
Francke, August Herman 15, 161
Friedan, Betty 158
Friedrich Wilhelm IV., König von Preußen 34, 40, 82
Frisch, Max 75, 170
Fuchs, Eduard 13, 160

Gall, Luise von 4, 155
Gandersheim, Hroswitha von 3
Garin, Eugenio 160
Geiger, Ludwig 7, 159, 164
Gellert, Christian Fürchtegott 18, 20, 29, 66

Glasbrenner, Adolf 85, 172
Gleim, Johann Wilhelm Ludwig 16
Goedeke, Karl 160
Goethe, Elisabeth 36
Goethe, Johann Wolfgang von 28, 30, 33, 34, 78, 123, 132
Goldschmidt, Henriette 154, 181
Gotthelf, Jeremias 100
Gottschall, Rudolf 4–6, 108, 116, 141, 145, 155, 158, 163, 165, 180, 181
Gottsched, Johann Christoph 29, 66, 160
Gottsched, Luise 23
Gouge, Olympe de 24, 54, 141
Greer, Germaine 1, 158
Greiffenberg, Catharina Regina von 3
Grimm, Reinhold 170, 179, 180
Günther, Agnes 69
Gulde, Hildegard 8, 63, 159, 169, 176, 178, 181
Gutzkow, Karl 7, 48, 49, 51, 55, 56, 58, 67, 69, 90–92, 95, 98, 101, 122, 134, 137, 153, 165–168, 170, 174

Habermas, Jürgen 161, 163, 169
Haffner, Paul 174
Hahn, Friedrich 85, 88, 89
Hahn-Hahn, Ida 1, 2, 5, 8, 40, 43–45, 56, 60, 85–117, 119, 123, 130, 132, 140, 149, 152, 153, 155, 156, 158, 164, 168, 172 –176, 180, 181
Halperin, Natalie 43, 165
Hanke, Henriette 37, 45, 165
Hanstein, Adalbert von 161
Harsdörffer, Georg Philipp 11
Hegel, Georg Wilhelm Friedrich 31, 138, 147
Heine, Heinrich 29, 47, 48, 86, 91, 100, 122, 154, 166
Heinse, Johann Jacob Wilhelm 27–29, 59
Helene, Marie 87, 173, 174
Herder, Johann Gottfried 12, 160
Hermand, Jost 8, 159, 162, 165, 170, 175, 177, 180
Herwegh, Georg 134
Herz, Henriette 32, 44
Hippel, Theodor Gottlieb von 25, 29, 60, 71, 162
Hohenhausen, Elise von 32
Houben, Heinrich Hubert 7, 159, 165
Huber, Therese 30, 36–39, 60, 73, 164
Humboldt, Wilhelm von 31
Hunold, Christian Friedrich 101

Ibsen, Henrik 86, 114, 176
Immermann, Karl Leberecht 41, 43, 129, 165, 175, 178

Jacobsen, Jens Peter 86
Joeres, Ruth-Ellen B. 170

Kainz, Friedrich 8, 159
Kaiser, Bruno 179
Kant, Immanuel 25, 162
Karsch, Anna Luise 23
Keil, Ernst 157, 181
Keim, Charlotte 55, 95, 164, 166–168, 175
Kemp, Friedheim 163
Kinkel, Johanna 157
Klinger, Friedrich Maximilian von 27, 29
Klopstock, Friedrich Gottlieb 165
Knabe, Barbara 21
Knigge, Adolph 12, 23, 160, 162
Kober Merzbach, Margaret 172
Körner, Christian Gottfried 160
Kohlschmidt, Werner 8, 159
Kramer, D. G. 161
Kreuzer, Helmut 180
Kurz, Heinrich 141, 152, 179, 180, 181

Lambert, Franz 11
Lange, Helene 159, 178
LaRoche, Sophie von 21–23, 28, 36, 41, 60, 62, 66, 88, 100, 161, 162
Laube, Heinrich 48, 56, 58, 63, 69, 91, 95, 96, 98, 100, 117, 134, 166, 169, 175
Lehms, Georg Christian 161
Leporin, Dorothea Christina 11, 17, 161
Lewald, August 127
Lewald, Fanny 1, 2, 4, 7, 8, 22, 36, 40, 43, 44, 56, 58, 66, 85, 88, 93, 99, 117–140, 143, 146, 148, 149, 153, 154, 159, 162, 164, 167, 168, 172, 176–181
Lioba 10
Liszt, Franz 51, 166
Loën, Johann Michael von 101
Löhneysen, Wolfgang von 178
Lortz, Joseph 11
Luther, Martin 11

Macaulay, Thomas 80
Marlitt, Eugenie 156, 157
Martens, Wolfgang 12, 160–162
Marx, Karl 40, 78
Mayer, Hans 163
Medicus, Fritz 169
Meier, Eduard 155
Mendelssohn, Moses 31
Menzel, Wolfgang 40, 49
Mérimé, Prosper 51
Metternich, Klemens Wenzel von 91
Meyer, Richard M. 7, 8, 86, 141, 159, 172, 173, 181
Meysenbug, Malvida von 157
Mielke, Hellmuth 3, 158, 165
Millet, Kate 158
Möhrmann, Renate 161
Mörsdorf, Josef 10, 159, 160
Moscherosch, Hanß-Michel 13, 119, 160, 177
Mühlbach, Luise 1, 2, 4, 40, 43–45, 56, 60–84, 87–90, 93, 96, 97, 105, 119, 138,

140, 149, 151, 164, 169–171, 173, 176, 180
Mundt, Theodor 2, 7, 41, 55, 56, 58, 66, 67, 69–71, 86, 95, 97, 98, 134, 165, 166, 169, 170, 172
Munster, Katrin van 89, 171–174
Musset, Alfred de 51

Napoleon 53
Naubert, Christiane Benedikte 36, 37, 60, 164
Neu, Georg 165
Nicolai, Friedrich 20
Nitsche, Rainer 177

Oberempt, Gert 172, 174
Oelsner, Elise 60, 169
Otto-Peters, Louise 36, 56, 58, 119, 140, 155, 157

Paalzow, Henriette von 5, 45, 98
Pagello, Pietro 51
Pankhurst, Emmeline 141
Pataky, Sophie 60, 169
Paucker, Henri R. 27, 163
Paul, Jean 86
Pelosse, Valentin 48, 166
Pichler, Karoline 37
Polko, Elise 155
Proelß, Johannes 7, 159, 165
Proudhon, Pierre 144
Prutz, Robert 2–7, 45, 49, 56, 61, 141, 145, 150, 152, 157, 158, 164–166, 169, 171, 180
Pückler-Muskau, Hermann 34, 98, 164, 172, 175
Pustau, Erna von 169

Rahm, Berta 162
Rang, Martin 162
Raumer, Friedrich von 31
Raven, Mathilde 155
Rechenberg, Gerda 161
Reichert, Klaus 81, 171
Riehl, Wilhelm Heinrich von 104, 128, 175, 178
Robespierre, Maximilien de 24
Roland, Madame 141
Rousseau, Jean Jacques 19, 27, 29, 47, 49, 57, 63, 78, 81, 162, 168
Royen, Eduard 166, 168
Ruge, Arnold 45, 145, 165

Sackville-West, Vita 79, 171
Sagar, Maria Anna 21, 23, 36
Saint-Simon, Claude Henri de 46, 164, 166
Sand, George 40, 49–59, 62, 68, 74, 81, 85, 89, 97, 107, 109, 116, 152, 164, 166–168, 176
Sandeau, Jules 51
Savigny, Carl Friedrich von 31
Scherr, Johannes 6, 7, 10, 150, 159, 180
Schiller, Friedrich 12, 27, 28, 78, 160, 173
Schindel, Carl Wilhelm Otto von 60, 163, 169
Schlegel, Caroline 44, 54
Schlegel, Dorothea 164
Schlegel, Friedrich 28–31, 163
Schleiermacher, Friedrich Ernst Daniel 28, 31, 147, 163
Schlözer, Dorothea 11
Schmid-Jürgens, Erna Ines 95, 99, 173–175
Schmidt, Julian 4, 85, 141, 145, 158, 167, 172, 179
Schneidewin, Max 175
Schopenhauer, Arthur 128, 129, 178
Schopenhauer, Johanna 30, 37
Seifert, Monika 159
Sengle, Friedrich 3, 8, 9, 86, 92, 100, 145, 158, 159, 169, 172, 174
Shakespeare, William 78
Simon, Heinrich 99, 123, 177
Simson, Eduard 121
Singer, Herbert 12, 160
Spener, Jakob 14
Spiero, Heinrich 30, 86, 141, 163, 172
Spinoza, Baruch de 147
Staël, Madame de 26, 162
Steinhauer, Marieluise 8, 153, 159, 164, 181
Steinhausen, Georg 161
Stern, Alfred 177
Stieglitz, Charlotte 107
Stifter, Adalbert 100
Stirner, Max 8, 86
Strauß, David Friedrich 134, 147
Strecker, Gabriele 181
Struwe, Amalie 157
Suhge, Werner 51, 164–166, 169

Tarnow, Fanny 30, 37, 163
Thümmel, Moritz August von 20
Toellner, Richard 177
Töpker, Adolf 100, 175
Touaillon, Christine 159, 161, 162
Treitschke, Heinrich von 5, 158
Twellmann, Margrit 181

Unger, Friedrike Helene 21, 36, 60
Ungern-Sternberg, Alexander von 85, 172

Varnhagen, Karl August 33
Varnhagen, Rahel 30, 31–34, 36, 44, 54, 101, 119, 163, 164
Vetter, Theodor 161
Voltaire 27
Vulpius, Christian August 65

Weber, Marianne 162, 167
Weber, Marta 8, 159

Weber-Kellermann, Ingeborg 42, 162, 165
Weiglin, Paul 100, 171, 175
Weischedel, Wilhelm 162
Weitling, Wilhelm 144
Wieland, Christoph Martin 161
Wienbarg, Ludolf 7
Wiesel, Pauline 32, 33, 163, 164
Wilbrandt, Lisbeth 171
Wilbrandt, Robert 171
Wildermuth, Ottilie 4, 5, 155
Wobeser, Wilhelmine von 22, 65, 132, 162
Woesler, Winfried 172
Wollstonecraft, Mary 24, 141, 162
Wolzogen, Karoline von 30, 36, 163

Ziegler, Charlotte 19